博 物 館 學 系 列 叢 書

博物館數位轉型與智慧創新
Digital Transformation and Smart Innovation in Museums

主編：徐典裕

作者：城菁汝、蔡遵弘、林靖于、黃凱祥、葉長庚、劉宜婷、汪筱薔、謝俊科、吳紹群、林詠能、宋祚忠、徐典裕、葉鎮源、陳君銘、劉杏津、蘇芳儀、施登騰、陳思妤

藝術家

目　錄

序 ——
莫道桑榆晚，為霞尚滿天

博物館是各方知識聚集與展現之處，其責任與使命，為社會大眾所期待。當博物館在公眾生活中佔有一定的影響力之際，也意味著博物館所發揮的能量不容小覷。數位時代的博物館經營與管理，迎向了溝通、行銷與多元的角色功能。

博物館的類型多元，並沒有一致的規範，但博物館促進社會大眾的使用、增進知識與提升生活品質，使大眾體悟生命的意義與生活幸福等價值，則是博物館人的共同目標。這是一項重大的人文工程，必須仰賴熱心且專業的博物館人全心的投入，才能得到成效、並獲得大眾的支持。

嚴格來說，博物館從業人員，並非從學校教育養成的，而是在博物館的每日實踐中培養而來。相關博物館課程的學習只是基礎。當然基礎越穩，在工作上較能進入狀況，並不保證在博物館能得心應手；必須在博物館場域中，從工作學習、求取經驗，不斷接受不同的工作任務，才能發揮專長潛力。

隨著時代的進步與科技的發展，博物館有了更大的發展空間，但對博物館從業人員而言，同時必須快速、積極主動獲取新知，以滿足博物館成長上的需求與各方的期待。不過，臺灣相當缺乏系統性的博物館教材與書籍，提供博物館人在職學習之需

要，因此這套博物館學系列叢書的出版，適時滿足了這些需求，讓博物館從業人員能快速的掌握，博物館各個領域的專業知識。

謝謝陳尚盈、陳佳利、施承毅、林詠能、徐典裕與曾信傑多位博物館學教授的鼎力支持，與數十位學者、專家的參與撰稿，共同促成系列叢書的出版。這套書籍涵蓋了博物館的各個專業領域，從博物館政策與友善平權，到展覽規劃實務、觀眾研究、數位博物館與博物館第一線的管理議題等，從政策、理念與實務，有全面且深入的探討。

個人以博物館人為終身職志，退休之後能再促成本叢書的付梓，正象徵著薪火相傳，一代接一代的寓意。本叢書是博物館從業人員在職教育極佳的工具書，也是一份珍貴的生日禮物。

總編輯序 ——
承先啟後，繼往開來

　　博物館訴說著國家、土地與人民的故事；緊密連接著彼此共同的過去、現在與未來，並一代代的傳承。博物館也是激發靈感與創意之源泉，透過館內外不同形式與內容的展覽，與各式各樣的教育活動，滿足民眾的學習需求。

　　臺灣目前約有近 600 所不同規模、型態與主題的博物館，提供了民眾教育、學習、娛樂、休閒上的各項需求。依政府統計顯示，我國每二位民眾，即有一人在過去一年中，至少參觀過博物館與美術館一次以上，顯示博物館已是民眾重要的文化與休閒活動選擇。臺灣博物館擁有如此巨大的活力與影響力，是博物館從業人員數十年來兢兢業業，努力付出所累積的成果。

　　黃光男教授為我國博物館學泰斗，歷任臺北市立美術館館長、國立歷史博物館館長、國立臺灣藝術大學校長、行政院政務委員與臺南市美術館董事長等職。黃教授勤於創作、著作等身，且在數十年博物館生涯中，培養出許多博物館的專業人才。適逢黃光男教授八十大壽，為表達祝賀與對教授在臺灣博物館界多年貢獻的敬意，由主編群發起，集結數十位國內外博物館學不同領域重要的專家、學者與博物館從業人員，撰寫博物館

學核心議題的研究與個案精華，作為未來博物館界教科書導向
的參考書籍。

　　博物館學系列叢書包含了博物館政策、友善平權議題、策
展規劃、觀眾研究、智慧博物館與博物館管理等六大主題，希
冀對博物館學相關議題進行完整的論述，以彰顯黃光男教授長
期以來在博物館界與學術作育英才之重大成就。博物館學系列
叢書的順利出版，要特別感謝陳佳利、陳尚盈、徐典裕、曾信
傑、施承毅等多位主編二年來的投入，從專題構思、邀稿、審
查與書籍設計等所付出的巨大心力；同時謝謝財團法人富邦藝
術基金會聽聞系列叢書的出版計畫後，所給予經費的大力支持，
也謝謝藝術家出版社與編輯群的協助，使叢書順利出版。

總編輯　林訓能

主編序 ——
用科技的力量改變現在、創造未來

　　在數位與智慧科技的浪潮推波助瀾之下，加速了全球博物館在發展思維、經營策略與服務模式的轉型與創新。在典藏、展示、教育發展方向與經營策略及觀眾服務與體驗模式亦必須不斷隨之求新求變，以吸引觀眾重返博物館。博物館如同其他產業隨網路化、數位化、行動化與智慧化等資訊科技應用的演進，歷經館務資訊化、網路化科普傳播、多媒體互動學習、無所不在行動服務及智慧創新體驗等關鍵發展歷程。迎接智慧科技時代來臨，為博物館界帶來新契機與新挑戰。從智慧教育、智慧展示、智慧管理，以及智慧營運等全方位發展議題，試圖運用智慧科技加速轉型與創新的腳步，讓民眾更鮮亮有感的新型態博物館參觀、學習與體驗環境。

　　為讓全球博物館界、學術界及產業界看見臺灣在智慧博物館的發展概況，並提供國內外博物館在發展智慧博物館的新議題，能有全方位的規劃思維及實務建構經驗可以借鏡參考。本專書集結國內在智慧博物館領域的博物館界及學術界專家學者，從全球發展趨勢探討、臺灣博物館群發展現況分析及最具代表性博物館及圖書館建構實例，分享國內外關注智慧博物館研究與發展議題的工作者、機構或社群。

　　本專書從文化部及教育部轄下博物館群的整體智慧博物館發展計畫導論出發，帶領讀者對兩部會所屬博物館群在數位發展歷程、數位轉型、智慧博物館擘劃策略、建構方向能有全面性概觀與瞭解。進而精選其中代表性博物館及圖書館個案，也邀請學術界在數位博物館領域長期投入的學者貢獻觀點與研究成果。從博物館數位轉型到智慧創新議題，主題範圍廣納數位典藏與加值內容建構、數位資源全民近用與開放、融合線上與線下數位策展策略、新型態創新內容、服務與體驗、全方位智慧博物館發展模式，以及數位科技服務的觀眾研究與智慧行為探析。智慧博物館的發展方向有無限機會與可能，每個博物館必須在有限資源，思考本身的特質與使命，優先導入最能符合民眾需求與期待及最能展現全新經營新風貌的選項。國內在智慧博物館議題上方興未艾，未來都還有很大的發展空間。希望本專書能提供國內外博物館、國內外大學相關系所師生、跨領域生態鏈產業及國內外博物館社群組織，在博物館數位轉型、數位博物館與智慧博物館創新發展議題，在實務規劃建構及學術研究能有更多啟發與參考價值。

主編　徐典裕

作者簡歷

城菁汝 Ching-Ju CHENG

國家圖書館知識服務專家、東吳大學兼任助理教授、台灣文化政策研究學會監事。臺灣藝術大學藝術管理與文化政策研究所博士、英國萊斯特大學碩士、政治大學歷史系學士。專長為博物館學及數位典藏暨策展。負責國家圖書館臺灣記憶系統數位資源推廣及展覽，擔任「憶起上學展」內容策劃。曾任全國文化會議暨文化政策白皮書諮詢委員及撰稿者 (2017-2018)；中研院歷史語言研究所暨數位文化中心博士後研究員；中研院後設資料工作組組員 (數位典藏國家型科技計畫)。

蔡遵弘 Tsun-Hung TSAI

臺北科技大學設計學院設計博士，現為實踐大學媒體傳達設計學系專任助理教授、台灣數位藝術基金會暨在地實驗技術總監、曾任上海舜和數碼科技有限公司互動設計師、台灣微軟股份有限公司技術客服、台北當代藝術館 MIS。具握持式平板操作架整合智慧型充電展示模組、擴增實境劇場盒、動畫手轉書結構與互動程式物件處理方法與其多機通訊方法…等專利。專業領域為電腦動畫、互動設計、擴增實境、虛擬實境與遊戲設計。擔任「憶起上學展」互動內容執行製作。

林靖于 Ching-Yu LIN

國立臺灣師範大學教育管理與課程教學領導碩士。現為臺北市立麗山高中歷史教師、109-110 學年度歷史學科中心種子教師。專長為課程評量與設計、在地文史融入教學、踏查路線規劃與執行、博物館資源蒐集和應用。曾任臺北市立中正高中歷史教師，負責「憶起上學展」融入 108 課綱精神的高中課程規劃與實施。

黃凱祥 Kai-Hsiang HUANG

現任故宮博物院數位資訊室助理研究員。時任國立臺灣歷史博物館研究助理，負責規劃推動全館資訊化、科技發展及臺灣行卷等重要計

畫，亦為文化平權推動小組成員之一。從實務工作與研究中體認到典藏物件雖為靜態，但藉由博物館整體運作，卻可傳達豐厚的生命力。期待透過科技應用，擴展博物館不同營運面向，連結人與環境，感受歷史與文化。

葉長庚 Chang-Keng YEH

大學畢業於臺大生機系，雙主修人類學系，後續取得臺大人類學博士學位。專長主要包括臺灣考古學、考古田野調查與發掘、3D 數位化技術應用等領域，研究聚焦在臺灣史前巨石研究、卑南史前聚落研究、環境考古學、實驗考古學、文化資產保存維護作業等議題。在史前館建置有「考古文物 3D 資料庫」、「卑南遺址國際學術資料網」、智慧典藏庫以及 3D 實驗室等主要成果，亦協助文資局建置「國家考古遺址出土遺物典藏管理系統」與「考古遺址監管巡查系統」。近期重要研究發表為《卑南遺址史前聚落形成與發展之研究》，並推動以卑南遺址為背景之奇幻小說《風暴之子》與奇想漫畫《玦：學生》的出版。

劉宜婷 Yi-Ting LIU

南藝大博古所碩士生，專長為 3D 數位典藏、文物數位修復、古物保存維護、數位影像處理、3D 動畫、網頁設計、商業設計。曾參與史前館卑南二期考古計畫、「卑南遺址國際學術資料網」及「考古文物 3D 資料庫」建置計畫、智慧博物館計畫、國典中心計畫，目前負責史前館 3D 實驗室技術管理與數位修復作業。

汪筱薔 Hsiao-Chiang WANG

文化部科員，主要業務經驗包括全國博物館入口網站 暨資料庫建置、國內外專業資訊彙蒐、博物館科技計畫研提及文化科技 跨域人才培育規畫等。現為英國格拉斯哥大學博物館學系研究生，研究 方向為博物館數位轉型及原住民族博物館教育。

謝俊科 Chun-Ko HSIEH

目前擔任國立故宮博物院秘書室主任（2022 年 2 月），先前曾擔任數位資訊室主任（2021 年 2 月至 12 月），也曾擔任教育展覽資訊處副處長（2015 年 12 月至 2021 年 2 月）。於負責數位資訊業務期間，主要從事博物館數位面向的研究與發展，推動故宮成為 21 世紀智慧博物館等任務。為國立台灣大學資訊工程博士，研究興趣含文化資產多媒體、數位典藏、人機互動、虛擬實境及數位展覽等創新應用。近期曾擔任策展人或共同策展人辦理「經典之美一新媒體藝術展」、「故宮南院奇幻嘉年華：21 世紀博物館特展」（國際）、「動物藝想－故宮新媒體暨藝術展」、「藝域漫遊－郎世寧新媒體藝術展」（國際）等數位展。並推動故宮 8K 影片、VR / AR 應用、創魔列車（Maker & MOOCs Train）、故宮行動 博物館 4G / 5G 計畫等。

吳紹群 Shao-Chun WU

現為國立故宮博物院數位資訊室副研究員兼第三科科長，曾於專門圖書館、大學圖書館、技專院校圖書館等單位任職。目前於故宮主要負責資料開放、數位典藏、博物館數位教育推廣、數位展覽、數位內容、產學研合作、科技計畫專案管理等職務。畢業於國立臺灣大學圖書資訊學系博士班、國立政治大學圖書資訊與檔案學研究所，曾於國立臺灣藝術大學、輔仁大學、東吳大學、國立政治大學等校擔任兼任教師，開設圖書館及博物館領域專業課程，學術專長為博物館科技應用、資訊組織、電子出版、數位學習、圖書館學等。

林詠能 Yung-Neng LIN

現任國立臺北教育大學當代藝術評論與策展研究全英語碩士學位學程教授兼主任。英國萊斯特大學博物館學博士，研究領域聚焦於博物館觀眾研究、博物館評鑑與文化統計；曾獲得 Museum Management and Curatorship 學術期刊「最佳年度管理論文獎」。目前同時兼任文化部文化統計主持人、教育部「智慧服務、全民樂學：國立社教機構創新服務計畫」專案辦公室主持人。

宋祚忠 Tso-Chung SUNG

臺東縣臺東市人。2006 年畢業於國立臺灣海洋大學，取得造船工程博士學位。2007 年進入國立海洋科技博物館工作擔任助理研究員，負責船舶與海洋工程廳的展示策劃與籌建階段資訊發展之業務。研究範疇包含：智慧博物館技術應用整合、造船廠生產管理及生產排程最適化、海洋科技轉化科普教材與教具開發（含專利）、博物館非制式教育與學習等。現為國立海洋科技博物館展示教育組組主任及資訊安全管理審查委員會副召集人，除了統籌展示教育及管理資訊安全等業務外，亦負責規劃辦理船舶科技、海洋工程科學教育活動。自 2017 年開始參與第一、二期「智慧服務、全民樂學：國立社教機構創新服務計畫」，負責規劃辦理海科館「智慧博物館」計畫至今。

徐典裕 Tien-Yu HSU

現任國立自然科學博物館科學教育組研究員兼主任。2006 年取得國立交通大學資訊工程與科學研究所博士學位。長期致力於新世代數位博物館與智慧博物館發展實務及學術研究工作。過去三十年負責規劃執行全館電腦化發展、數位典藏與數位學習、數位文創與教育及智慧博物館等重要計畫。因長期致力於數位博物館及數位學習發展推動工作貢獻卓越，於 2017 年獲得資訊月傑出資訊人才獎。也因在學術研究及業界實務卓越表現，獲選雲林科技大學傑出校友及校友名人堂。過去十幾年分別在台中科技大學資訊工程系、中興大學圖書資訊學研究所、台北教育大學博物館經營與科技應用學程授課。主要研究及發表領域包括數位典藏、數位內容管理、數位／智慧博物館、智慧學習、數位體驗設計及虛實融合科普教育。

葉鎮源 Jen-Yuan YEH

現任國立自然科學博物館營運典藏與資訊組副研究員。2000 年畢業於國立交通大學資訊科學學系；2002 年畢業於國立交通大學資訊科學研究所；2008 年畢業於國立交通大學資訊科學與工程研究所，取得博士學位。2009 年 7 月進入國立自然科學博物館資訊組服務，擔任數位典藏與數位學習國家型科技計畫博士級

專業助理；2011 年 6 月獲聘為助理研究員；2018 年 8 月升等為副研究員，並於 2021 年 1 月起兼任圖書資訊科科長。葉博士的研究興趣包括文件探勘與摘要、資訊檢索與萃取，數位圖書館／博物館，以及自然語言處理等。

陳君銘 Jun-Ming CHEN

國立台灣大學資訊管理博士，目前是國立自然科學博物館營運典藏與資訊組助理研究員。同時，擔任多個學術期刊的論文審查委員。主要研究範疇為行動與無所不在學習、遊戲式學習、學習科技與人工智慧、擴增實境與穿戴式科技應用、知識工程與專家系統等。近年來，致力於將學習科技與人工智慧技術應用在博物館教育及深度學習領域；同時，結合學習行為分析及知識擷取技術，應用於博物館行動智慧及無所不在學習環境。

劉杏津 Hsin-Chin LIU

國立臺中科技大學資訊工程碩士，目前是國立自然科學博物館營運典藏與資訊組約聘程式設計師。主要工作與研究範疇為親子兒童遊戲式學習、虛實整合教材、一般大眾數位學習內容與虛擬展示、參觀前中後行動悠遊學習服務等。近年來，著重於創新互動科技體驗展示、沉浸式互動體驗服務及互動裝置應用等新型態虛實融合體驗展示應用，並朝 AI 智慧感知與智慧展示、參觀人流與客流智慧偵測、辨識與分析、觀眾行為分析與互動體驗展示之大數據分析及決策機制應用於營運策略相關領域前進。

蘇芳儀 Fang-Yi SU

不少看過我做的展示，或者與我有展示設計業務往來者，在問到我是「學什麼的？」，大概有百分之 99.99999 的人，會張大嘴並驚訝地說：「你……學俄文的！怎麼會做展示」，是的，我畢業於中國文化大學俄國語文學研究所畢業，是一位純「文學」背景出身的人，但我卻在過去的二十四年，任職於國立科學工藝博物館，跨領域地投入了展示設計的工作，完成許多展示作品。

眾所皆知，展示是博物館當中最重要的一環之一，也是活水源頭，是一個

需要創意及統整能力的工作，對一個完全不具備相關領域背景的我而言，這個「跨界」，著實跨很大，一路從做中學，累積經驗，點點滴滴，策劃多檔大型展覽，包括：「氣候變遷」常設展示廳、「愛的萬物論—探索物聯網」特展、「訴心相印～印刷文物」特展等，並統籌多檔海外移展工作，包括：澳門科學館及重慶科技館，發表以氣候變遷及展示設計規劃為主題等多篇期刊論文，專長為博物館展示策劃與實務、博物館科學教育。

施登騰 Deng-Teng SHIH

取得澳洲國際學生全額獎學金（EIPRS 與 IPA）後，進入澳洲雪梨大學藝術與社會科學學院藝術理論與電影學系攻讀博士。回國後任職中國科技大學，目前為互動娛樂設計系與室內設計系共聘師資。個人研究與產學案聚焦於數位轉譯與博物館科技應用，執行過 AR、VR、沈浸投影、互動裝置、聊天機器人等專案開發。近年擔任博物館／美術館審查委員，且是文化部／經濟部／國美館之產業調查研究、5G 應用、與數位典藏應用計畫之主持人，並擔任台灣經濟研究院、資策會產業情報所、數位教育所、與數位轉型所之專業顧問。

除了定期發表研討會與期刊論文以及專欄文章外，也同步撰寫博物館科技與古器物鑑定等專業主題，並有「博物館科技系列」、「數位轉譯系列」、「數位典藏典藏轉譯」「數位科技系列」等專文約三百篇分享於《數位轉譯職人誌》（https://medium.com/artech-interpreter）。

陳思妤 Shih-Yu CHEN

英國牛津大學物質人類學與博物館民族學碩士、伯明翰大學文化資產博士。現為中華民國博物館學會博士後研究員，研究領域為博物館社會參與、博物館管理、文化資產與詮釋以及博物館科技應用。博士論文以臺灣博物館原住民展示為切入點探討博物館之社會角色；後續研究包含「馬來西亞檳城社區藝術空間之社會網絡」、「新冠肺炎疫情對臺灣民眾參觀博物館決策之影響」以及「#BLM博物館如何利用社交平台落實社會正義」等強調博物館與社會相關性和社會參與。

數位人文展示策劃與互動技術應用策略：
以國家圖書館「憶起上學展」為例

城菁汝、蔡遵弘、林靖于

前言

隨著各項智慧通訊科技的進步與成熟，歷來在人文領域中扮演著「資料源頭」的博物館及圖書館，近年來不斷嘗試應用數位科技於業務上，如跨界合作、互動體驗展、虛實整合教育等，考驗社教機構應用數位科技於發展文化的能力（林國平、城菁汝，2018）。如同博物館一樣，圖書館身為教育及典藏機構，也以展覽推廣閱讀，透過互動技術應用，使得過去不易呈現的圖書文獻內容，有了全新的展示方式。

美國新媒體聯盟（New Media Consortium）不定期出版「視野報告 - 博物館專刊（Horizon Report-Library Edition）」及「視野報告 - 圖書館專刊（Horizon Report-Library Edition）」，歸納博物館及圖書館需思考的策略、營運和服務。2017 年「視野報告 - 圖書館專刊」將「跨機構合作（cross-institution collaboration）」列為圖書館需長期關注的趨勢。此外，報告也提出「整合新媒體及科技（incorporating new media and technologies）」是數位創新策略的核心，圖書館必須跟上各類資料轉換的模式，以適應民眾對影音、視覺化、虛擬實境等的偏好（Adams et al., 2017: 2-12）。可以說，「跨機構合作」及「整合新媒體及科技」是圖書館面對未來至關重要的數位創新策略。

本文以國家圖書館（以下簡稱國圖）與實踐大學媒體傳達設計學系及臺北市立中正高中合作，以國圖百年教育館藏策劃之「憶起上學展」為例，探討圖書館、大學、高中三方如何跨機構合作，完成應用館藏，整合新媒體及科技，結合「學校教育」及「社會教育」的數位人文展示。透過實作經驗，提出未來社教機構發展數位人文展示之挑戰及建議。

本文首先介紹數位人文展示及互動技術應用，並說明國圖歷年數位人文展示歷程。

一、數位人文展示策劃

　　學者專家們對「數位人文」（Digital Humanities，簡稱 DH）有各式定義，諸如（項潔、涂豐恩，2011；林富士主編，2017；林國平、城菁汝，2018）：結合數位資料，運用資訊科技，以從事人文研究；需人文學者與資訊學者密切合作；利用數位科技探討或解決人文領域的問題；應用數位科技於發展文化的能力，如沉浸式體驗展及虛實整合教育等。2016 年美國博物館與圖書館服務機構（Institute of Museum and Library Services，簡稱 IMLS）指出，「數位人文」領域需要博物館和圖書館專業者共同合作，特別是在策展／庋用（curation）、保存、資訊架構、後設資料及永續性等層面。

　　本文探討「數位人文展示」的實作層面，意指利用博物館與圖書館典藏之大量高品質的數位資源，藉由人文學者、資訊學者以及教育人員跨域合作，整合新媒體及科技，共同策劃具教育及趣味性的互動展示。也就是，以團隊合作方式策劃數位人文展示，團隊成員包含人文學者（內容專家）、資訊學者以及教育或觀眾服務人員（Maye, McDermott, Ciolfi and Avram, 2014；吳紹群，2018）。相關案例有中央研究院數位文化中心「漫筆虛實 CCC 創作集數位體驗展」（2017），以數位典藏國家型科技計畫數位成果所創作之 CCC（creative comic collection）漫畫為策展主題，讓觀眾體驗數位典藏、漫畫創作及互動科技（擴增實境、浮空投影及 3D 投影）三者結合之數位人文展示。近年來國立故宮博物院利用大量高品質的數位典藏成果，以「新媒體藝術展」模式拉近民眾與古美術的距離，例如「山水合璧 - 黃公望與富春山圖新媒體藝術展」、「同安潮新媒體藝術展」、「乾隆潮新媒體藝術展」及「藝域漫遊 - 郎世寧新媒體藝術展」，皆是由策展團隊、IT 專家、教育團隊共同跨域合作策劃（吳紹群，2012；林國平、城菁汝，2018）。

二、互動技術應用

　　博物館與圖書館數位人文展示採數位互動模式，以有趣的互動體驗，提高民眾探索社教機構館藏之興趣。隨著數位互動技術的進步，提供各種互動技術應用於展覽的可行性。例如：以影像偵測互動技術呈現文物內涵的「名畫大發現 - 清明上河圖」，針對畫中虹橋、拉縴、射柳等規劃「互動式主題（hot spot）」，當民眾觸摸到桌面主題，出現相對應的 2D、3D 動畫或影片說明，增加民眾對原畫內容的理解（FBI-Lab TechArt, 2005）；又譬如，應用非接觸手勢辨識技術的「皮癮戲」，讓民眾可以透過雙手食指替代操偶的木棍，體驗非物質文化遺產皮影戲的精隨（Tsai and Lee, 2016）；而 Google Arts & Culture VR APP 讓使用者可以透過虛擬實境（Virtual Reality，簡稱 VR）技術身歷其境般的欣賞世界各地博物館收藏的名畫及藝術品，還可聆聽專業語音導覽。甚至，應用基於同步定位與地圖構建的擴增實境（Augmented Reality，簡稱 AR）技術，可以將已不存在的歷史建物或場景依原尺寸還原於遺址上（Tsai and Chiang, 2019）。

互動技術應用使原本只能被動觀看展示的觀眾透過體驗成為主動參與者，因而比靜態展示更能吸引觀眾的注意力。然而，除了上述提及展示策劃背後需跨領域合作，博物館和圖書館對互動技術應用的特性及原則須先有所了解，才能夠策劃出好的數位人文展示。本文歸納學者專家提出若干互動技術應用須注意的原則，分為目的、操作、維運及評量四個層面討論：

（一）目的

對以館藏開發的互動展示而言，目的並非讓觀眾產生「驚奇的體驗」，而是讓觀眾藉由互動體驗引發興趣，進而建立知識脈絡，體驗過程隱含著教育及溝通之目的。若缺乏說明詮釋，互動裝置易流於碰觸取樂的體驗。民眾只樂於見到自己動作引起「反應」，卻忽略了「真正要傳達的訊息」（丁維欣等，2012；陳玟岑、閻映丞，2014；吳紹群，2018）。

（二）操作

互動裝置操作介面須易理解，並有簡單的操作說明；對不適當行為提供回饋或容錯設計；互動裝置須考慮舒適性，符合人體工學（轉引自陳玟岑、閻映丞，2014）。

（三）維運

互動展示運用機械、電力及數位科技，長時間運轉，須以程式控制並串聯各種數位媒材，故障是無法避免的情形。互動部分越多，損壞的可能性越大。損壞原因可能是裝置正常損壞或民眾使用不當，實務上兩者很難劃分。一旦發生故障待修，影響民眾對展示的觀感，也使教育意涵減弱（陳玟岑，2011；吳紹群，2012；李如菁，2016）。因此，社教機構須將互動展示的保固納入考量，也須規劃

互動展示的維運經費與管理方式，例如：使用時是否需專人在旁維護；互動裝置是否需租借才能使用；新冠肺炎疫情下定期的清潔及消毒；設備能否自動開關機與閉館是否需收回上鎖等等，都是互動展示開展後須面對的實務面。

（四）評量

展示成效評量須留意觀眾對互動內容的理解是否與設計者的構想相符，可從觀眾「觀察到什麼」、「做了什麼」、「發現什麼」衡量（陳玫岑、閻映丞，2014；吳紹群，2018）。而「觀眾滿意度」是評估展示成效的重要依據，觀眾滿意度高，是成功的展示，反之則否（游孝國、林國平，2006；劉婉珍，2011）。

綜合以上，互動技術應用四個層面原則（目的、操作、維運及評量），加上數位人文展示策劃建議採「跨領域團隊」，可作為博物館、圖書館研發數位人文展示之參考。除了上述中央研究院及故宮博物院的數位人文展示案例，本文接下來以國圖三檔數位人文展示進一步說明「跨領域團隊」的組成。

三、國圖數位人文展示歷程探討

國圖近年來透過教育部數位人文計畫申請，獲得上位經費挹注及與外部機構合作的機會，藉此開發以館藏內容為主的互動展示，達到「推廣閱讀」的目標。本段簡述國圖從 2016 年起三檔數位人文展示歷程，比較探討國圖如何執行「跨機構合作」及「整合新媒體及科技」策略，表 1-1。三檔數位人文計畫之展示分別為：2016 年「穿越經典：漢學場景虛擬實境閱讀體驗先導計畫」完成「穿越經典展」，2018 年「印象太陽：林良作品虛擬實境 VR 互動展示計畫」完成「印象太陽展」，和 2019 年「百年教育：臺灣記憶互動展示研發計畫」完成「憶起上學展」。最初教育部數位人文計畫（2016 年）目標為：建立大學與社教機構之合作平臺或機制，以博物館／圖書館為人文社會科學知識應用、價值體現之實踐場域，並結合數位科技之運用，具體展現大學數位人文之特色與前瞻性。

在此架構下，「跨機構合作」指大學與社教機構（博物館／圖書館）兩方，利用各自優勢「整合新媒體及科技」，將成果呈現於博物館或圖書館。2016 年由大學端助理教授級以上老師擔任主持人與社教機構合作，向教育部申請為期 10 個月的計畫。

表 1-1　國圖數位人文展示比較表

數位人文計畫 / 展示	經費來源 / 計畫時長	合作機構 / 主要科技應用	主要館藏		
			館藏橫跨時間		
			互動展示重點呈現		
穿越經典：漢學場景虛擬實境閱讀體驗先導計畫 / 穿越經典展	105 年度「教育部辦理補助大學以社教機構為基地之數位人文計畫」/ 10 個月	南臺科技大學圖書館、多媒體與電腦娛樂科學系 / VR	17 世紀郁永河《裨海紀遊》，以及清代繪本《臺郡圖說》與《臺灣番社風俗》		
			1697 年 2 月 -12 月		
			採第一人稱，觀眾如同郁永河般，搭戎克船接近臺灣海岸，觀察沙洲、漁舍、碼頭、人物、鹿耳門、赤崁樓等情景。		
印象太陽：林良作品虛擬實境 VR 互動展示計畫 / 印象太陽展	107 年度「教育部辦理補助社教機構之數位人文計畫」/ 12 個月	臺南藝術大學動畫藝術與影像美學研究所、國立科學工業園區實驗高級中學 / VR	林良《小太陽》，以及林良繪畫與手稿		
			1963 年 -1972 年		
			以第三人稱從旁觀者角度，走入作家一間房的家裡（〈一間房的家〉），觀看作家與妻子及嬰兒的互動（〈小太陽〉）。		
百年教育：臺灣記憶互動展示研發計畫 / 憶起上學展	108 年度「教育部辦理補助社教機構之數位人文計畫」/ 12 個月	實踐大學媒體傳達設計學系及臺北市立中正高中 / AR	國圖百年教育資源		
			1919 年 -2019 年		
			館藏鎖定與教室相關數位內容（課本、畢業紀念冊、老照片等）規劃互動展示，讓觀眾扮演女高中生穿越時空回到過去，以第一人稱視角與教室內同學及老師互動。		

（研究者製表）

　　國圖「穿越經典展」與南臺科技大學「圖書館」及「多媒體與電腦娛樂科學系」合作，主要應用國圖 17 世紀郁永河《裨海紀遊》館藏，研製完成 VR 閱讀裝置。《裨海紀遊》為清朝官員郁永河所著，書中描繪郁永河從福州出發來臺為期 10 個月旅行見聞。考量計畫時程及 VR 閱讀體驗時間，展示只重點呈現「郁永河搭戎克船接近臺灣海岸情景」。觀眾體驗時以第一人稱視角，如同郁永河搭乘戎克船，可在甲板上移動，觀看海上浪花或仰望天際，也可使用望遠鏡近距離觀察沙洲、漁舍、碼頭、人物、鹿耳門、赤崁樓等。「穿越經典展」成員反思執行經驗，撰文提出 VR 融入閱讀的建議，包含（楊智晶等，2017）：VR 的 3D 圖書閱讀推廣並非整本書製作，而需擷取重點，並引領讀者回去看原著；文獻從文本轉換為 VR 視覺影像是重新解構與重構，歷史考證及開發耗時且需多元人才加入；70% 受訪者體驗後，表示可以接受 VR 虛擬實境的閱讀方式。

　　教育部數位人文計畫採滾動式修正的作業模式，社教機構配合每年申請需求進行調整。2018 及 2019 年教育部數位人文計畫目標為：建立社教機構、大學端與 12 年基本教育學校端之合作平臺或機制，以博物館 / 圖書館為人文社會科學知識

應用、價值體現之實踐場域，並結合數位科技之運用，具體展現數位人文之特色與前瞻性。

在此架構下，「跨機構合作」除大學與社教機構（博物館／圖書館），新增 12 年基本教育學校共三方，改由社教機構擔任計畫主持人向教育部提出申請，計畫時程延長為 12 個月。由社教機構一級主管或助理研究員以上人員（具博士學位）擔任計畫主持人這項轉變，賦予社教機構更多主導權，呼應美國博物館與圖書館服務機構（IMLS, 2016）主張圖書館和博物館專業人士可扮演數位人文領域的領導者，而非只是被動的支持者。

2018 年國圖「印象太陽展」與臺南藝術大學「動畫藝術與影像美學研究所」及國立科學工業園區實驗高級中學合作，應用館藏作家林良《小太陽》散文集，以及林良繪畫與手稿。《小太陽》收錄橫跨 15 年的 44 篇散文，記錄作家林良結婚、成家、到成為三個女娃父親的人生重要時刻。VR 展示只重點呈現〈一間房的家〉及〈小太陽〉二篇散文內容，體驗時間約 15 分鐘。計畫成員梳理文學 VR 體驗融入中學課程經驗，提出 VR 閱讀須注意事項，包含（洪一平等，2019）：VR 體驗從文字量大且篇幅眾多的《小太陽》擷取重點呈現；需思考體驗者視角（第一人稱或第三人稱）與文本的結合，最後以第三人稱從旁觀者角度，走入作家一間房的家裡，觀看作家與妻子及嬰兒的互動；「印象太陽展」與高中國文教學合作，教師提出展示結合高中教學，可考量加入「延伸閱讀」以加深內容。

第三檔數位人文展示為 2019 年「憶起上學展」，由國圖、實踐大學媒體傳達設計學系及臺北市立中正高中合作，應用國圖館藏各類型教育資源，引進實踐大學數位研發能量，融合中正高中教案設計，以認識臺灣百年教育發展之多元脈絡。展示故事線是讓觀眾扮演女高中生穿越時空回到過去，以第一人稱視角與學生時期的曾祖父、祖父、父親在教室內對話，並與教室內各年代的同學及老師互動，完整體驗時間約需 40 到 60 分鐘（視個人闖關速度）。館藏鎖定與教室相關數位內容（課本、畢業紀念冊、老照片等）規劃互動展示（細節於下一章節說明）。

「憶起上學展」有別於「穿越經典展」及「印象太陽展」的地方有二：一是「內容層面」，「穿越經典展」及「印象太陽展」從既有的經典名著故事（《裨海紀遊》與《小太陽》），精選重點開發；而「憶起上學展」是計畫自行創作

發想，屬於原創 IP（intellectual property）。其二是「數位科技層面」，「穿越經典展」及「印象太陽展」採用 VR 技術，體驗時間約 10-15 分鐘；而「憶起上學展」包含 7 個單元，最主要單元採 AR 互動技術，體驗時間約 40-60 分鐘。

四、小結

「展覽」是最直觀及有效的溝通方式，讓博物館及圖書館可以用有趣的方式呈現館藏內容，發揮社會教育功能。然而，多數圖書館館藏並不像博物館館藏文物或藝術品能透過直覺觀賞，需將館藏內容消化解構並轉譯，才有可能發展為互動展示。上述三檔國圖數位人文展示策劃方式都以擷取館藏之重點精華製作，而非全部呈現，考驗著策展團隊提取館藏元素與說故事的能力。從互動技術應用「目的」及「評量」來看，研究顯示觀眾對應用 17 世紀古籍的「穿越經典展」與當代散文集的「印象太陽展」都有正面的回饋（楊智晶等，2017；洪一平等，2019）。然而，若是館藏類型眾多，但彼此間又無明顯故事性，如何將知識及故事交織開發為具吸引力的互動展示呢？本文接下來以「憶起上學展」為個案研究討論。

個案研究－國家圖書館「憶起上學展」

一、跨機構合作共同目標研定與任務分工

國圖職司國家文獻典藏，法律規定國內所有出版品及博、碩士學位論文應送存國家圖書館保存。此外國圖也持續蒐藏臺灣文史資源，如臺灣明信片、老照片、舊籍、畢業紀念冊等，並數位典藏於「臺灣記憶」系統（https://tm.ncl.edu.tw/index），使其得以傳播利用。國圖自 2019 年起與臺灣百年高中合作教育文獻數位化，資源類型包含：書籍、老照片及畢業紀念冊，加上國圖原有日治時期日文書籍及報紙等館藏，這些橫跨百年的資源都成為「憶起上學展」豐富的素材庫。

然而，互動展示並非包羅萬象的系統資料庫，面對如此龐大的內容，應該如何擷取重點進行互動展示內容規劃與故事腳本撰寫呢？這需要回到本個案最初與中正高中老師的討論：

館員詢問：「臺灣百年教育這主題，如何與目前高中歷史教學結合？」

老師回答：「可與歷史課綱『現代國家形塑（兩次國語運動）』結合，並

108 課綱普通高中歷史科主題 D「現代國家的形塑」提及條目「歷 Da-V-3 教育、語言與基礎建設」，討論國民教育在不同時空背景的發展和對現代國家形塑的影響，其中課程單元「兩次國語運動」意指日治時期在臺灣推動國語（日語），及二戰後國民政府來臺推動的國語（北京話）。「歷史開麥拉」是中正高中老師共同研發的校內高一多元選修課程，讓學生透過影片賞析及分組討論，了解影片相關時代背景知能。適合融入百年教育的課程影片有《稻草人》及《我的兒子是天才》。

透過國圖、實踐大學及中正高中三方團隊成員多次討論，各自分享上學經驗，提出對互動展示的想法，最後確認互動展示內容須滿足三個要件：首先，國圖館藏須出現，此為館方最重視之處。考量國圖教育主題館藏資源以日治時期居多，可作為第一次國語運動的素材，因此互動展示內容包含日治時期。其次，因目標觀眾鎖定為當代高中生，體驗需讓其有代入感。故腳本為一家四代人在同一間教室發生的故事，讓觀眾扮演當代高中生穿越時空，採取「第一人稱」視角，感受國家透過教育（語言政策）形塑生活於其下的家人（曾祖父、祖父、爸爸）。最後，回到計畫目標「翻轉教育，寓教於樂」，互動展示最終目標是引起體驗者的「興趣」，需透過有趣的手法，而非一廂情願地呈現未經編排設計的國圖館藏。

上述三要件是國圖、實踐大學及中正高中「跨機構合作」的目標，最終成果是產出結合國圖館藏，由大學研發製作的互動展示，最後融入高中教學。當條件設定好，接下來三方採「協力工作」合作模式，依照專業，分頭進行自己的職責。如同打棒球，球隊每位成員（捕手、投手、打手）都清楚自己任務，不會混淆角色又能達到互補，有助於讓團隊向前推進（金振寧譯，2019）。

本文分別從「AR 互動內容規劃與腳本撰寫」、「互動展示規劃與設計」、以及「教案與體驗設計」三方面，探討三方如何協力工作。

二、AR 互動內容規劃與腳本撰寫

國圖團隊主要負責 AR 互動內容規劃與故事腳本撰寫，包含：館藏教育資源選擇確認、史料分析、資源詮釋、以及 AR 故事腳本撰寫等。

「憶起上學展」故事內容橫跨 100 年，將「百年教育」時間界定為 1919 年 -2019 年，以一個家族四代（前三代是男生，第四代是女生）為發想。讓體驗者扮演第 4 代高中生（2019 年，15 歲）穿越時空，回到過去與學生時期的曾祖父、爺爺和爸爸相遇，展開闖關體驗。展覽主視覺設計呈現教室走廊上的四位主角人物，從左至右分別為喜愛打棒球的曾祖父、熟背《蔣公紀念歌》參加學校合唱競賽的祖父、關心野百合運動的父親、回到過去追尋著家族上學記憶的女高中生，圖 1-1。

圖 1-1
憶起上學展主視
覺—四代人物

四代家族人物角色、時代背景及 AR 互動故事設定，摘要說明如下：

（一）1943 年，日治晚期，曾祖父 15 歲

時代背景：日本統治晚期，二次世界大戰期間強調對日本的犧牲奉獻，表現於語言、服裝及生活物資的控制。

互動劇情：

1. 體驗者進入日治時期教室，需先吃下「森永牛奶糖」，才會聽得懂日語（平板字幕從「亂碼」變成「中文」）。

2. 配合皇民化政策，推行改姓名運動。體驗者需找到《地式改姓名の仕方》這本書，提供同學改名上的指引。

（二）1965 年，戒嚴時期，祖父 15 歲

時代背景：反共國策、威權體制對於言論自由的箝制。

互動劇情：

1. 體驗者進入戒嚴時期教室，須背唱出《蔣公紀念歌》歌詞，如「總統 ＿＿ 公您是人類的 ＿＿＿＿，您是 ＿＿＿＿ 的偉人。總統 ＿＿ 公，您是自由的 ＿＿＿＿，您是 ＿＿＿＿ 的長城。」

2. 體驗者需找到《查禁圖書目錄》，上面列的書籍都是禁書，禁止私藏及閱讀，違者將被拘捕。

（三）1990 年，解嚴初期，爸爸 15 歲

時代背景：社會上民主運動、街頭運動、原住民正名運動，風起雲湧。1990 年 3 月「野百合學運」學生聚集於中正紀念堂發起大規模政治抗議行動。

互動劇情：體驗者進入解嚴時期教室，需協助張貼野百合運動宣傳單。

（四）2019 年，當代，女兒 15 歲

時代背景：對多元文化的理解、尊重與包容原住民族、新住民子女身分者。

互動劇情：校慶園遊會班上攤位為世界美食文化，新住民二代帶來家鄉菜，體驗者須依照訂單送菜。

搭配故事腳本，國圖整理教育大事年表，與年表相搭配的館藏資源及背景資料，如人物服裝、造型、髮型；教室場景、桌椅、黑板等，提供實踐團隊參考。

「憶起上學展」共有 7 個互動單元，分別為：

1. AR 互動體驗
2. 音樂便當盒
3. 會唱歌的書包
4. 課本塗鴉
5. 互動布告欄

6. 黑板

7. 主題書展

國圖館藏穿插應用於 7 個互動單元，也向外部單位申請課本、音樂及照片／圖檔的授權，豐富互動展示內容。「表 1-2 互動展示應用資源類型」列出書籍、課本、音樂、照片／圖檔、畢業紀念冊、明信片、報紙等 7 類資源的應用年代、出現單元，以及出現資源名稱。從表格歸納，可了解國圖館藏資源與「憶起上學展」互動單元的關係。例如，「書籍」資源涵蓋年代為四代，出現於「AR 互動體驗」、「互動布告欄」與「主題書展」3 單元，而戒嚴時期《查禁圖書目錄》出現於「AR 互動體驗」及「互動布告欄」2 單元；又例如，「課本」資源涵蓋年代為四代，出現於「課本塗鴉」及「主題書展」二單元，國圖向國家教育研究院申請【戒嚴】【解嚴】課本圖檔授權，而解嚴時期的《國語課本第 5 冊》出現於「課本塗鴉」單元。

表 1-2　互動展示應用資源類型

應用資源類型	年代	互動展示單元 申請授權	舉例
（一）書籍	日治、戒嚴、解嚴、當代	「AR 互動體驗」「互動布告欄」「主題書展」	【日治】杉房之助，1925。日臺會辭大全。臺北市：新高堂書店。 【戒嚴】臺灣省政府臺灣警備總司令部編印，1966。查禁圖書目錄。
（二）課本	日治、戒嚴、解嚴、當代	「課本塗鴉」「主題書展」 申請國家教育研究院【戒嚴】【解嚴】課本圖檔授權	【戒嚴】國立編譯館，1968。國語課本第 5 冊，3 上。 【解嚴】國立編譯館，1990。國語課本第 5 冊，3 上。
（三）音樂	日治、戒嚴、解嚴	「音樂便當盒」「會唱歌的書包」 申請國立臺灣歷史博物館【日治】唱片圖檔授權	【日治】臺北音頭 【戒嚴】反共大陸去
（四）照片／圖檔	日治、戒嚴	「AR 互動體驗」「互動布告欄」 申請嘉義大學嘉農棒球隊照片授權；申請臺灣森永製菓股份有限公司森永牛奶糖圖像授權；申請正暉股份有限公司（明治 meiji 代理商）明治巧克力圖像授權	【日治】挖防空壕-預防空襲來臨（臺南第二高等女學校） 【戒嚴】走廊上的反共標語（臺灣省立屏東女子中學）
（五）畢業紀念冊	日治、戒嚴	「互動布告欄」	【日治】劍道部、角力部（臺北第二中學校卒業紀念）
（六）明信片	日治	「互動布告欄」	【日治】（臺北）榮町街道、臺北第一中學校擊劍基本練習
（七）報紙	日治	「AR 互動體驗」「互動布告欄」	【日治】臺灣日日新報、興南新聞

（研究者製表）

圖 1-2
展場

策展團隊將上述七類資源融入互動內容規劃與腳本撰寫，互動腳本經過多次修改，也請中正高中老師對腳本進行史實的確認及修正。同時間，實踐大學團隊據此展開互動展示規劃與設計。

三、互動展示規劃與設計

（一）互動展示整體規劃

「憶起上學展」展場為國家圖書館閱覽區 5 樓穿堂，由實踐大學團隊規劃互動展示的軟硬體設備及展區空間配置。展區場景設定為一間教室，團隊在展示空間中搭建兩面牆，一面牆為教室布告欄，另一面配置了黑板，並在空間中擺放講桌及 9 張課桌椅，每 3 張桌子為一個年代，圖 1-2。從黑板面對展場，右手邊第 1 排 3 張桌子為日治時期，碰觸桌上便當盒及打開懸掛書包可聽到日治音樂，該排最後一張桌子抽屜拉開為可塗鴉的日治課本。

「憶起上學展」7 個單元的互動展示規劃與設計方式，分別為：

1. AR 互動體驗：觀眾可憑讀者證向櫃台借用平板，有 3 台平板搭配耳機提供互動體驗

2. 音樂便當盒：靠近黑板的 3 張桌子上有便當盒，用手碰觸便當盒可聽到音樂

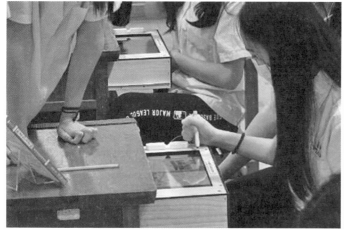

圖 1-3 日治 / 戒嚴 / 解嚴之課本塗鴉

3. 會唱歌的書包：9 張課桌旁各掛著書包，打開書包可聽到不同的音樂，收納日治、戒嚴、解嚴 3 個年代共 9 首歌曲

4. 課本塗鴉：教室後方的 3 張桌子拉開抽屜，呈現日治、戒嚴、解嚴 3 個年代課本，觀眾可翻頁瀏覽及動手塗鴉，圖 1-3

5. 互動布告欄：為感應式互動牆，呈現國圖館藏資源的九個主題圖像，觀眾接近碰觸，牆上方之時鐘會隨之旋轉（意味穿越時空），佈告欄上出現主題及圖像說明文字

6. 黑板：放置粉筆及板擦供觀眾自行使用

7. 主題書展：3 個書展展櫃位於展場最前方，其中「當代課本篇 - 百家爭鳴」主題，展示教科書開放後，不同出版社高一歷史及國文的教科書。觀眾可翻閱 4 個年代課本，感受到臺灣百年教育之變遷，圖 1-4。

（二）互動展示 AR 設計及製作

「憶起上學展」花最多心力製作是「AR 互動體驗」單元，應用 SLAM（simultaneous localization and mapping）技術的 AR，讓觀眾於真實空間中移動與虛擬物件互動進行交流。AR 優勢是結合「現實」與「虛擬」，透過虛擬物件使真實世界更加活潑生動。因此，展區雖只有 9 張課桌椅，但觀眾使用平板可擴增出日治、戒嚴、解嚴、當代四間教室，包含其他課桌椅、教室窗戶、教室內其他人物等。觀眾透過平板扮演女高中生可與擴增人物互動，並在教室內走動，看看不同年代

圖 1-4
主題書展區—
當代課本篇

圖 1-5
扮演高中生穿越時
空，以平板體驗
AR 互動

教室的布置，牆上塗鴉及教室窗外景色。這些擴增出現的場景、物件、人物，參照國圖館藏照片及文獻資料，進行模型與貼圖細節上的設定，依照四個時期的特色製作。

過去 SLAM-based AR 的情境需要透過點擊螢幕的方式來完成互動，實踐團隊改運用「按鈕」設計。配合此互動模式，須考量按鈕位置、持握穩定度、互動操作靈活度與介面引導等，整體製作難度比螢幕點擊繁複許多。除 AR 硬體裝置以「按鈕」互動的突破外，在軟體設計方面，從美術設計、音效配音至漫畫串場繪製，都由實踐同學負責，有了他們的投入才能完成此互動展示。例如 AR 腳本角色設定上有臺灣人、日本人、外省人及原住民，身分有學生、老師及教官，美術團隊繪製角色時，需從人物五官、髮型、服裝（如制服、中山裝及教官服）、配件（如眼鏡、綁腿、腰帶及帽子）等進行考據及色彩還原，讓觀眾從視覺細節中感受時代的轉變。

而在人物配音方面，考量人物使用語言（臺語、國語及日語）及腔調深受身分背景影響，即使是相同語言在口音上也有差異。如日治時期教日語的老師，發音多帶著東北、九州、大阪地方腔調，並非標準的日語（東京腔）。同樣地，戰後來臺擔任國文老師及教官者，多是操著各省地方腔調，並非標準的國語（北京話）。為了符合這些角色配音的細節，先請專業配音師進行配音教學，同學再以學習到的配音技巧錄製角色台詞，儘量模擬出符合角色設定的説話口音。

「主題書展」的書籍呼應「兩次國語運動」並強調語言為國家形塑的工具之一，如《「他們」的日本語：日本人如何看待「我們」臺灣人的日語》分析日本在近代國家形成及殖民臺灣的過程中如何形塑出「國語」概念。「主題書展」是學習國圖前一檔「印象太陽展」與高中合作的經驗，老師回饋「高中教學規劃除展示外須加入延伸閱讀以加深內容」。因此「憶起上學展」加入主題書展單元。使觀眾體驗後能進一步翻閱書籍，達到圖書館推廣閱讀的目的。

四、「從歷史文獻到 AR 互動」教案與體驗設計

「憶起上學展」與中正高中合作，將展示融入教學，內容包含：計畫申請初期討論、AR 腳本史實確認、互動展示前測、教學方案演示，以及計畫結束後，中正高中第二輪教學方案調整等。本段聚焦説明中正高中教案

與體驗設計。

（一）教案設計

中正高中「歷史開麥拉」為高一跨班多元選修課程，每周兩節課。與「憶起上學展」結合的課程為「影視之中的國語運動」單元，分 2 周共 4 節課 200 分鐘進行。

　　1. 第 1 周 2 節課 100 分鐘（中正高中）

上課前學生須事前完成口述歷史「家族教育記憶學習單」，訪問家中長輩求學經驗。第一堂課由老師使用投影片講解，透過之前看過《我的兒子是天才》、《稻草人》⋯等影片，進行綜整討論，請學生分享關於長輩求學時的生命體驗。第 2 堂課由學生分組討論與發表，分享從小到大經歷的母語教育，請學生思辯語言政策背後意涵、討論「2030 雙語國家政策」，以及現今是否還存在國家形塑？

　　2. 第 2 周 2 節課 100 分鐘（國家圖書館）

由老師帶隊至國家圖書館校外教學，安排「憶起上學展」導覽，館員從主題書展、音樂便當盒、會唱歌的書包、課本塗鴉、互動布告欄進行展示介紹（15 分鐘）。之後分兩梯次，每梯次人數約 12 位上下，一梯次先使用三台平板 AR 互動，包含四代闖關，完整體驗約需 40 分鐘；另一梯次撰寫「展示學習單」及體驗其他單元。

（二）學生體驗回饋

學生對於結合互動 AR 展示的學習體驗，感受為何呢？本文歸納分析第 1 周「家族教育記憶學習單」及第 2 周「展示學習單」學生回填內容如下。

「家族教育記憶學習單」題目如「詢問長輩求學時，你覺得聽到最特別的故事是什麼？這跟你的學習背景有什麼異同？又帶給你什麼啟發呢？」，學生訪問家中長輩求學經驗，透過引導式問題，進而反思自己求學的態度，珍惜現有學習機會。如：

阿嬤國小唸完身邊女生朋友都去工廠做工，為了讀書，她十分拼命，不像我們現在 12 年國教隨便都有高中讀。

地理老師帶著他們用口述的方式環遊世界。我們這個世代的科技發達，而爸爸那個世代資訊取得不易……我更應該多多利用我們擁有的科技資源，而不是只拿來看無意義的影片和玩遊戲。

透過這一次的教學演示以及同學的討論過程，讓我複習了上學期學習的內容，也對兩次國語運動有更加的了解。並透過訪問家長的經驗中，可以了解到好多家人有趣的求學故事，也覺得我們現今比較自由，不會像以前那時候有那麼多的限制以及處罰。

而「展示學習單」加強了互動展示與高中課綱的結合，學習單題目如：

「展場中哪些資料或內容可以顯現出當時正處於黨國體制下？」

「從後面照片牆中的內容，舉2-3例說明國家的形塑。」

學生須仔細地觀察展示內容才能填答上述問題。「展示學習單」給予學生鷹架及情境，引領其主動思考過去歷史對當代生活的影響，且須陳述自己的想法。如：

「體驗中有說到野百合學運，其四大訴求為：解散國民大會、廢除動員戡亂時期臨時條款、召開國民國是會議、提出民主改革的時間表，請問這四項中，你認為哪一個跟現今你的生活最相關？為什麼？」

最後，從學生的反應「有趣、娛樂、有挑戰性、在科技中進入歷史的世界」等，可了解互動展示某程度有達到「翻轉教育，寓教於樂」及「推廣閱讀」之目標，例如：

我覺得在體驗那個遊戲真的很有趣，除了娛樂之外，還可以學習在那個時代發生了什麼事，闖關時也很有挑戰性，想讓人繼續玩下去。了解每個時代，身歷其境，希望下次還有機會可以出去！

直接的實境操作體驗遠比圖書的描寫更來得清楚且印象深刻，也讓對臺灣教育沒什麼興趣的我有了基本的了解。多個版本的課本也讓我發現針對同一個歷史事件，不同出版社會有相差極大的描述及評價，真是奇特。

用科技帶領我們進入歷史，這是一個與時俱進的教學方法，這當中還可以碰到以前的東西，讓我很驚奇，還有藉以前和現在的課本比較，讓我了解統治者只教我們利於他們的東西，而不是像現在這樣，這是一個不錯活動，不是只能在書中學到，還能在科技中進入歷史的世界。

此外，中正高中老師及學生針對互動展示設備及內容提出改進建議，如：

體驗很有趣……但是平板有點過重，加上沒有給予使用的流程，一開始會有一點摸不清頭緒，建議可以附上使用手冊以及改善平板使用過重的問題。

透過導覽了解國圖原來有這麼多的資源可以使用，而遊戲體驗還蠻不錯玩，在教官的那一個部分覺得很緊張，整體來說很好玩，但是玩起來還是覺得平板有點重，及在園遊會那一關會有點像國小生玩的，其他都還蠻不錯的。

策展團隊參考上述建議，進行互動展示調整，如：於平板上增加吊帶，減輕平板手持重量；展場增加平板使用說明牌，並於導覽時加入使用流程說明等。此外，中正高中老師設計的教案及學生學習單回饋也一同展出，提供民眾進一步翻閱了解。

學者研究館校互動情形，常是館所單方面提供活動，學校師生只是報名參加，館所與學校師生無共同目標或任務，也無一定承諾與責任（劉婉珍，2011）。「憶起上學展」藉由正式的跨機構合作承諾，邀請師生成為重要夥伴及主動參與者，共同解決「數位人文展示融入教學」所面對的問題。

分析與挑戰

一、觀眾調查分析

「憶起上學展」策劃時間為 1 年，正式於國圖 5 樓閱覽區穿堂對外展出 1 年，並提供符合入館資格（16 歲以上）10 人以上團體導覽服務。

為了解觀眾對「憶起上學展」的接受度，國圖以不計名問卷（線上及紙本）收集意見。問卷採兩種收集方式（劉婉珍，2011：209）：一是將問卷（紙本及 QRcode）放置展場，讓觀眾自由填寫；另一是採抽樣方式，邀請申請團體導覽者填寫（佔回收比例 85%）。歸納 2020 年 12 月至 2021 年 5 月「憶起上學展」問卷結果，分析如下：

（一）七個互動單元中，民眾最喜愛的前三名依序為：「AR 互動體驗」、「課本塗鴉」、「主題書展」

此 3 個單元的展示型態正巧橫跨「整合新媒體及科技」兩端的光譜。「AR 互動體驗」是對資源的重新解構與創作（腳本撰寫、3D 及 2D 動畫製作、音樂音效設計、AR 應用），「整合新媒體及科技」力度最大；「課本塗鴉」將課本數位檔放到平板後內嵌於課桌抽屜，觀眾拉開抽屜便可在課本上塗鴉留念，可置於「整合新媒體及科技」光譜中間位置。最後「主題書展」，依據展示內容規劃 3 個主題之延伸閱讀，「整合新媒體及科技」力度最小。

本文建議應用館藏資源開發之互動展示，可包含「整合新媒體及科技」不同力度的單元組合，一方面提供創意發想互動展示新樣貌的可能性，另一方面也保留「忠於館藏原貌」及「維持館所固有展示」的彈性。觀察參觀者行為發現，年齡偏大者於「主題書展」及「課本塗鴉」單元停留時間較長，可能是「主題書展」與國圖傳統書籍閱覽的調性相符；而年輕族群則花較多時間於「AR 互動體驗」及「課本塗鴉」單元。一個好的互動展示應能使各年齡層參觀者於其中發現自己喜愛的單元。

此外，民眾喜歡「憶起上學展」前 3 名原因依序為：「有趣」、「內容豐富」、「想到過往回憶」。呼應前述國圖、實踐及中正高中三方團隊設定須滿足的 3 個要件：國圖館藏須出現（「內容豐富」）；體驗需有代入感，採第一人稱視角（「想到過往回憶」）；引起體驗者的「興趣」（「有趣」）。如同史密森機構研究中心主任 Zahave Doering 主張，觀眾最滿意的博物館經驗是那些能夠和他們個人經驗產生共鳴（「有趣」、「想到過往回憶」），並能夠提供新的資訊（「內容豐富」），藉以確認和豐富他們個人世界觀（轉引自張譽騰譯，2015：39-40）。

（二）觀眾滿意度

透過問卷李克特量表中「滿意」及「非常滿意」統計，觀眾對展覽整體滿意度達 9 成，並有 8-9 成觀眾同意「展覽提高對圖書館典藏資源的認識」、「展覽改變您對國家圖書館的既有認識」及「國家圖書館應多舉辦互動展覽」。然而，上述問卷回填者多為館員帶領的團體導覽觀眾，比自行參觀者更了解展覽始末，對展覽易有較高評價。一般而言，不論互動或靜態（勿碰觸）展示，觀眾透過導覽皆會較理解展覽內容。導覽時，館員能仔細說明並指導互動裝置的操作，即使遇到臨時故障當機，也能當場給予合理解釋。研究者建議，以補助計畫完成之互動展示，當計畫結束後，館方可考量相應之導覽、觀眾調查人力，與互動展示保固維修經費的投入，才能使「互動展示」效應持續延伸，而非只有單次成果發表之後便不再展出。

二、研究成果與策劃挑戰

「憶起上學展」由國圖、實踐大學及中正高中三方透過「跨機構合作」及「整合新媒體及科技」策略共同完成。整理本個案實作經驗成果與挑戰，如下：

（一）成果歸納

1. 「整合新媒體及科技」的互動展示，能激發學生認識國圖館藏之興趣

「憶起上學展」將臺灣百年教育歷史轉化為 7 個互動單元，透過中正高中師生正面回饋可知，將館藏內容轉化融入互動體驗，讓學生輕鬆認識歷史，能提高學生對館藏的好奇心，進而激發其主動查閱的興趣。

此外，團體導覽申請者除高中（如板橋、永春、金甌女中等），亦有臺灣大學、政治大學、東吳大學、臺灣藝術大學等，及因國圖特殊開放日才開放 16 歲以下入館的臺北市立大學附設實驗國民小學。從導覽申請可知「憶起上學展」除原設定以「高中師生」為目標觀眾，可向上與大學教學做垂直連結，也能向下扎根與國小課程連結。有趣的是，小學生最喜歡「AR 互動體驗」是第四代與歷史結合最少的園遊會送餐闖關。這也使團隊思考，社教機構互動展示須包含不同難易程度之單元，以符合不同年齡層族群的喜好。

2. 「跨機構合作」保持隨時可再次合作的默契及彈性

　　「跨機構合作」雖起因於教育部數位人文計畫的要求，計畫結束後，三方仍保持隨時可再合作之默契。如中正高中持續進行教案滾動式修正，帶領不同學期修課同學來國圖參觀「憶起上學展」；計畫結束後，中正高中邀請實踐大學老師到校演講，教導高中生微電影拍攝及剪輯。此次合作，使國圖與中正高中及實踐大學變成彼此信任的合作夥伴，有助於社教機構與學校單位建立長期夥伴關係，共同發揮對社會之影響力。

（二）策劃挑戰

　　互動展示策劃過程面臨不少挑戰，諸如：故事趣味性的設計與史實背景合理性之兼顧、結合課綱需求的取捨；圖書館低聲量環境之於帶有聲光效果的互動展示之間的平衡…等，這些難處正是團隊不同背景成員各自專業堅持，須要不停地討論及溝通，才能取得平衡。本文針對「館藏應用」與「展示地點」進一步討論。

1. 館藏應用的挑戰

　　互動展示要在短時間內引人入勝，除了技術本身提供的刺激外，不外乎故事內容之設計。館藏資料雖多，但資料本身無法構成故事，須將歷史資料轉換為人物與故事，量身打造符合史實的腳本。當內容時間軸很長，故事需連貫並具合理性，又需兼顧趣味性及知識性，是此次策展上最大的挑戰。特別是，體驗時需引人入勝，使觀眾不至於出戲或增加認知負荷，需極度的去蕪存菁，才能讓觀眾在探索劇情時，淺移默化吸收館藏資料所堆疊出來的歷史厚度。過於直接的資訊提供會讓館藏呈現流於多媒體服務機（KIOSK），若缺乏主動探索的動機，難以吸引觀眾的興趣與耐心。

　　因此，考量劇情及互動技術應用，館藏須按照重要性排序，以不同的形式將館藏分散於互動體驗的過程及單元（詳表 1-2 互動展示應用資源類型），難免有些資訊會被稀釋，或因沒有合理安插的位置而捨棄。因此，社教機構將館藏轉化為具趣味性兼教育性的互動展示須掌握去蕪存菁的能力，也須與跨領域團隊合作取得平衡。

2. 圖書館「互動展示地點」選擇

　　「憶起上學展」展出地點是國圖 5 樓閱覽區穿堂空間，讀者會經過逗留，不自覺就成為參觀者。不時可看到讀者翻閱主題書展，坐在課桌椅閱讀或黑

板塗鴉，「憶起上學展」成為穿堂開放空間的一部分。然而，國圖空間偏向安靜閱讀屬性，開展最初3個月，陸續接獲讀者反映「音樂便當盒」及「會唱歌的書包」2單元音樂聲量干擾閱讀，故調降音量超過3次以上。但音量調降後，團體參觀人數一多，便無法聽到音樂，加上團體參觀者體驗時也會製造聲音，影響讀者，似乎將互動展示地點設置於圖書館閱覽區須再斟酌。

但若將互動展示放置於單獨的展示空間，雖解決音量問題，但超出既有櫃台值班館員視線外，館方須有額外人力進行展場駐點，負責展場安全，對人力緊繃的館所是一大負擔。加上密閉展區減少了經過人流，展示可接近性也隨之下降。

參考國外圖書館（如愛沙尼亞國家圖書館）依需求將閱覽空間分為不同音量：閱讀的無聲空間（silent area）、觀看靜態展示的安靜空間（quiet area）、討論及體驗互動展示的社交空間（social area），或許也是另一種「互動展示地點」的選擇。目前國圖規劃於新建中的南部分館設立互動展示，「互動展示地點」值得社教機構繼續追蹤評估。

結論

本文參考「視野報告 - 圖書館專刊」提出「跨機構合作」及「整合新媒體及科技」兩項對圖書館重要的創新策略，從「跨機構合作」及「擷取館藏重點」比較國圖三檔數位人文互動展示。接著以「憶起上學展」為研究個案討論館所、大學、高中三方，如何透過「協力工作」合作模式，依據各自專業（館藏詮釋、科技應用、教學設計），說明數位人文互動展示製作及融入教學的過程。最後由高中師生的教學回饋與參觀者問卷調查，綜合分析數位人文互動展示成果及挑戰。綜整數位人文展示策劃及互動技術應用，提出建議如下：

一、跨機構合作

「數位人文展示」使國圖有機會與高中及大學合作，一旦社教機構與大學及高中有了合作經驗，儘管計畫結束，三方仍保持隨時可再合作之默契。本文認為跨機構合作除了各自專業碰撞時的尊重，須耐心溝通及傾聽

契。本文認為跨機構合作除了各自專業碰撞時的尊重，須耐心溝通及傾聽理解，更需要有一個共同的目標在前方驅動，而以計畫形式須於時間內完成的「數位人文展示」正是促成跨機構合作的推手。國圖「跨機構合作」起因於教育部數位人文計畫申請，教育部以政策方式透過計畫經費支持跨機構合作。2018 年以後計畫由社教機構擔任計畫主持人這項轉變，賦予社教機構更多主導權，有利館所進行更多元的推廣。例如「憶起上學展」成果發表會時，除了實踐大學及中正高中，也邀請曾與國圖合作教育文獻數位化的成功高中和建國中學，以及中山女中，由四校師生一起跨校教學、分組討論及展示體驗。又如「2021 臺北國際書展」在國家圖書館微型展出，以國圖「數位人文」成果為主軸，同時呈現「印象太陽展」及「憶起上學展」，展覽期間配合小學、高中、大學等校外教學導覽，之後也巡迴至臺東縣政府文化處圖書館展出。由此可知，跨機構合作中社教機構不僅僅扮演著「資料源頭」，更能應用原有的網絡連結，積極扮演跨域及跨機構合作的協調者與推廣者。

二、整合新媒體與互動科技

研究顯示「整合新媒體及科技」的互動展示有助於提高觀眾認識館藏的興趣。本文建議以館藏內容開發之互動展示可包含不同力度之「整合新媒體及科技」單元，一方面提供應用科技創意發想的可能性，另一方面也保留「忠於館藏原貌」或「維持固有展示」的彈性。此外，社教機構互動展示於計畫結束後，需有相應之維運經費投入（駐點、導覽、觀眾調查人力；保固維修經費），使「互動展示」效應能進一步延伸，最後「互動展示展出地點」選擇，值得圖書館繼續追蹤研究。

希冀本文完整數位人文展示個案分析（計畫申請、展示策劃、互動技術應用、高中教案設計、學生體驗回饋及觀眾調查等），能提供社教機構執行「跨機構合作」與「整合新媒體及科技」策略時有更多準備與評估視角。

致謝：

本篇文章需感謝科博館徐典裕研究員邀請，眾多投入國圖數位人文展示的長官及同仁，以及共同合作的實踐大學媒體傳達設計學系與臺北市立中正高中之師生。

參考文獻

丁維欣、莊冠群、戴采如、黃琬淳、翁菁邑、林均霈，2012。博物館教育科技媒體：五個值得思考的問題，博物館與文化，4：169-196。

FBI-Lab TechArt，2005。名畫大發現一清明上河圖。檢自 http://fbiart.oddist.org/?p=16 （瀏覽日期：2021-07-01）86-95。

吳紹群，2018。檔案數位互動展之觀眾滿意度與教育效果研究：以「同安潮新媒體藝術展」為例，圖資與檔案學刊，93：43-74。

李如菁，2016。策展的 50 個關鍵。臺北市：釀出版。

林國平、城菁汝，2018。博物館數位人文與知識分享之期許與實踐——以國立故宮博物院為例，國家圖書館館刊，107（1）:67-84。

林富士主編，2017。「數位人文學」白皮書。臺北市：中央研究院數位文化中心。

金振寧譯，寶莉 麥肯娜克萊思、珍娜 卡緬著， 2019。創造展覽：如何團隊合作、體貼設計打造一檔創新體驗的展覽。臺北市：阿僑社文化。

洪一平、陳一綾、莊惠茹，2019。圖書館之文學虛擬實境開發與中學課程結合研究——以國家圖書館「印象太陽 VR」為例，2019 科普論壇「邁向智慧世代 科學 FUN 新玩」，2019 年 10 月 1-2日。

張譽騰譯，Weil, S.E. 著，2015。博物館重要的事。臺北市：五觀藝術。

陳玫岑，2011。科學博物館展示維修的兩種觀點，科技博物，15（2）：67-81。

陳玫岑、閻映丞，2014。互動展品的開發經驗：以奈米特展「原子操縱術」單元為例，科技博物，18（2）：67-93。

游孝國、林國平，2006。博物館觀眾對新科技應用於博物館解說媒體之滿意度探索。博物館學季刊，20（1）：35-53。

項潔、涂豐恩，2011。導論——什麼是數位人文。載於項潔（編），從保存到創造：開啟數位人文研究，頁：9-28。臺北市：國立臺灣大學出版中心。

楊智晶、張華城、楊政達、黃文德、呂姿玲、莊惠茹，2017。穿越經典——圖書館以虛擬實境推廣閱讀之個案研究，國家圖書館館刊，106（2）：135-152。

劉婉珍，2011。博物館觀眾研究。臺北市：三民。

Adams Becker, S., Cummins, M., Davis, A., Freeman, A., Giesinger Hall, C., Ananthanarayanan, V., Langley, K., & Wolfson, N., 2017. NMC Horizon Report: 2017 Library Edition. Austin, Texas: The New Media Consortium.

IMLS, 2016. Libraries and Museums Advance the Digital Humanities: New Grant Opportunity. Retrieved from https://www.imls.gov/news-events/upnext-blog/2016/10/libraries-and-museums-advance-digital-humanities-new-grant(瀏覽日期：2021-07-01)

Maye, L. A., McDermott, F. E., Ciolfi, L., & Avram, G., 2014. Interactive exhibitions design: What can we learn from cultural heritage professionals? In V. Roto, & J. Häkkilä (Chairs), Proceedings of the 8th Nordic Conference on Human-Computer Interaction: Fun, Fast, Foundational, pp. 598-607. doi:10.1145/2639189.2639259

Tsai, T. H., & Chiang, Y. W., 2019. Research study on applying SLAM-Based Augmented Reality technology for gamification history guided tour. In 2019 IEEE International Conference on Architecture, Construction, Environment and Hydraulics (ICACEH), pp. 116-119.

Tsai, T. H., & Lee, L. C., 2016. A study of using contactless gesture recognition on shadow puppet manipulation. Icic express letters. Part b, applications: an international journal of research and surveys, 7(11): 2317-2322.

運用數位科技提升與創新館藏資源近用：
以國立臺灣歷史博物館為例

黃凱祥

前言

　　近代博物館從 19 世紀發展以來，約略與工業社會的集中化、集權化進程存在著文化共構的態樣。博物館將各種文物集中到恆溫恆濕的庫房保存，加以研究專業與策展主導知識的詮釋權，顯示著博物館的權力集中化。然而，進入 21 世紀的數位時代，能夠超越國界與專業壟斷的網絡連結與網路上大量的爆炸資訊，同時因 Covid-19 疫情帶來的衝擊與改變，都顯示著博物館應該把握數位契機朝向線上線下統合的新思維。本文從博物館的電腦化管理、數位典藏到科技如何運用於臺史博，從博物館實體場域的沉浸體驗到線上公開近用的數位資源，期望架構未來從線上串連線下的智慧博物館應用，支持博物館的知識建構與社會服務。

從典藏管理化到數位典藏

　　資訊科技迅速蓬勃的發展，對博物館來説既是種利基也是種挑戰。其挑戰在於博物館如何因應這種快速改變所帶來的成本，試圖讓博物館的資訊科技應用能跟上時代腳步（Hugn H. Genoways, and Lynne M. Ireland, 2007）。現今的博物館已被期待成為激發個人成長與社會文化發展的機構，隨著網際網路普及、各式雲端服務融入生活，資訊科技開啟了博物館社會服務更進一步的意義，也開展數位博物館成為國內數位化發展的重點。在快速成長的資訊化社會，博物館又該做何種策略選擇，以因應不斷推陳出新的資訊發展？

　　臺灣自 1998 年 8 月由國科會開始推動「數位博物館」專案計畫之後，各博物館遂積極開展各具特色的數位主題博物館。隨後政府又接著推出「數

位典藏國家型科技計畫」、「挑戰 2008：國家發展重點計畫－數位台灣計畫」，朝向「數位臺灣」的方向前進，在這些計畫中，博物館均扮演著相當重要的角色。在博物館發展數位化的同時，伴隨而來的問題除了各種新興科技與系統的整合應用，更重要的是與觀眾和社會的互動，如此才能有效評估這些資源的投入是否達到人民有感的實質效益。但是在數位博物館的理念快速發展的同時，往往形成擁有資源挹注時導入各式各樣的新興資訊科技，在專案計畫結束後即轉變為無法持續維護的孤兒困境；再者則因為新興技術的生命周期短暫與更新迅速，無法提供博物館作為永續經營的發展。

2002 至 2011 年行政院國家科學委員會推動「數位典藏國家型科技計畫」，將國家重要的文物典藏數位化以建立國家數位典藏，2002 至 2007 年行政院文化建設委員會（文化部前身）亦推動「國家文化資料庫建置計畫」，蒐集、調查全國藝文資源並進行數位化與建檔等工作，在前述兩大數位典藏計畫經費挹注與影響下，許多參與計畫的博物館、典藏單位在藏品數位化或建立數位博物館網站過程當中，同步建置及擴充藏品管理系統，而臺史博的數位化與典藏管理系統亦在這樣的機會下得以發展、成長，不論是典藏管理系統或是藏品數位化，其出發點可從科技要解決什麼問題的提問來思考。

以早期的文物典藏資訊管理系統來説，雖然主要開發契機為國家型的發展計畫經費挹注，但當時的時空背景，大多數委外開發的廠商皆以成型的數位典藏系統為設計目標，強調的都是數位化資料的管理系統及後設資料（metadata）欄位的填寫，雖然訂定出構思完整的相關欄位，但在對照於實務的研究、管理上卻無法履行，不但無法訂定出如圖書館界共通的詮釋欄位標準，同時也形成資料庫的浪費。而臺史博在數位典藏的時空環境下，初期即以明確的管理典藏業務為目的，規劃典藏管理系統重點在於蒐藏作業流程的整合與管理，從典藏品入館後的生命流程，建立登錄檔案、異動檔案、盤點檔案、存放管理、庫房管理及蒐藏統計資料。因此不管是第一階段或是後續改版擴充的系統模組功能，在無意中成為文化部共構系統發展的基礎。2010 年配合新蒐藏制度、典藏人員分工與作業流程，並依新建庫房環境重新開發設計便利藏品管理的新系統，2013 年配合文化部積極推動文化雲計畫，展開整合各附屬機關之文物典藏管理資訊系統，將各博物

館現有已數位化之文物典藏內容與詮釋資料，以人事時地物為主軸，加以整理登錄系統，納入文化雲成為文化知識庫，作為未來文化元素整合應用（葉前錦，2013）。

目前的文化部文典共構系統，除提供所屬 20 個典藏機關進行典藏 e 化管理，同時發展公用版本，圖 2-1，整編 6 大藏品分類及所屬詮釋資料欄位，提供 40 個非文化部機關進行藏品類別與資料之對應選用服務。另以藏品查詢、熱門瀏覽、分類瀏覽、經典瀏覽、互動式之熱門推薦、資料下載、分享等服務，同步建置文化部典藏網（https://collections.culture.tw/）提供民眾單一窗口瀏覽服務並引導使用者近用藏品之授權方式說明。

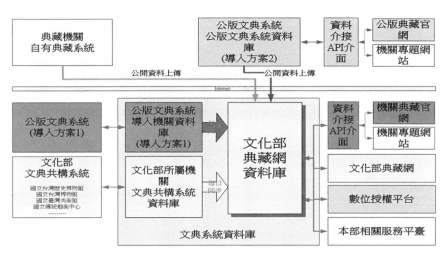

圖 2-1　文典共構系統架構圖（資料來源：文化部資訊處）

公開的線上資源

「開放近用」（open access）的概念為近年來博物館經營管理面對的重要議題。早期目標大多立基於數位典藏（digital archive）的概念，將史料、文獻或研究論文等公開上網，以便各界取用閱讀，而現今的開放近用已不再侷限於研究後的成果，整個視野擴及研究過程中使用的原始資料以及研究工具。不同於過去研究機構與圖書館以數位典藏為目的，臺史博認為資料庫是博物館與外界網絡連結的方式之一，數位化並非僅是史料書目建檔的工作，應該更進思索如何讓文字圖像回到使用者需求脈絡、接觸到研究

社群？如何透過資料庫促進史料文獻的公共化與近用性？因此使用社群、應用工具及擴散途徑等都是建置史料、文獻等各式資料庫必須思考的問題。

自「數位臺灣」計畫推動以來，在政府數位典藏資源計畫挹注下，各地方產出了大量的數位研究資源，現階段研究者面對是前所未有的資料量，遇到的困境往往不是缺乏數位資料，而是找不到或不會使用數位資源，研究者需要提供的更多引導，以避免在茫茫的數位大海中迷失方向（涂豐恩、楊麗瑄，2018）。從 2005 年開始配合行政院「挑戰 2008 ──六年國家發展重點計畫」下數位臺灣計畫「網路文化建設發展計畫」，臺史博以特色藏品建構「臺灣圖像」數位典藏計畫網站，著手進行館藏物件的數位化並將相關成果回饋至國家文化資料庫提供古地圖、老照片、古地契、美術類等數位化珍貴史料及日治時代的膠捲，也利用相關的藏品建置臺灣圖像數位典藏計畫網站、臺灣歷史數位學習網站及片格轉動間的臺灣顯影等成果網站，公開於外界搜尋運用。這些數位化的成果也轉化為不同主題的出版利用，如《經緯福爾摩沙──16-19 世紀西方人繪製臺灣相關地圖》（出版時間 2005 年 12 月）、《測量臺灣──日治時期繪製臺灣相關地圖，1895-1945》（出版時間：2008 年 1 月）。

如何透過資料庫的設計與研究工具，積極地讓使用者能取用到實際需要的資料，增加數位資源的近用性，是臺史博推動數位資源公開近用的首要目標。隨著資訊技術的快速發展，簡易呈現文獻的資料庫檢索已無法滿足使用者需求，資料庫設計發展已從數位典藏（digital archive）逐漸走向數位人文（digital humanities），期許藉由資料庫與數位人文技術，對基礎資料進行組織分析，並呈現視覺化的成果（項潔，2018）。為能好好運用數位資源完成資料庫建置，從藏品、史料數位化到前臺網站功能設計，其中工序繁多且須大量的人力、物力投入，從基礎研究與資料建置、資料庫建置與資料轉化、資料庫推廣應用面向，臺史博架構了實體藏品的典藏網，圖 2-2，強化了使用者端網頁的藏品資訊呈現，透過不同的主題或類別介紹藏品物件，並持續藏品數位化發展，透過數位典藏之方式達到藏品資訊的一源多用。

而館藏品以外的數位典藏內容則以臺灣史數位資源整合入口網，圖 2-3，作為數位資料整合檢索入口平臺，運用視覺化的時間軸、空間軸檢索，建構可以搜尋影音資料庫、臺南新報資料庫、臺南文史研究資料庫、校園生活記憶庫、臺灣音聲 100 年、臺灣歷史學習資源平臺、臺灣女人網站等各種

圖 2-2
典藏網（https://collections.
nmth.gov.tw/）

圖 2-3
Taiwan index 數位資源入
口網（https://taiwanindex.
nmth.gov.tw/）

主題資料庫的入口網站，俾使各界快速且便捷取得各項公開資源，進而瞭解縮減研究資源取得時間，同時促進公開資料的加值應用。放眼未來博物館將不再只是知識的提供者，而是帶著問題意識進行研究的共同協作者，透過友善簡易的數位平臺，邀請各式網絡的利害關係者及相關社群加入，以文本探勘、詞頻分析與時間空間分布等數位人文技術輔助，藉由人與電腦的合作，縮短研究統整所需時間。

友善近用的線下博物館場域

美國教育家海倫‧凱勒（Helen Adams Keller，1880-1968）在 1 歲多時就失去了聽覺與視覺。她曾在自傳中寫道，如果能給她 3 天光明，她將在其中一

天向世界、向過去、向現在的地球匆匆瞥一眼。

　　「這麼多的年代，怎麼能被壓縮成一天呢？當然是透過博物館。」

　　博物館的展示空間是提供觀眾的學習場所，但有時候更重要的是提供了博物館與觀眾、觀眾與展品、觀眾與觀眾間的溝通場域（呂理政，1999）。在展覽場域中，設計者依據展示目標，將抽象的內容轉化為可感受、覺知的展示品，再由觀眾接收後在腦中進行記憶、思考、想像、理解等心理認知過程，從解讀展示的內容，進而解構、建構再轉換，即為展示資訊傳達的過程（范成偉，1998）。展覽作為一個整體，並不是所有展品的總合，還包括了展品在空間裡的呼應，觀眾在場穿梭交錯時與周圍環境的互動，乃至所謂的訊息如何在這樣一個符號的空間中傳遞及影響觀眾的接收等問題（張婉真，2005）。

　　財團法人「白鷺鷥文教基金會」陳郁秀董事長於臺史博籌建初期即參與規劃，讚賞能以一館空間，透過現代的博物館精神規劃展場、清楚呈現複雜的臺灣史。因此於 2012 年末提出「圓夢計畫」的合作構想，希望居住在臺灣土地上的人都能親身走訪，同時協助社會大眾跨越身心障礙與社經條件的限制，使用臺史博豐富的學習資源（國立臺灣歷史博物館，2016）。博物館在「社會平權」政策中可以提供社區居民安全的活動空間、成為社區及終身學習的資源、作為改變社會及凝聚向心力的力量，協助形塑社區認同感與榮譽感，頌揚文化與族群的多樣性，鼓勵少數團體參觀博物館，促進正向的社會改變（陳佳利，2015）。

　　2017 年起臺史博以「打開歷史任意門」（open the history gate）為主題，藉由「科技轉化體驗歷史」的方式，結合博物館實體場域建構「沉浸式學習」計畫，展現博物館積極與觀眾、相關團體互動之能量，而這也試圖整合自數位典藏以來積累的大量資料如何線上公開近用並共融於博物館的沉浸式學習場域。運用文字及圖像史料資源，建置及還原可供民眾沉浸（immersive）的擬真場景，將傳統文字資料轉化為具象化和可視性的臺灣史資源，成為全民可親可及的文化公共財，以現代科技轉譯現有學術研究成果與文物資源為大眾所運用及親近，透過虛擬實境，圖 2-4，實現科技、歷史、藝術之三方結合。

圖 2-4
VR 再現製造所：
一八九五臺北危城

　　而科技媒體技術日新月異，加上網路、智慧型手機等行動載具的普及、電影、電玩等視聽娛樂的發達，日常生活早已充滿許多華麗酷炫的多媒體科技應用刺激感官。相較於博物館傳統的靜態展示方式或已無法滿足民眾對感官刺激的嚮往追求，因此博物館即便有豐富的典藏與內容，也難吸引觀眾，更無法將博物館的知識內涵傳遞給民眾。因此 2021 年重新開展的常設展覽以「臺灣，交會之島」為意象原點，運用臺史博藏品特色之一的地圖研究成果，轉化與再現架構「地圖藏了世界史」、「地名說了相遇故事」及「藏品裡的人生」等主題，詮釋了博物館於不同領域之研究成果。期能跳脫傳統思維，善加利用科技於歷史詮釋，為歷史注入嶄新的生命。

　　在研究內容轉化並結合科技應用的概念前題，「地圖藏了世界史」彙集了 9 支臺灣地圖的世界史動畫，以及 16 張臺灣古今地圖島型演變動態，呈現 400 年來全球對於臺灣形象與名稱的跨時空變化；「藏品裡的人生」則透過 18 項館藏文物所承載著不同年代、不同背景身分的人與土地的歷史經驗，同時也代表了臺史博藏品研究與 3D 掃描建模結合展現成果（國立臺灣歷史博物館，2020）。此外，常設展區亦設置了 7 處觸摸品區，提供中文與英文的解說內容，並在解說板上製作盲人可閱讀的點字，以多元方式滿足不同觀眾的參觀需求，強化並創造博物館的學習平權與近用平權，讓不同

族群都能夠了解文物的特色（博物之島，2021），活化博物館展示，並利用易讀原則傳遞更容易被觀眾所接受的資訊。

線上線下的博物館資源近用

博物館無論如何發展網路策略，仍需設法將線上訪客轉化成實體觀眾，而社會大眾使用博物館的網路資源與親自參觀實體博物館存在著積極的正相關（劉襄儀，2011），Griffiths 與 King（2008）針對美國大眾參訪實體博物館及使用網路的相關情形調查中指出，有 45% 的受訪者除了實地造訪博物館，也會使用網路查詢博物館內的資訊，只有 5% 的少部分觀眾，僅透過上網查閱博物館資訊，同時網路訪客參觀博物館的意願與頻率都遠超過非網路使用者，博物館的實體參觀和線上活動之間，對於觀眾而言存在著兩種體驗的相輔相成，滿足對於不同資源類型的需要，而博物館發展網路策略有相當機會促成實體、線上之間緊密的參觀循環。

一、以展覽線上保存近用博物館場域

運用常設展覽現有敘事分層架構做為臺灣歷史知識建構的一種模式，透過樹狀結構呈現的展區單元（https://the.nmth.gov.tw/）及線上 720 環景的實景呈現，以時間為橫軸，可以分別讓不同的人物、事件、文物依不同朝代先後順序分布其上，亦可以時間區塊為範圍，不需精準到某一年代，解決許多物件並無法精準詮釋到特定年份的問題。再者以縱軸進行多種主題分類，如臺灣女人、交通、建築，亦或是百工等特定議題，相對於時間的橫軸則可劃分出一跨時代的各式主題，進而更深入了解臺灣歷史的多元面貌。另外對於每年不斷新增的特展，亦可以現有資源平臺為知識架構基礎，蒐存相關物件詮釋與展區脈絡的說明，既可納入原有常設展覽的歷史脈絡，亦可就特展原本議題將相關物件數位化後，結合展區詮釋，建立新的知識單元。以資訊科技的優勢，虛擬展示得以提供豐富的解說內容，詳細的背景脈絡、文物特徵或內容描述、也善於利用圖片影像作動態的講解，讓使用者在實體博館的參訪經驗之外，仍得以產出學習效果，包括讓使用者複習、學習、改變認知、改變態度，進一步產生興趣。

對於線下的博物館實體場域，觀眾從常設展資源平臺可預先瞭解文物

與展覽主題，有助於了解博物館針對臺灣歷史的詮釋架構，並確立實體展示參觀的目的性，安排更具效率的行程規劃，亦可作為參觀博物館時的大綱或講義，協助使用者的參觀過程。使用者也因為擁有參觀實體博物館的規劃，產生對展示資訊、展覽主題有第一層認識的企盼需求。

二、以主題資料庫共融展覽與推廣活動

臺灣史料的資料庫往往作為學術研究使用居多，如何讓文獻史料觸及到更多不同的社群，進而與社群互動，成為博物館與地方連結的重要資源，是博物館推動地方學與數位化工作的重點。「校園生活記憶庫」（https://school.nmth.gov.tw/）的建置規劃，便是與 2018 年的特展「上學去——臺灣近代教育特展」圖 2-5，相互配合，呈現臺史博在教育史料與各地區域上多年累積的成果。在上學經驗中的「校外教學」，是對多數學生而言充滿許多難忘的回憶與體驗，做為近代學校教育的一環，藉由戶外活動讓學生增廣見聞、強身健體和培養國民精神。這些在學校鄰近周圍的短程出遊與「熱門景點」，從日本時代到戰後、甚至於在今日，不同世代的多數學生都曾有到訪的經驗，並有各自的生命記憶與個人意義，堆疊成為具有跨越時間的地區性校園生活記憶。

圖 2-5
2018「上學去——
臺灣近代教育特展」

運用資料庫與展覽內容相互加乘，讓資料庫的數位化史料回到整理校園生活記憶研究的發展脈絡中，結合館藏日治時期的畢業紀念冊內的學生照片與「校園生活記憶庫」中的教育史料主題，以日治時期臺南當地學生常去校外教學踏訪的市區地景（聚焦今臺南市中西區一帶）辦理走讀活動，搭配各處老照片（包含景物照、人物照等）以重遊歷史現場的方式，帶領

圖 2-6
走讀臺南孔廟

觀眾進行觀察與發想，了解日治時期的臺南的城市生活記憶，圖 2-6。而資料庫作為特展的延伸資料，亦讓展覽的影響力能持續延續，從博物館展間，擴大到無遠弗屆的數位世界，吸引不同群體的人來使用，擴大數位化與資料庫建置的價值。

三、以線上系統共創博物館場域體驗

館內探索數位學習臺史博出任務活動（http://explorenmth.nmth.gov.tw/），透過常設展覽知識數位化，藉由後臺開發之探索題庫演算機制，快速為來館之學員安排學習探索之題目，並以平板電腦智能操作介面之應用，師生能自主在館內以團隊分組答題的限時闖關遊戲競賽方式學習歷史，一次可同時容納 300 人於博物館場域內進行大型闖關活動，讓學生在遊戲中認識博物館空間、體驗展覽情境、觀察歷史物件、培養團隊合作，進而點燃對臺灣歷史的興趣，達到拉近學生與博物館距離的教育活動。除了吸引學生、年輕族群主動探索展場，也活化常設展展場空間，延伸場域脈絡，讓觀眾重新凝視現有展示中極有意義但易被忽略的文物展品，增進對臺史博常設展歷史文物之認識，提高歷史文物的親和性與和觀眾之互動性，達到寓教於樂的功能（國立臺灣歷史博物館，2018）。

四、以虛擬實境拓展行動博物館網絡

從網路的線上體驗到博物館的線下實體場域，應該是個雙向的連結方

式，為了降低數位落差進而創造全民共享的「數位包容」資訊社會，把博物館帶到觀眾的眼前的概念，除了運用 720 環景拍攝，線上呈現數位化與全景式的影像紀錄外，臺史博也展開以成熟的虛擬實境（VR）科技技術，將 360 環景影像內容編輯轉製成全景式互動內容，透過頭戴式、便於攜帶到各處的 VR 設備為使用者帶來沉浸式博物館體驗與身歷其境般的真實感受。有別於特展的內容呈現外，同時製作了以典藏庫房為主題的內容，讓觀眾與博物館距離不再遙遠，透過修復室、數位化專區及庫房，為每個單元標題和解說內容運用較口語化甚至些許幽默的方式進行拍攝，例如介紹修復室奇形怪狀的設備，既可引起民眾興趣又能讓民眾了解博物館對文物修復工作的專業。在活動推廣的過程，觀眾也回饋許多正向評價，甚至小朋友在體驗過程均能靜靜地觀賞數 10 分鐘且得到「希望看更多」的回饋。由觀眾的反應讓博物館相信文化結合數位科技，可以拉近觀眾與原本嚴肅的博物館庫房和歷史文物之間的距離，並且以更具敏銳的感官察覺生活週遭。

智慧時代博物館的擘劃開展

從 2019 年為防範 Covid-19 病毒的擴散，全球的生活習慣已經發生了許多改變，如工作模式、學習途徑、社交方式到娛樂形態皆有相關生態及產業鏈的改變。全球的博物館事業由聯合國教科文組織（UNESCO）及其合作機構國際博物館協會（ICOM）於《Museums, museum professionals and COVID-19》報告指出，在 2020 年 4、5 月期間，幾乎都處於閉館狀態，約有 3 分之 1 的館所需要減少服務，且有 10 分之 1 的館所可能被迫永久關閉。對於從業人員來說，約有 84% 的館所在疫情期間安排員工在家從遠端工作，雇用的情形方面，影響最大的為博物館產業的自由工作者及契約員工，有 16.1% 的從業人員面臨裁員或不獲續約、56.4% 的從業人員面臨停發薪水或縮編的情況。不過藏品的保全及典藏工作在疫情期間仍然持續，只是超過 80% 的館所回應必須加強保全措施以因應館內工作人員不足的情形。而臺灣的博物館則從 2021 年 5 月因疫情升級處於閉館狀態，僅能從 Google Art & Culture 或館所自行建置的線上環景提供展覽內容。

國家發展委員會 2016 年的「第五階段電子化政府計畫—數位政府」已將利用行動網路、物聯網、穿戴式裝置及雲端科技等創新科技，作為推動數位服務個人化成為電子化政府上位發展計畫的一部分。博物館面對從觀眾到創新、

因應新科技的導入產生的改變，舊與新取得平衡並深掘可彰顯之公共價值成為「新博物館學」的重要使命，同時如何主動深入社區、校園、偏鄉、公共托老中心、社福機構等地區，透過文化賦權來達到社會平權的目標，促進多元共融的社會（林寬裕、李慶華，2018）。從線上資源公開到線下博物館場域，考慮共融的線上服務近用、線下場域體驗，未來或可持續從展覽詮釋設計及觀眾服務回饋等面向擘劃智慧博物館藍圖。

就展覽詮釋設計面向，展品的展示方式與內容是博物館與觀眾之間溝通的橋樑，如何提整觀眾學習的興趣和滿意度以達到教育功能（周一彤，2006），同時從「觀眾研究」的角度來關注既有觀眾和開拓潛在觀眾，同樣是「新博物館」的重要課題（劉婉珍，2008）。博物館的實體場域佈建，傳統生態造景展示方式至今仍有其優點，現代科技技術如 VR 亦有其特色，如能透過展示設計相輔相成，可更助益於展示內容的呈現，成為展示物件與內容在實體完整脈絡中得以與觀眾進行溝通對話的平臺。也就是在實體建築或造景空間中輔以 VR 的設備，使得觀眾除可沉浸於實體環境及互動科技的媒介探索展覽細節。博物館在創造更多展示可能性之餘，也應反思 VR 啟動後的世代是否為博物館所能因應，其中博物館營運管理模式、觀眾與博物館互動形式的轉變，特別是沉浸式環境營造所帶給觀眾不同的參觀體驗後，參觀經驗將會反饋在其參觀過程中，如何運用資訊科技進行展覽設計進而汲取相關經驗，將成為博物館掌握新科技運用的重要關鍵（劉憶諄，2019）。設計用量化的、無感的回饋方式瞭解觀眾對不同展示科技、體驗式活動的滿意程度，作為行動博物館設計規劃的基礎，追蹤參觀行動博物館的觀眾日後是否能到館參觀，及其參觀後經驗是否如 Pekarik 等人（1999）所述，會加強、確認原本對博物館的正向觀點。

就觀眾資料面向，由於資訊技術的進展以及雲端計算和物聯網的發展，廣泛的數據收集及整合大量數據已成為主要挑戰，考慮大數據的異構性（heterogeneity）、可擴展性（scalability）、實時性（realtime）、複雜性（complexity）和隱私性（privacy），在分析、建模、可視化和預測過程中應考慮有效的挖掘不同層次的數據，以揭示其內在屬性並改善決策（Chen, M., Mao, S., and Liu, Y., 2014）。未來可針對博物館參觀者進行問卷調查或估算實際參觀展覽、活動參與者，結合各網站流量分析結果，了解網站流量的轉換率，綜觀線上、線下的數據，能夠讓網站更進一步支援各項活動。此外對

於各展覽、活動等網站使用的數據，從客戶資料平臺（customer data platform）轉成客戶決策平台（customer decision platform），與實際館務結合作為博物館後續維運及永續發展的策略擬定參考。

致謝：

本篇文章感謝國立自然科學博物館徐典裕研究員邀請，歷年來投入國任臺灣歷史博物館數位典藏、科技計畫的長官支持、同仁合作與幫助及兩位匿名審查委員的建議。

參考文獻

行政院，2002。挑戰 2008：國家發展重點計畫（2002-2007）。

呂理政，1999。博物館展示的傳統與期望。臺北市：南天出版社。

林潔盈（譯），2007。博物館行政（原作者：Hugn H. Genoways, & Lynne M. Ireland）。臺北市：五觀藝術管理。

林寬裕、李慶華，2018。行動博物館之探討：以新北市博物館為例，科技博物，22（4）：5-42。

周一彤，2006。應用互動多媒體設計於博物館展示之案例分析，科技博物，10（2）：17-30。

涂豐恩、楊麗瑄，2018。開放工具、數位人文與圖書館的再思考，「地方文獻國際學術研討會」會議論文，北京。

范成偉，1998。博物館展示資訊的傳達認知模式初探，科技博物，2(1)：49-53。

陳佳利，2015。邊緣與再現：博物館與文化參與權。臺北市：國立臺灣大學出版中心。

博物之島，2021。臺史博新常設展實踐文化平權，為低視能者設計大字簡介，http://www.cam.org.tw/2021-article12/，檢索日期：2021/5/23。

葉前錦，2013。博物館藏品資訊管理與應用服務效益初探──以國立臺灣歷史博物館文物典藏管理系統建置為例，歷史臺灣，5：103-132。

張婉真，2005。論博物館學，臺北市：典藏藝術家庭。

國家發展委員會，2015。第五階段電子化政府計畫 - 數位政府（106 年至 109 年）（核定本）。

國立臺灣歷史博物館，2016。大家的博物館：2014-2015 活動回顧。臺南：國立臺灣歷史博物館。

國立臺灣歷史博物館，2018。107 年政府科技發展計畫績效報告書，未出版。

國立臺灣歷史博物館，2020。109 年政府科技發展計畫績效報告書，未出版。

劉婉珍，2008。觀眾研究與博物館的營運發展，博物館學季刊，22（3），21-37。

劉襄儀，2011。線上社群應用於博物館之策略分析，博士論文，國立臺灣師範大學美術研究所。

劉憶諄，2019。虛擬實境在博物館展示的實踐與反思──以國立自然科學博館特展為例，博物館學季刊，33（4）：87-99。

Chen, M., Mao, S., & Liu, Y., 2014. Big data: A survey. Mobile networks and applications, 19(2): 171-209.

Griffiths, J., & King, D. W., 2008. Interconnections: The IMLS national study on the use of libraries, museums and the internet Institute of Museum and Library Services. Retrieved from http:/interconnectionsreport.org/

Pekarik, A. J., Doering, Z. D., & Bickford, A., 1999. Visitors' role in an exhibition debate:Science in American life. Curator: The Museum Journal, 42(2), 117-129.

3D 數位化技術於博物館的多元應用：以國立臺灣史前文化博物館為例

葉長庚、劉宜婷

　　3D 數位化技術在上個世紀末開始有顯著的發展，但在高門檻技術與設備的限制下，大多僅運用於工業或資訊領域。2000 年以後，國內許多研究所開始培養學生投入以 3D 技術應用於文化資產保存維護作業之相關研究（廖才詠，2004；蔡宗旂，2007；楊蟲娟，2008；詹世偉，2009；陳威全，2010；曾欣郁，2012；楊玉華，2012），自 2016 年起史前館與文資局持續辦理以 3D 技術應用於文化資產為主題之學術工作坊，而今 3D 掃描雖非人人皆可輕易上手，但也不再是難以駕馭的技術。

　　2014 年，大英博物館在 3D 網路平台上開放其典藏品之 3D 模型，除了可以自由瀏覽外亦可下載進行作非商業用途使用，彷彿縮短了所有人與大英博物館的距離，也吹起博物館進行 3D 數位典藏的號角。然而英國早在 2003 年即成立 3D 考古學會（https://3darchaeology.co.uk/），且英國文化遺產機構亦出版 3D 掃描應用於各類文化資產的專書（Barder et al., 2018），說明在各類文化資產中使用雷射 3D 掃描的操作指引。義大利的國立曼圖阿考古博物館也應用 3D 數位化技術於實體展示呈現上，利用 3D 列印出縮小版的建築殘件以及雕像來復原完整奧古斯都時期墓葬紀念遺跡的全貌，是一個 3D 數位化技術整合應用的完整案例（Fregonese et al., 2019）。整體而言，藉由數位 3D 模型的建置，可以推動文化資產在研究工作、調查記錄、文物鑑定、損壞監測、複製、修復、教育展示與文創商品等相關作業之應用（張舜孔等，2013：66；蔡育林等，2015：9）。

　　本文將從國內文化場域中有關 3D 技術的應用與發展，簡介不同 3D 掃描技術的適用性與差異，說明史前館如何將文物 3D 數位典藏規劃為常態性業務的過程與方法，並進一步以文物 3D 模型為基礎發展在博物館展示與推廣業務上的多元應用。

3D 掃描於台灣文化場域的應用與發展

　　在進行 3D 數位化作業前，「想呈現什麼？」與「呈現給誰看？」被認為是使用相關技術前首重的問題（Di Giuseppantonio et al., 2015; Galeazzi, 2016）。在智利復活節島對於摩艾石像移運方式的研究上，學者即利用 3D 掃描再製相同尺寸之摩艾石像，以利進行實驗考古學研究（Hunt, 2019），而針對標本 3D 掃描後進行數位資料呈現或 3D 列印是最常見的應用（Bruno et al., 2010; Fregonese et al., 2019; Jedrych, 2019; Bonora et al., 2021）。韓國考古工作者將 3D 掃描應用於考古田野記錄作業上，除了實際使用上帶來相當程度的便利性，並認為未來將可進一步作為博物館公眾推廣所用（Lee, 2019）；義大利有許多文化資產 3D 掃描的案例，其中主要針對建築結構，利用 3D 掃描進行文化資產保存記錄，並進一步作為後續修復所用（Tucci et al., 2017）。

　　不論是標本或空間場域的 3D 掃描成果，在博物館中最直接的應用即是將 3D 數位資料以多媒體方式呈現，提供觀眾不同視角觀看標的物，以打破展示櫃或博物館空間的限制，再者即利用 3D 列印製作展示品，以提供展示手法上更多的可能性（Bruno et al., 2010; Tucci and Bonora, 2012; Fregonese et al., 2019; Bonora et al., 2021）；另外因應行動網路的發達，在博物館展示廳中應用 AR 技術來呈現 3D 資料可提供觀眾新的觀展體驗（Yue, 2019）。如同 Tucci 等人（2012）認為 3D 掃描在文化資產上的應用，除了作為研究需求外亦可作為推廣傳播的重要媒介，即便是在網路上的虛擬展示或博物館的實際展出，皆需掌握合理的成本與時間，面對不同的需求考量製作不同的 3D 模型是重要的關鍵。

　　「由於各類 3D 掃描技術之原理不同，應用於建立各類文化資產之 3D 模型皆有不同的限制性」（張舜孔，2013：63），不過以欲數位化之標的物來區隔主要可分為場景與物件二大類，本節簡述台灣近年來各類在文化資產場域或標本的 3D 應用案例，以及近年來國內博物館主要 3D 數位化的應用與發展。

一、文化資產場域的 3D 記錄

　　由於古蹟歷史建築屬於台灣較大宗的文化資產項目，因此 3D 掃描在空間記錄的應用方面以針對建築物為主。三峽祖師廟即為較早採用 3D 雷射掃描器以點雲方式記錄保存文化資產場域的案例（施乃中等，2008），另外包括大龍峒保安宮、總督府山林課宿舍、霧峰林宅大花廳、淡水老街等（廖才詠，2004；楊蟲娟，2008；陳威全，2010；楊玉華，2012）皆以 3D 雷射掃描

作為基礎，再進行其保存維護作業上的應用研究。

　　針對以自然環境為主的 3D 掃描應用上，在較大尺度的空間上以使用空載光達為主（劉進金、徐偉成，2012；侯進雄等，2014；黃立信等，2018），除了在地質領域作為環境記錄、監測與災害防治或評估等應用外，考古學也將其資料作為舊社研究上的輔助資料，除了用於掌握已知舊社的範圍、空間分布與周邊環境外，尚可協助作為尋找未知舊社之參考（郭素秋等，2017）。

　　在考古遺址的應用上，卑南遺址與豐濱·宮下遺址皆曾同時利用 UAV、地載光達、攝影測量法、手持式 3D 掃描器等進行考古遺址環境 3D 模型之建置，從遺址所在區域的環境、遺址地貌、地表遺構以及考古探坑等不同尺度環境進行 3D 掃描（葉長庚，2014、2017）。2017-2019 年間執行的拉庫拉庫溪舊社考古工作中，也將空載光達、手持式光達及攝影測量法應用在環境與舊社建築遺構的 3D 記錄上（鄭玠甫、王威智，2021：81-102）。

圖 3-1　地載光達於豐濱·宮下遺址針對地貌與大型遺留進行 3D 掃描之點雲成果

　　除了陸地上的文化資產場域外，郭芯瑜等（2016）嘗試於水中以攝影測量法進行 3D 建模，經其利用人造標作為特徵點之操作方式，認為所得之 3D 模型絕對誤差在 1cm 以內，可滿足水下考古工作之需求，但仍需克服均勻光源的需求。

二、標本保存維護的案例

　　在以物件為主的 3D 技術應用上，葉長庚（2013）以白守蓮 I 號岩棺進

行 3D 模型建置、修復模擬到文創推廣等作業；也針對豐濱・宮下遺址考古發掘出土遺物，以結構光 3D 掃描器進行高精度 3D 模型的建置，藉以 3D 模型所產生的資料取代傳統考古發掘報告使用的遺物針筆圖與剖面圖（葉長庚，2017）。

除了文物外，考古發掘出土的亮島人骨亦利用光柵式 3D 掃描器進行掃描建立 3D 模型，除了作為人骨修復重建之參考外，也藉由 3D 列印進行仿製作業，提供在研究、保存修復與展示教育上更多可能性（邱鴻霖，2014）。

張舜孔等（2019）以 4 種 3D 掃描方式針對鳳山縣舊城（左營舊城）北門門神進行室外文物 3D 建模技術的研究分析。塗三賢等（2019）在林業領域亦針對木材文化資產進行數位保存，並配合 3D 列印或 CNC 加工等方式進行重製、修復，案例中以結構光 3D 掃描器針對木質航測機模型以及珍貴沉木進行 3D 數位化。

針對文物 3D 掃描後的研究與保存維護應用上，邵慶旺（2019）則利用光柵式 3D 掃描器針對石像頭部進行掃描，藉由 3D 模型進行體質面貌比對佐證史料，確認為兒玉源太郎全身立像的殘餘部分。方瑞蓮等（2019）用臂式 3D 雷射掃描器針對北港飛龍團典藏之大龍旗進行 3D 掃描記錄，雖然無法達到對單一繡線的清晰記錄作為繡線走勢之觀察所用，但仍可藉由 3D 模型製作大龍旗後續展示時使用之墊材。

三、博物館的 3D 數位化發展

長期以來，故宮一直是國內博物館科技應用上的先驅者，早在 2010 年即已嘗試使用攝影測量法針對文物進行 3D 建模，但受限於無法有效呈現故宮文物的精緻度，故未能持續發展。直至 2018 年才開始以光柵式掃描器來進行文物 3D 數位化作業（林致諺，2018）。

史前館亦於 2011 年在文資局協助下，引入 3D 技術應用於考古與博物館業務，2016 年開始藉由「建構智慧型博物館」科技計畫，系統性發展高精度全彩 3D 掃描、3D 列印以及數位修復等技術，成立「3D 實驗室」並建置國內博物館第一個專屬「考古文物 3D 資料庫」（https://3d.nmp.gov.tw/）（葉長庚，2019）。

台灣博物館亦於 2016 年開始進行 3D 掃描作業，項目包括有動植物標本、銅牛、火車頭等，2018 年在文化部「台灣行卷─博物館示範計畫」推動下，針對台博館本館與土銀展示館建築進行室內外 3D 掃描。在 3D 數位化上，從極小的植物種子至建築與環境皆有成果，而各項 3D 數位化作業多採用標案委託廠商辦理的方式進行（呂錦瀚，2019）。

與台博館相同在「台灣行卷─博物館示範計畫」支持下，歷史博物館、台灣歷史博物館、傳統藝術中心、台灣工藝研究發展中心等亦都開始進行典藏品的 3D 掃描作業，並同時發展相關數位應用；而文化部推動國家文化記憶庫計畫，除了支援許多博物館得以將其典藏品進行 3D 掃描外，也建置台灣數位模型庫（https://tdal.culture.tw/）開放各單位所存放 3D 模型或點雲資料。

淺談 3D 掃描技術的差異與適用性

由於 3D 技術主要由 3D 掃描作業為起點，經檢視台灣前述案例中的 3D 掃描，主要可以分為利用影像重疊率進行運算的攝影測量法，與以各類型光學 3D 掃描器進行 3D 資料擷取作業等二大類，故後文將簡述此二類方法的操作概念與應用上的差異。

一、攝影測量法操作概念

攝影測量法主要是利用文物影像進行 3D 建模的技術，因使用文物原始影像進行建模，因此以攝影測量法運算的文物 3D 模型，其紋理色彩於目前各種 3D 建模方式中呈現效果最佳。

其建模方法主要利用相機或攝影機，針對標的物表面有規劃地進行高重疊率影像擷取，擷取過程中需同時確認影像中文物重疊率是否達 75%。在完成影像擷取後利用運算軟體進行影像校準與位置對齊，其主要利用影像識別與屬性資料進行相機位置及角度計算，並運算出文物初步點雲資料。而藉由文物初步點雲資料可判讀本次建模之成功概率，以提高 3D 建模之效率。

完成建立初步點雲後，進行密集（細部）點雲運算，此一步驟才算真正進入文物 3D 建模，因此運算時間也最為費時，且創建點雲之密集度影響後續網格化模型的精細度。文物密集點雲建立後進行初步雜點清除，並將非文物之點雲刪除後，進行網格化 3D 模型建立，完成後即進行紋理貼圖創

建，並依清晰之紋理貼圖進行模型尺寸校正，完成校正後即完成攝影測量法之 3D 建模。

以攝影測量法進行 3D 建模較不受標的物的尺度影響，僅需調整影像之取得方式，例如使用 UAV 針對大範圍場景進行空拍，或利用微距與顯微鏡頭針對較小的物件進行拍攝，只要能取得良好品質與高重疊率的影像即可進行 3D 建模，雖然其設備門檻較低，並且 3D 模型的色彩還原度較高，但欲獲得更多細節或高精度的 3D 模型，便需提供更多的影像與消耗更多的運算時間。

二、3D 掃描器操作概念

目前 3D 掃描器已相當普及，國內亦有文獻針對其原理進行說明，基本上針對掃描標的物的類型通常依其尺度大小作為挑選 3D 掃描器的初步依據，再考量標的物的材質與特性依 3D 掃描器的優缺點以及掃描後資料的使用目的進行評估使用設備的商用性，但相同類型的 3D 掃描器在其解析度與精度上仍可能存在相當程度的差異（張舜孔等，2013：68-74；蔡育林等，2015：18-19）。

摒除設備取得門檻的限制，選用 3D 掃描器的依據，通常需考量標的物的尺度大小與材質、操作環境以及使用需求等要素，本文依史前館從考古遺址、大型物件、各類型標本等不同對象的 3D 掃描經驗，將 3D 掃描器區分為三類進行說明。

（一）針對場域使用之雷射 3D 掃描器

通常針對環境、空間、場景等場域進行 3D 掃描，考量到時間與精度等效益通常會選用能快速擷取大範圍 3D 資訊的雷射掃描器。由於空載光達的使用成本極高，且較易因使用環境與天候等因素而受到限制，因此地載光達即成為非常合適針對場域進行 3D 掃描之設備，可以快速取得高精度且大範圍的點雲資料，此類設備主要區分為脈衝式與相位式二類，前者單次掃描速度較快、雷射穿透力較強、且可提供較遠的掃描距離，但設備成本相對亦較高。

地載光達進行場域 3D 掃描提供非常好的便利性與效率，但在掃描過程中需仔細規劃進行掃描時架置機器的各個站點，才可避免因遮蔽而無法取

得完整的 3D 資料；然而此類 3D 掃描器多架設於腳架上使用，受限於可調整的角度故較容易受到遮蔽產生掃描死角，且亦不易於現場即時觀看掃描結果。

當然雷射掃描器亦有手持式機種，但大多有一定距離與範圍的限制，無法與地載光達相比，但仍整合使用用於地載光達較易受到遮蔽的區域，利用手持容易取得 3D 資料擷取角度的便利性來提供貢獻。

（二）手持式 3D 掃描器

手持式 3D 掃描器依其原理主要可分為雷射與結構光二類，然在操作方式上大同小異，主要差異反映在精度與不同材質的掃描結果上。手持式 3D 掃描器通常具有便利移動的特性，在針對標的物進行 3D 資料擷取時亦較為靈活，通常使用於較小的空間區域或較大型的物件，不論在掃描過程或後續資料處理過程，相較於其它設備皆有較優的效率，缺點則是操作人員的熟悉度較易影響精度，且於戶外使用時可能受到自然光線的影響而無法順利進行 3D 掃描。

部分手持式 3D 掃描器透過配件的整合可變更為立架式使用，同時可提高其掃描的精度。

（三）立架式 3D 掃描器

立架式 3D 掃描器通常使用於較小型的物件，也能提供較高的解析度與精度，以及穩定的 3D 掃描作業流程，可說是最適合作為文物 3D 數位典藏的基礎設備，但不同設備在解析度與精度上的差異極大，操作的便利性與文物掃描流程亦存在相當大的變異性，故需評估欲掃描標的物的特性選擇最為合適的設備。另外，立架式 3D 掃描器通常需要較為穩定的工作環境，以及掃描過程中需調整文物擺放的角度，以利擷取完整的 3D 資料。

三、3D 掃描技術的差異性與整合應用

各類 3D 掃描技術或設備的比較分析一直是此領域研究討論的重點（張舜孔等，2013；蔡育林等，2015；楊文斌等，2017；張舜孔等，2019），透過分析其 3D 模型的點雲量、解析度、精度與實際掃描成果比對等，可以更清楚掌握不同技術或設備的適用性。

攝影測量法具有高便利性、低成本、較高模型色彩還原度的優勢，但可能在後續資料處理上較為耗時；3D 掃描器則可提供較高解析度與精度的 3D 資料。然而在實際操作上皆需評估標的物的特性與 3D 資料的使用需求，選擇或調整 3D 掃描的方式，並且需考量投入資源以及操作人員的訓練等因素（蔡育林等，2015）。

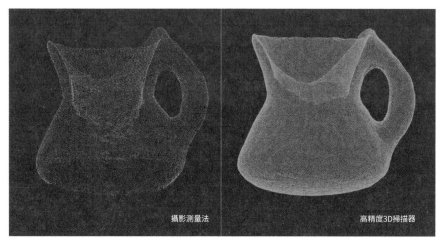

攝影測量法　　　　　　　　　　　　　　　高精度3D掃描器

圖 3-2　攝影測量法及高精度 3D 掃描器針對相同標本擷取點雲數量差異

例如，吳牧錞（2019：67）在舊社遺址研究上比較了地表光達與攝影測量法的應用成果，雖然認為「攝影測量法提供一個相當經濟、便利、有效、可普遍運用的地形地貌擷取記錄途徑」，但地表光達仍具有較高的解析度與精度優勢。張舜孔等（2013：74-75）認為單一 3D 掃描技術或設備並無法完全適用於任何文物，在技術上仍受環境、物理屬性（高反光或深色表面）、掃描死角、設備效能與操作人員能力等限制與影響。

整體而言，掌握單一 3D 掃描技術或設備或許已可完成相當程度的 3D 掃描作業，但透過對不同技術的掌握與有效運用合適的設備，絕對可以提高 3D 掃描成果的品質與完整度，可以想像未來 3D 掃描操作人員將因其所能掌握的技術能力，從受限的被動作業方式發展成主動整合式的 3D 掃描作業方式，結合各種技術的優點取得最佳的 3D 掃描成果。

從 2D 到 3D 的數位典藏作業

數位典藏早已成為各博物館針對典藏品入藏的基本作業項目，在數位

媒材的多元化與個人網路的便利性發展下，幾 10 年來累積的數位化資料也在近年來得以透過網路資料庫或多媒體展示等獲得應用。回顧數位典藏發展的歷程，其實與數位化設備的普及非常相關，而如本文前半所示，3D 掃描技術與設備亦在普及化發展中，是否在博物館的數位典藏上得以由 2D 進步到 3D 呢？史前館自 2016 年開始投入發展 3D 數位典藏作業，本節將由其發展過程、作業方式與目前成果來說明博物館發展 3D 數位典藏的可行性與侷限性。

一、以 3D 技術應用為基礎推動智慧博物館科技計畫

2016 年，史前館開始執行「建構智慧型博物館：漫遊在史前和現代的交界雲端整合計畫」，整體計畫以科技應用為核心串聯研究、展示、推廣、文創與公共服務等博物館核心業務，其中 3D 技術的導入期望能由研究端的基礎資料建置著手，發展到其它博物館業務上的應用。

在初期規劃中，由於考古研究上需要對文物有較精確的尺寸資料，因此在 3D 掃描設備採購評估主要以高精度且能有效率完成文物 3D 模型者為對象，但面對文物 3D 模型在展示呈現上有色彩的需求，便規劃將攝影測量法納入 3D 模型建置的項目。主要因為當時於國內並未能有同時在精度與色彩上有效整合的 3D 掃描器，然而最後卻得以購得國內第一台精度達 0.016mm 且配有 2,400 萬畫素的高精度全彩 3D 掃描儀（SMARTTECH 3D MICRON3D color 24MPix），加上 3D 編修軟體（3D Systems Geomagic® Design X™）的整合，得以單一設備進行作業即達到原規劃需整合二次不同掃描資料之作業效果。

在每年以至少完成 80 筆文物 3D 掃描作業的效率下，為對外開放成果建置了專屬的「考古文物 3D 資料庫」，後續亦依規劃建置文物數位修復系統（3D Systems Geomagic® Freeform Plus™ Touch X™）與 3D 列印機（Stratasys J55™ Prime、Objet500 Conneex1™）等設備，完善將實體文物 3D 數位化再到列印輸出的逆向工程技術鏈，最後於 2018 年正式成立「3D 實驗室」。

由於整個 3D 數位化作業的過程皆由館內人員自行操作，無須經手委外廠商，更清楚所完成的文物點雲資料在提供當下使用需求上是綽綽有餘，即便在 2021 年仍少有其它能達到同等成果之設備與技術，故更確立考古文物進行 3D 數位典藏的可行性。建置之高精度全彩 3D 點雲資料，其為可應用於研究、典藏、保存維護、展示教育使用之文物 3D 模型，即可避免為因

應使用需求而重複進行之數位化作業，並降低典藏品因出入庫造成損耗的機率。

二、史前館的 3D 數位典藏作業

在 3D 數位化作業過程中，不同於傳統數位典藏僅利用單一相機即可完成，3D 掃描會因掃描對象或使用需求的差異，而需採用不同的設備或技術，甚至需整合不同設備與技術才能完成較複雜對象之 3D 建模。然而史前館針對館藏考古學典藏品進行分析，規劃能滿足最大量典藏品的 3D 數位化作業方式。

史前館的 3D 數位典藏主要是利用精度值可達 0.016mm、2,400 萬彩色畫素之光柵式 3D 掃描器（SMARTTECH 3D MICRON3D color 24MPix），進行文物彩色點雲資料擷取及處理，並利用 3D 資料編修軟體進行網格建立、模型編修及格式轉換，再將完成之文物 3D 模型上傳至「考古文物 3D 資料庫」以開放瀏覽。

針對文物的 3D 數位化作業中，主要分成文物掃描評估與規劃、3D 點雲資料擷取及處理、點雲網格化與建模等三個階段。且為維護 3D 數位資料品質，依文化部規定表面積達 150cm^2 之文物 3D 模型網格面至少需達到 500 萬面以上。以下將針對典藏文物 3D 數位化各階段之操作進行說明。

（一）文物掃描評估與規劃

在確定掃描文物前，需先由 3D 實驗室之掃描人員會同文物管理人，依文物現況進行掃描可行性評估，其中主要針對文物表面複雜度、材質及其保存狀態進行評估，且須針對複雜多層次或縷空、高透光或高反光、保存狀況不佳、持拿不易等文物狀態，規劃其可承受或合適之掃描方式，並評估是否調整使用不同之 3D 掃描設備（FARO® Design ScanArm 2.5C）或技術（Agisoft Metashape、Bentley® ContextCapture）進行數位化作業。如非前述狀況之文物則採取一般文物 3D 數位化作業方式進行之。

（二）3D 點雲資料擷取及處理

依照文物的尺寸差異需選用合適規格之 3D 掃描器進行數位化作業。在進行文物 3D 點雲資料擷取作業前需先進行掃描器之校正，以維持擷取資料

之精度值。完成校正後，為確保文物點雲資料之品質，每件文物需至少進行 3 次 360 度水平旋轉，以 30-45 度為一幅進行點雲擷取作業，每次掃描前依其材質、表面形狀、色彩情況擺放不同角度，最後統合 3 次掃描結果進行缺漏部分單幅掃描。

在完成文物 3D 點雲資料擷取後，由 3D 掃描人員以掃描儀專用軟體（SMARTTECH 3D measure），進行雜點清除及初步套疊作業，並確認經套疊後的資料誤差不可超過 0.1mm，若誤差值高於 0.1mm 則需重新進行套疊作業。在確定取得文物點雲資料完整套疊後，後續交由 3D 資料運算人員進行點雲網格化與建模作業。

（三）點雲網格化與建模

這個階段主要針對文物 3D 點雲資料進行處理，運用專業 3D 編修軟體（3D Systems Geomagic® Design X™）進行點雲資料網格化（單幅）建立文物三角網格資料，完成後針對網格資料進行除錯檢查，刪除錯誤資料後即進行精細套疊作業，完成套疊之單幅網格資料，即可進行組模動作，完成後即得到文物 3D 模型。

後續仍要針對 3D 模型進行優化，在不改變模型邊緣及細節的情形下將其網格重整，此一作業可以提升後續補洞作業之效率。補洞步驟主要針對 3D 模型之細微破洞與少數凌亂資料進行網格封閉，以建置網格完整之模型資料。最後進行模型校色並創建貼圖，使 3D 模型表面色彩更加準確。

完成高階模型編修後，依使用方式及需求進行網格數減面及轉檔。由於建置之 3D 模型極為細緻，其組成之三角網格至少為 5 百萬面以上，需使用高階電腦或工作站方可開啟，故為利於一般觀眾瀏覽或應用上便利性，在輸出 3D 模型檔案，會依需求進行減面，依其所需目的提供合適資料量及檔案格式，讓使用者能順暢瀏覽文物 3D 資料。

三、關於「考古文物 3D 資料庫」與「3D 實驗室」

國內多數博物館公開其典藏品 3D 模型的方式大多與大英博物館相似，主要藉由國外 3D 廠商（Sketchfab，網址：https://sketchfab.com/ ）所提供的平台進行介接。史前館建置專屬之「考古文物 3D 資料庫」，除了提供使用者一個不需安裝任何程式即可自由以任意角度觀看文物 3D 模型的平台外，同

史前館的3D數位典藏作業流程

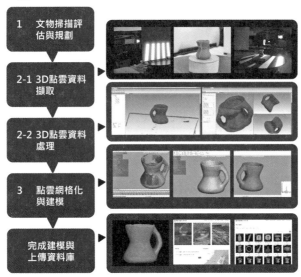

1 文物掃描評估與規劃	
2-1 3D點雲資料擷取	
2-2 3D點雲資料處理	
3 點雲網格化與建模	
完成建模與上傳資料庫	

圖 3-3 史前館的 3D 數位典藏作業流程圖

時具備有尺寸量測、光源調整設定、文物說明標註以及自動展示等功能，並且提供詳細的文物屬性資料欄位，更結合 GIS 呈現各文物出土的所在位置。

除了不需將文物 3D 模型資料上傳至非博物館或非官方平台外，擁有專屬資料庫的優點還有能依博物館典藏的特性設置搜尋介面，史前館即提供依文化時代、文物類別與出土遺址等主要搜尋分類，亦可由地圖界面選擇想觀看之文物 3D 模型。再者，上傳之文物 3D 模型的大小可不受限制，以避免在檔案大小限制下，僅能上傳檔案較小而細節較不清楚之 3D 模型。

「3D 實驗室」的建置除了購置逆向工程相關 3D 設備外，3D 技術的整合與人員訓練反而是更為重要的一環。史前館藉由科技計畫的執行，審慎評估館內典藏品的狀況，規劃如前文呈現之合適且具效率文物 3D 數位化標準作業流程，並將實驗室的作業人員分為設備操作與 3D 資料運算，使得實驗室人員可以在最短的技術訓練期間內掌握不同 3D 作業階段的技術，因此即便在最小的人力需求下，仍可每年產出至少 80 筆文物 3D 模型，並且可以在館內有相關業務需求下，進行最快速的技術支援。

在業務面，主要除了針對其館藏及研究標本進行 3D 數位化作業外，亦

協助投入展示需求提供 3D 數位資料，包括 3D 模型檔案、影片或 AR、VR 等應用，也直接提供 3D 列印之文物仿製品供展示或活動使用，在文創商品或推廣品開發上亦提供文物 3D 模型編修技術與 3D 列印等支援。整體而言，由於具備完善的 3D 資料庫及實驗室，史前館得以在文物 3D 數位資料的開放上，除了協助館內各部門同仁的使用需求外，亦開放公立機關或非營利組織申請 3D 數位檔案使用，以及相關技術支援等業務。

博物館展示與推廣的多元應用

史前館近年來在 3D 數位典藏的基礎上，從展示廳常設展、特展、多媒體、推廣活動、文創品製作等業務上藉由 3D 數位化成果的便利性進行許多新的嘗試，本章將藉此說明相關技術對博物館典藏、研究、展示及教育推廣等面向可能的應用與影響。

一、看見文物的另一面

博物館展示往往受限於展場與展櫃的限制，僅能由單一或固定方向觀看展示品，常可見利用鏡射方式提供觀眾得以看見文物的另一面，然而如果在展示上結合 3D 模型的應用，即可在對展示品作最小影響的情形下讓觀眾看到更多文物的細節。

史前館在展場上針對已完成 3D 數位化的文物，提供觀眾藉由 QRCode 直接連結至 3D 資料庫，即可簡便且迅速看到展示品的另一面，並且提供重點或細節標註與文物資料說明；這樣的呈現方式可結合數位導覽系統或多媒體項目中呈現，亦可整合至數位博物館或數位展示介面中。

在展場中作為輔助展示的另一大利器無非是 AR 應用，透過擴增實境或混合實境的應用，可以在受限的實體展廳中藉由增加虛擬空間展示更多文物外，亦可作為互動設施，例如原本陳列在展廳中的考古發掘探坑之地層剖面，觀眾原僅能看到部份露出的不完整遺物，但透過行動裝置使用 AR 功能即可看到埋藏土中完整的遺物 3D 模型，並且能感受到地層中發掘文物的體驗；又或者在作為休憩場域的空間，藉由擴增實境即可在原本無展示櫃的位置呈現虛擬文物 3D 模型，除了讓觀眾可以不受空間與角度限制進行觀看外，亦可利用 AR 技術提供與文物合影的樂趣。

最後，史前館在龐大的 3D 數位典藏資料支持下，進一步開發了數位展櫃系統與模組化展示櫃，利用浮空投影的原理展示出栩栩如生的文物，並且可透過遠端控制隨時更換展示文物與主題。數位展櫃除可獨立運用於館內非展示區域之數位呈現外，亦可依展示或特展需求作為展示內容加值呈現，甚至於館外配合推廣教育與博物館宣傳等活動使用。

3D 技術在博物館中的應用多數仍以面對觀眾端為主，可以提供不同於傳統平面式的立體影像呈現外，也可支援文物在展示手法上的許多嘗試，包括以仿製品、虛擬文物等方法呈現外，也可協助作為展品陳列手法的協助製作支撐或保護媒材，提高觀眾對於文物的接觸感受。然而即便 3D 影像技術已十分普及，但仍可能受限於檔案格式或規格，以及資訊設備的性能等因素，導致 3D 模型在不同的應用方式上需進行轉檔或處理可能存在的落差，因此在進行 3D 數位化作業過程中，建議將原始資料完整保存，包括原始影像資料、3D 掃描設備原始檔與專案檔等，並且保留各階段處理過程的資料，以利面對不同需求時使用。

圖 3-4　於展示廳利用 AR 觀看完整之文物 3D 模型

二、打破博物館建築的限制

在博物館展廳展出的文物大多已失去原本的脈絡，藉由 3D 技術與多媒

體的整合，或許可以在虛擬的世界裡回到文物的時空脈絡。當考古遺物從遺址中發掘出土後，不論是被典藏至博物館的庫房或是陳列於展示櫃之中，皆已失去其於遺址中的時空與環境脈絡，單純的遺物展示更不易呈現文物本身在過去生活情境之下，所代表的文化意義與故事。

史前館在 3D 數位化技術的發展上，包含了場景點雲資料擷取的部分，除了作為考古發掘過程，針對遺址環境或重要出土現象進行 3D 記錄外，最直接的應用無非是期望透過 VR 或多媒體整合，讓觀眾可以突破博物館場所的界限，聯結戶外的考古遺址、彷如親臨考古發掘現場、以及呈現無法於室內展示的大型物件，皆可透過場景整合的概念突破博物館的空間限制，讓觀眾體會文物背後代表的環境與空間脈絡。

除了實際場景的數位化再現外，利用整合多媒體互動可以讓觀眾透過 VR 回到已經不存在的史前社會，甚至參與史前人群的活動，例如打獵、製作工具等，讓虛擬體驗不僅止於視覺的觀看，更多了體感參與的感受。然而 VR 應用在呈現上需要有較獨立的空間，所以在設置與使用維護上需增加額外的考量。

在打破博物館建築空間的限制概念下，除了使觀眾可以在室內由虛擬空間將博物館的展示延伸到戶外或虛擬的時空環境外，反之亦可藉由虛擬博物館的概念將博物館的展示帶到偏鄉，透過數位整合推動文化平權的可能性。

然而，針對完整 3D 虛擬空間資料的製作與使用通常需要較高階的硬體需求，不論是採用 3D 掃描或數位製作的 3D 虛擬場域在資料生產過程皆有相當程度的設備或技術門檻，代表相對較高的製作成本，所以在需求設定上必須十分明確；再者，在提供使用者操作端亦需提供對應之 VR 設備甚至是足夠之空間，使其能更有身歷其境的體驗，且通常使用過程需有專人協助。不過，近來有許多利用拍照模擬立體空間的作法，大幅減低製作成本並提供使用者簡便的操作瀏覽模式，不失為有利之替代方案。

三、虛擬的真實觸感

3D 數位資料提供了展示應用許多可以克服實體空間或文物限制的優勢，然而觀眾參訪博物館的動機之一是觀看真實文物，倘若於展示上過度

倚賴虛擬手法呈現，可能會降低觀眾親至博物館的意願，但是在 3D 列印設備開始普及的今日，有效運用逆向輸出將 3D 資料實體化，則可以增加觀眾觀展的真實感觸。

在展示廳中提供仿製品供觀眾觸摸以提升體驗感是常見的展示手法，然而一般仿製品不易與真品完全相同，反而可能提供負面的觀展體驗。高精度 3D 掃描可以有效將文物表面細微的紋理予以數位化，再利用 3D 列印機輸出成與原文物完全相同的仿製品，不僅是尺寸大小，包括表面的刻紋甚至粗糙感皆幾可亂真。

考古展示在進行有關出土人類體質遺留部分，需考量展示的保存環境與倫理等相關問題（邱鴻霖，2014：95），史前館南科考古館自 2020 年起即以 3D 列印品取代原本陳列的人骨，2021 年開展「我們活過──考古人骨遺骸暨墓葬展」也大量採用逆向輸出的仿製物件作為展示品，除了可免除展示環境可能對人類體質遺留造成負面影響的疑慮外，也減低國人因文化因素而產生的排斥感，並且為展示手法提供更多的可能性。

史前館針對更新的常設展廳，投入相當多的規劃在友善平權相關設計上，其中在台灣史前史廳的部份，所有展示輔具皆採用 3D 列印輸出的仿製品以提供觀眾能有最真實的感觸。另外，史前館藉由 3D 列印與數位修復技術的結合，取代傳統考古文物由修復師以石膏進行修復的作法，由於文物已有精度極高之 3D 數位化模型資料，便可透過數位修復技術製作出在考古發掘出土後即已殘缺的部分，再利用高精度 3D 列印後便可與原本文物幾乎毫無誤差地結合成一完整的物件，還原其可能的原貌。

在進行 3D 列印作業時，除了成本考量會直接影響輸出的材質與精細度

圖 3-5　利用 3D 數位修復整合逆向工程作業進行實體文物修復的成果

外，最重要的還要考量到輸出物件的尺寸以及所需的列印時間，由於逆向輸出設備大多有製作尺寸的限制，除了縮小比例外便僅能針對 3D 模型進行分割後再進行 3D 輸出，最後再進行組裝，將增加許多工作上的時間需求。另外，近年來已有全彩 3D 列印機問市，但在進行列印時仍需進行色彩測試或調整，以避免產生過大的色彩偏差。

四、博物館的虛擬延伸

2018 年史前館邀請小說作家撰寫卑南遺址為題材之奇幻小說《風暴之子》，作家即利用「考古文物 3D 資料庫」查詢研究資料中所描述之文物，進而利用文物 3D 模型了解文物樣態進行故事創作；2020 年創作漫畫《玦：孿生》之漫畫家亦利用資料庫描繪出史前人使用及製作工具的場景。

在單位合作上，具有展示需求或圖像使用需求之館外單位，亦先利用資料庫查詢所需之文物後，在進一步與史前館進行文物提借或圖像授權之申請，甚至提出使用 3D 模型或列印仿製品之需求。因為有了文物 3D 數位資料，史前館在館外合作及推廣上多了許多可能性，借展文物可以利用 3D 模型進行數位展示或列印仿製品替代，降低借展單位需負擔之成本與風險，進而增加館藏文物公開展示之機會。

現今網路普及，利用線上 3D 資料庫，提高館藏文物被公眾瀏覽的觸及率，讓博物館觀眾群不只有侷限在親至博物館的民眾上，而偏遠或行動不便民眾，亦可以利用 3D 資料庫瀏覽文物各種樣態，透過數位科技將博物館與觀眾距離縮短，藉以達到博物館典藏品近用之目的。

為能加值利用館藏文物，史前館利用文物 3D 模型與駐村藝術家合作進行藝術創作，亦透過 3D 技術復原史前文物刻畫紋，製作印章與陶藝家合作進行史前陶杯開發，並利用史前陶罐再製進行扭蛋商品開發。

史前館從實物到數位，再利用數位進行創造，將館藏文物由博物館內延伸到民眾觸手可及之處，讓史前文物的價值不再是只有博物館內展示的呈現，更透過數位科技向社會大眾傳達台灣史前文化的珍貴與重要性。然而，3D 數位化技術的應用無非是想提供給觀眾更多更完整的開放資料，建議在過程中需充份考量 3D 模型資料的整體儲存、公開以及授權使用等規劃，具有文資身分之古物亦需評估受文化資產保存法規範有關複製及監製等作業方式。

結論：用 3D 翻轉文物的再想像

當博物館能有效掌握 3D 技術，將其作為博物館的常態業務，便可激發更多應用與創作的可能性，可能在過去受到限制的地方可以運用 3D 技術進行突破。

3D 技術除了作為文物或場景的更完整記錄外，亦可藉由 3D 資訊的數位處理作業進行不同時期的資料比對，可提供在博物館研究、保存維護與修復作業上，更多面向的參考與多元方法的應用（陳俊宇等，2019）。2019 年法國聖母院的大火浩劫，也因為曾經有 Andrew Tallon 建立的 3D 點雲模型以及「刺客教條」遊戲中的 3D 模型為例，使得後續在建築重建可以有更具體的參考依據（呂錦瀚，2019：34）。

如邱鴻霖（2014）認為 3D 技術讓體驗感受文化資產不再只是學者的專利，更能展現出其具有大眾公共資產的意義。史前館在進行常設展更新的過程中，3D 技術在許多業務上都提供了相當便利與精緻的協助，由於大量 3D 數位典藏的成果可以降低重要文物的接觸率，3D 數位資料提供展示設計與多媒體規劃最有效率且精確的參考依據，3D 列印的仿製品在展場模型的使用與友善平權設施上提供更真實的感觸，在文創開發上亦少不了 3D 技術的協助。

整體而言，博物館或文化資產機構在應用 3D 數位化技術的推動上，建議充份確立需求，如非個案業務而期待能有長期發展規劃，在基本的 3D 數位化作業上應以可進行數位典藏之規格作為基礎，在 3D 模型的精度與色彩上皆需達到一定的標準，文化部規劃之「博物館典藏文物 3D 模型製作原則」可作為基本參考，且務必保存 3D 模型資料生產過程各階段的數位資料，以利未來進行各種應用或在新技術及設備發展下得以重製更好的 3D 模型。如若需採購 3D 掃描設備，除了價格因素外，更需分析未來主要掃描標的物的主要材質、尺寸等資訊，並需掌握該設備進行 3D 掃描的作業過程、時間效益與侷限性，然而不同的設備在操作時間、覘標、範圍、色彩等面向皆有其優點與限制（蔡育林等，2015），如何選擇合適的設備或是具有整合不同設備的能力，是在整體發展上必需關注的重點。

3D 數位典藏將是博物館未來一個主流趨勢，藉由完善的 3D 數位典藏規劃除了可減少典藏作業在標本借用業務上的負擔外，亦可提供研究需求上

更多且精確的數據資訊；在展示與公眾呈現端，可能仍無法直接取代文物本身的觀賞價值，卻可提供傳統展示手法上無法進行的體驗感受，也提供更多元展示手法的操作。更重要的是藉由幾乎與文物相同的 3D 數位資料，可以打破博物館的界限提供不同領域的創作或應用需求，讓使用者得以較不受限地取得其所需的資料，不論是教育推廣、創新加值應用等皆更為便利且迅速。

未來，3D 技術能在博物館能提供典藏品發展研究上更細微的觀察與精確的數值資訊，並且可有效應用在文物的保存監測甚至是修復作業上，再進一步回饋至博物館公眾呈現的部分；雖然可以預期 3D 技術的發展較更簡便與普及，但博物館要能在各項業務上充分應用，仍需 3D 技術人員的養成與訓練上進行投資，並且更明確掌握實際的需求。回顧傳統數位典藏的發展，從不斷調整的作業過程到現今已成為常態性業務，並在長期累積的大量成果下展現出數位資料的實用性，而今 3D 數位典藏已經是各博物館不得不考量的業務項目。

參考文獻

方瑞蓮、林雅娟、張珊榕、王伯仁、張舜孔，2019。3D 掃描於織品文物修復之應用─以北港飛龍團大龍旗為例。3D-2019

吳牧錞，2019。攝影測量法在考古學舊社遺址研究與空間分析中的運用：以高士排灣 Saqacengalj 為例，考古人類學刊，90：45-74。

呂錦瀚，2019。想像中的虛擬殿堂─臺博館 3D 掃描歷程與運用分享，臺灣博物，38（2）：34-39。

林致諺，2018。故宮文物 3D 建模初探及新媒體應用，文化╳科技文化資產 3D 技術應用工作坊會議論文集，頁：11-14，主辦單位：文化部文化資產局、國立臺灣史前文化博物館，會議日期：2018 年 9 月 6 日。

邱鴻霖，2014。從考古學的角度論 3D 掃瞄與逆向輸出在出土人骨的應用：以亮島人為例，文化資產保存學刊，30：83-110。

邵慶旺，2019。文物之調查運用三維度數位模型之研究，Culture Í Tech 3D Workshop for Cultural Heritage（文化╳科技 3D 技術應用國際工作坊會議論文集），頁：73-88，主辦單位：國立臺灣史前文化博物館，會議日期：2019 年 8 月 7 日。

侯進雄、費立沅、邱禎龍、陳宏仁、謝有忠、胡植慶、林慶偉，2014。空載光達數值地形產製與地質災害的應用，航測及遙測學刊，18（2）：93-108。

施乃中、王惠君、姜智勻、蔡宗旂，2008。雷射 3D 攝影測量運用於三峽祖師廟之建築藝術，文化資產保存學刊，3：57-64。

張舜孔、林雅娟、王伯仁、林逸琇，2019。3D 數位建模技術應用於室外文物保存紀錄之研究─

以鳳山縣舊城北門門神為例，文化資產保存學刊，50：31-57。

張舜孔、邵慶旺、蔡育林、陳俊宇，2013。3D 掃描技術應用於文化資產之適用性討論，文化資產保存學刊，26：63-78。

郭芯瑜、詹鈞評、饒見有、陳政宏，2016。影像式三維重建於水下考古之先期研究，文化資產保存學刊，37：7-23。

郭素秋、鄭玠甫、黃鐘、林柏丞、胡植慶，2017。空載光達技術在台灣山區舊社考古學研究的應用：以排灣族文樂舊社為例，考古人類學刊，87：67-88。

陳俊宇、何佩真、張珊榕，2019。文化資產 3D 建模技術應用，Culture Í Tech 3D Workshop for Cultural Heritage（文化╳科技 3D 技術應用國際工作坊會議論文集），頁：57-64，主辦單位：國立臺灣史前文化博物館，會議日期：2019 年 8 月 7 日。

陳威全，2010。3D 雷射掃描技術應用於古蹟建築變形監測之研究─以臺中縣霧峰鄉林宅大花廳之大木結構為例，國立高雄大學都市發展與建築研究所碩士論文。

曾欣郁，2012。三維雷射掃瞄技術應用於傳統建築灰泥壁畫破壞檢測，國立金門大學土木與工程管理學系碩士論文。

黃立信、陳其沅、張嘉倫、邱建華，2018。利用 3DLiDAR 技術應用於結構物監測及地形數化之研究，測量工程，57：23-38。

塗三賢、李志璇、林柏亨、林柏峰，2019。3D 掃描及數位加工技術應用在木材文化資產保存，林業研究專訊，26（1）：44-48。

楊文斌、王聰榮、閻亞寧，2017。近景攝影測量於古蹟、歷史建築之數位化運用與推廣，文化資產保存學刊，40：55-75。

楊玉華，2012。3D 雷射掃瞄應用於商業街區風貌分析之研究─以淡水老街為例，國立臺灣科技大學建築系碩士論文。

楊蠡娟，2008。3D 雷射掃描技術在古蹟修復上之應用─以臺北市市定古蹟總督府山林課宿舍為例，國立臺灣科技大學建築系碩士論文。

葉長庚，2013。臺灣史前岩棺 – 重要古物白守蓮 I 號岩棺保存維護推廣手冊，台東：臺東縣政府、國立臺灣史前文化博物館。

葉長庚，2014。UAV 技術於考古學的應用：以卑南遺址為例，2013 年度臺灣考古工作會報研討會論文集，頁：34-44，主辦單位：國立臺灣大學人類學系，會議日期：2014 年 3 月 22 日至 23 日。

葉長庚，2017。地貌擷取科技於考古田野作業之應用：以花蓮縣豐濱‧宮下遺址為例，花蓮：花蓮縣文化局。

葉長庚，2019。博物館 3D 技術的應用與觀察，臺灣博物，38（2）：28-33。

詹世偉，2009。3D 雷射掃瞄運用於歷史街區之研究─以臺北市齊東街為例，國立臺灣科技大學建築系碩士論文。

廖才詠，2004。3D 雷射掃描在歷史建築數位管理系統之應用─以臺北市大龍峒保安宮為例，國立臺灣科技大學建築系碩士論文。

劉進金、徐偉成，2012。我國空載光達的蓬勃發展史，地質 =Ti-Chih，31(2)：31-35。

蔡育林、張舜孔、姚良居，2015。立體掃描在文物保存研究之應用初探，文化資產保存學刊，33：7-21。

蔡育林、葉長庚、姚良居、張舜孔，2015。3D 掃於史前陶片紋飾記錄之應用─以文物保存科學觀點，國立台灣博物館學刊，68（3）：49-69。

蔡宗旂，2007。3D 雷射掃描在歷史建築數位模型之建構與應用─以長福巖三峽祖師廟為例，國立臺灣科技大學建築系碩士論文。

鄭玠甫、王威智，2021。重返祖居地：拉庫拉庫溪舊社考古，花蓮：花蓮縣文化局。

Bonora, Valentina, Tucci, Grazia, Meucci, Adele, Pagnini, Bernardo, 2021. Photogrammetry and 3D Printing for Marble Statues Replicas: Critical Issues and Assessment. Sustainability 2021, 13(2), 680.

Bruno, F., Bruno, S., De Sensi, G., Luchi, M.L., Mancuso, S., Muzzupappa, M., 2010. From 3D reconstruction to virtual reality: A complete methodology for digital archaeological exhibition. Journal of Cultural Heritage 11(1): 42-49.

Clive Boardman, MA,. MSc, FCInstCES, FRSPSoc, Paul Bryan BSc, FRICS. 2018. 3D Laser Scanning for Heritage – Advice and guidance to users on laser scanning in archaeology and architecture (3rd edition). Swidon: Historic England

Di Giuseppantonio, P., Di Franco, C., Camporesi, C., Galeazzi, F., Kallmann, M., 2015. 3D Printing and Immersive Visualization for Improved Perception of Ancient Artifacts. Presence: Teleoperators & Virtual Environments 24(3): 243-264.

Fregonese, L., N. Giordani, A. Adami, G. Bachinsky, L. Taffurelli, O. Rosignoli, J. Helder, 2019. Physical and Virtual Reconstruction for an Integrated Archaeological Model: 3D Print and Maquette. The International Archives of the Photogrammetry, Remote Sensing and Spatial Information Sciences, Volume XLII-2/W15: 481-487. 27th CIPA International Symposium "Documenting the past for a better future".

Galeazzi, F., 2016. Towards the definition of best 3D practices in archaeology: assessing 3D documentation techniques for intra- site data recording. Journal of Cultural heritage, 17: 159-169.

HUNT, Terry L., 2019. Using 3D Modeling to Explain Aspects of Monumentality and Statuary on Easter Island. In National Museum of Prehistory, Culture Tech 3D Workshop for Cultural Heritage, pp. 13-25.

J drych, Piotr, 2019. Best Hand on Applications of 3D Scanning in Museums and Archeology. In National Museum of Prehistory, Culture Tech 3D Workshop for Cultural Heritage, pp. 95-109.

LEE, Hwajong, 2019. The Gap of Archaeological 3D Technology between Excavation and Interpretation in South Korea. In National Museum of Prehistory, Culture Tech 3D Workshop for Cultural Heritage, pp. 39-43.

Tucci, G. & Bonora, V., 2007. Application of High Resolution Scanning Systems for Virtual Moulds and Replicas of Sculptural Works. XXI International CIPA Symposium, 01-06 October 2007, Athens, Greece.

Tucci, G., Bonora, V., Conti, A., Fiorini, L., 2017. High-Quality 3D Models and Their Use in a Cultural Heritage Conservation Project The International Archives of the Photogrammetry, Remote Sensing and Spatial Information Sciences, Volume XLII-2/W5: 687-693. 26th International CIPA Symposium 2017.

Tucci, Grazia, Cini, Daniela, Nobile, Alessia, 2012. A Defined Process to Digitally Reproduce in 3D a Wide Set of Archaeological Artifacts for Virtual Investigation and Display. Journal of Earth Science and Engineering 2: 118-131.

Yue, Na, 2019. Three-dimensional Model Display of Museum Based on Mobile Augmented Reality Technology. Journal of Computers 30(6): 223-231.

博物館數位轉型之途徑與策略研析

汪筱薔

前言

　　博物館與社會密切相關，其意義係由所處之社會脈絡所賦予，其數位轉型的方向受到當代數位科技及尖端技術之浪潮影響、公眾需求之推動，以及政府文化政策及博物館專業社群之引導。尤其在臺灣以公立博物館為主要組成，且政府資源為其主要營運來源的先決條件下，文化政策成為推動我國博物館數位轉型的主要推動力。基此，本文將討論公眾對於當代博物館的需求、數位科技的發展，並爬梳重要科技計畫帶來的影響、文化部及所屬博物館執行情形，於文末嘗試擘劃未來政策願景。本文第一部分討論時勢所趨，從 2019 年國際專業社群對於博物館新定義的討論，以及同年度在臺灣首次辦理的博物館論壇，探究在當代社會中博物館定義擴張及轉向，以及各界對於科技應用的期待。第二部分觀察政策落實情形，爬梳文化部及所屬博物館邁向數位轉型的途徑，反思目前的數位施政及科技計畫的破與立。第三部分則是嘗試提出博物館數位轉型策略，以支持博物館履行當代使命，實踐文化公民權。

必要之變：綜觀博物館數位轉型之時勢所趨

一、從新定義的討論觀察博物館的定位轉向

　　隨著全世界對於博物館的新定義提出各種想像，以及在各種趨勢及需求下博物館被期許及賦予的新任務，基於改變的必要性與急迫性，國際博物館協會（The International Council of Museums，以下簡稱 ICOM）邀請各國博物館代表參與 2019 年 9 月在京都舉行的 ICOM 大會對於博物館定義的討論，雖然最終結果是以 70% 對 28% 的懸殊票數比例通過延遲對新定義進行表決

的動議（ICOM, 2019；黃心蓉，2020；柯秀雯，2020），但由新定義的提出討論，已反映出博物館面對當代社會的時勢所趨，並可藉由新定義的提出思考數位轉型所扮演的角色。

回顧 2007 年時，ICOM 所提出之博物館定義如下：

> 博物館是為服務社會及其發展所永久設立的非營利機構。博物館對公眾開放，以取得、保存、研究、詮釋與展示人類及環境的有形和無形遺產，達成教育、研習與娛樂等目的。

> A museum is a non-profit, permanent institution in the service of society and its development, open to the public, which acquires, conserves, researches, communicates and exhibits the tangible and intangible heritage of humanity and its environment for the purposes of education, study and enjoyment.

「永久」、「非營利機構」、「公眾開放」、「文化資產」、「教育」等概念已與博物館密不可分，諸多國家政府亦將相關概念納入國內法規對於博物館職能之定義。如我國 2015 年三讀通過的博物館法第 3 條亦是如此：「博物館指從事蒐藏、保存、修復、維護、研究人類活動、自然環境之物質及非物質證物，以展示、教育推廣或其他方式定常性開放供民眾利用之非營利常設機構。」

至 2019 年由「博物館定義、展望與前景常務委員會」（Museum Definition, Prospects and Potentials，簡稱 MDPP）提出之博物館新定義提案則是：

> 博物館是一個讓過去和未來進行關鍵對話的空間，具有民主性、包容性和多音性。博物館面對並處理現在的衝突與挑戰，為社會信託保管文物標本，為未來世代保存多元記憶，並確保人人對遺產享有同等權利和同等近用。

> 博物館具可參與性和高透明度，且不以營利為目的。它們為各種社群積極合作，進行收藏、保存、研究、詮釋、展示和增進人們對世界的了解，旨在對人類尊嚴、社會正義、全球平等及地球福祉做出貢獻。

> Museums are democratizing, inclusive and polyphonic spaces for critical dialogue about the pasts and the futures. Acknowledging and addressing the

conflicts and challenges of the present, they hold artefacts and specimens in trust for society, safeguard diverse memories for future generations and guarantee equal rights and equal access to heritage for all people.

Museums are not for profit. They are participatory and transparent, and work in active partnership with and for diverse communities to collect, preserve, research, interpret, exhibit and enhance understanding of the world, aiming to contribute to human dignity and social justice, global equality and planetary wellbeing.

　　許多新的概念被提出，如「民主性」、「包容性」、「多音性」在一定程度上回應了近年來主流思潮；另如「同等近用」、「可參與性」、「高透明度」則是在博物館需向公眾開放的基礎上更進一步強化其社會責任及影響力。

　　雖然最後新定義最後在眾聲喧嘩下並無定論，筆者認為新定義主張是以歐美以開發國家經驗為主體所提出的理想現性發展，忽視其他地區不同時空下的發展脈絡，以及集體潛意識的差異，因此難以取得共識；但是，博物館定義的想像邊界，已在激盪的過程中擴張、位移、轉向，可以看出在新版定義草案中，不僅博物館從嚴謹的機構轉向靈巧且開放的空間，且相當重視文化近用、互動參與及透明開放，而數位科技將是輔助博物館達到高度互動性及開放不可或缺的助力；而對於定義的位移，也可思考，數位博物館（digital museum）如透過網路完整呈現博物館所應具有的展示、收藏、教育和研究等功能，且其提供的虛擬空間更具備開放、近用、互動參與等特質，是否仍僅能被視為實體博物館的延伸？

二、從博物館論壇梳理各方對於科技應用的期待

　　同一年度，在臺灣博物館界的年度盛事則是由文化部主辦之「2019 全國博物館論壇」，文化部先委託國立博物館辦理「藝術與工藝」、「自然與科學」、「歷史與人文」以及「原住民」之專業論壇，後於北、中、南、東辦理全國博物館論壇，邀請學界、業界、相關權責單位及有興趣的民眾共同思考及激盪博物館未來的可能性與多元性，不僅在時代意義上象徵臺

灣博物館已由法治化、專業化，推展至民主化——博物館人、藝文界人士及社會大眾皆可提出對於博物館政策的建議及共同描繪未來願景（耿鳳英等，2019）；同時，在討論激盪中也可以看出各界對於博物館在研究、典藏、展示、教育等功能面深化、改變的期待。

對於科技發展的觀點雖不盡相同，但綜觀而言，均期待科技應用可以優化博物館核心職能，並且做為改變體質的強心針。以下將建議概分為「以數位科技優化核心功能」、「智慧科技創新服務」以及「科技應用的反思及所面對挑戰」：

（一）以數位科技優化核心功能

1. 運用科技於典藏管理及防災系統等，包含智慧搬運機器人、數據統計、智慧蟲盒結合除蟲機器之開發、智慧防災監測與管理、科學檢測輔助修復建置等，以科技取代重複性、高度人力的部分，減省人力。

2. 利用博物館界已有之專業及成果，打破傳統實體的限制，建構完善完整的數位平臺，要項包括：收藏、展示及應用。

3. 科技做為敘事工具，博物館便是一個敘事者／敘事場域，需要更了解並面對觀眾，讓科技所衍生之穿戴式或沉浸式個體經驗可帶來樂趣。

4. 於博物館展覽引進 AR 和 VR 等技術，或是透過行動科技拓展服務場域，加強多元體驗及帶來新氣象。

5. 利用新媒體科技增加觀賞的可親性及回饋，提升對於典藏之詮釋及想像空間。

6. 運用科技於行銷，也利用網路平臺宣傳文化。

（二）以智慧科技創新服務及價值

1. 持續典藏數位化之發展，範圍不僅只研究內容之保存，更與知識經濟有更多合作關係，使博物館亦投身知識經濟產業化的工作。

2. 共筆─鼓勵民眾共同研究，參與知識生產或策展，透過國家文化記憶庫及數位加值應用計畫讓多元發聲，且使地方文化館成為地方知識中心。

3. 當科技逐漸發展，利用微小晶片便能完成相關科學展現後，科教館思考轉變過去博物館主導之科學策展角色，改讓觀眾操作、策展並自己創造。

4. 如何利用科學轉變博物館、如何以使用者為中心應用科學技術，善用科技服務進館觀眾、了解其經驗並協助秘書單位有效管理建築物，並回應高齡需求。

（三）科技應用的反思及所面對挑戰

1. 投注許多資源建置科學儀器，卻無同時培養足夠專業人員，故難以產出深度研究，專業亦難以成長。

2. 少量的專業人員亦缺乏橫向交流管道，後續人才的專業發展及自我培力。

3. 如何蒐集各方意見、提供共同資訊平臺、簡化館所與團體數位資源建置成本，促進更多的討論及對話。

4. 過度追求昂貴沉浸式體驗後，應思考觀眾能得到多少知能啟發？這些手法能否增加觀眾學習及記憶？期待博物館未來對於科技導入之正確性應有察覺，勿讓博物館展示淪為科技之現象。

5. 我們該如何看待博物館科技？科技是一種敘事工具，如何使博物館成為社會客廳？考量娛樂生活及人潮，博物館又該不該變成主題樂園？

6. 科技應用要發揮什麼功能？應該不是為科技而科技，而是由於需要達到某種目的才需要加入科技。在典藏方面，除數位典藏，日常管理可做到什麼？展覽方面，除AR／VR技術，科技需要再定義：高規格才是科技？或科技可視為另外一種思維，幫助策展有更多可能性或敘事可能性；教育方面，可能連結到觀眾研究或公眾服務。

7. 如何以科技帶出博物館當代價值？欲以科技與觀眾建立什麼關係？可透過館內工作坊及體驗設計釐清定位，訂出科技策展之短、中、長期目標，思考館所數位轉型的通盤規劃（跨年度、部門、領域），方能維持科技導入的永續。

綜上觀之，各界對於博物館科技運用的期許包括優化典藏及管理程序，以節省人力；透過建構完整數位平台，延伸服務範疇；改變敘述方式，提高展示互動性及娛樂性，同時利用科技強化觀眾研究及行銷溝通；同時，開放數位資料以創造知識經濟，翻轉博物館與觀眾的關係，透過共筆由全民參與知識生產及策展。而問題及反思則最主要圍繞在以下三點：文化科技人才不足、缺少培力機制與交流管道，應有共通性交流或技術平台以減少各單位建置及研發成本、科技的如何協助博物館確立當代價值。

三、小結

博物館的當代定位及功能隨著時勢所趨而須彈性調整，在 2019 年京都 ICOM 大會討論博物館新定義雖延遲表決，但正反映出博物館位處於動盪社會的轉折點上，需守護不能捨棄的核心價值、誠實的自我評價，並針對不同地區需求而因時制宜調整。善用科技進行數位轉型，是保持彈性、維繫博物館核心價值，以及與時俱進的好方法；同時也是時勢所趨下的必要策略。

2019 年在博物館論壇尾聲之際，時任文化部長鄭麗君在會議結論時主要回應了如何運用科技展現博物館當代價值，提出「追求當代民主社會中博物館如何以實踐文化公民權為核心」，並指出當代博物館之使命，應轉向以人作為知識主體，保存與思辨知識價值，開放包容多元性，讓公民反覆思考創新、連結歷史豐富當代視野，回應來自自然、社會或未來的多項挑戰。關於文化科技政策則相當務實地說明文化科技綱領「博物館的科技應用應該以博物館治理為主體思考」，並列舉「博物館智慧升級的示範計畫」、「國家文化記憶庫及數位加值應用計畫」、「臺灣行卷──博物館示範計畫」、「博物館資料庫」等各項已執行或已規劃之整合型科技計畫，強調智慧管理、知識公共化、創新應用體系、文化生產及科技治理（文化部，2019）。

核心價值應來自於全民的最大共識，將核心價值轉化為文化政策，並將政策落實於各項專案計畫與實際行動的過程，當然不免受到各種法規、技術、人力及領導決策等主客觀因素限制；因此實際執行面上並非直線性、最有效率的方式發展，各項行動計畫間亦有重疊、競合的狀況，但只要有清楚藍圖，終可透過整合及協力，推疊出理想的文化版圖。

破／立之間：文化部及所屬博物館轉型經驗

　　回顧文化部及所屬博物館的發展途徑，大抵是歷經了數位化（digitization）、數位優化（digital optimization）、數位轉型（digital transformation）三階段。因為各博物館運用於必要營運以外、可用於創新研發的經費有限，須投入大量前置研發成本的科技預算大多需以專案計畫方式向科技部申請，而國家編列科技預算的方式採競爭型審核、逐年核定預算，且審查重視科技創新研發及整合發展效益，所以在發展歷程中亦部分計畫中斷或被要求整併狀況發生；亦因計畫類型不同，有些屬大型跨部會整合型計畫，也些屬單館執行計畫，資源規模不同，所放的重心以及順序都不盡相同。以下僅依計畫時間前後要述其歷程，部分早期大型計畫其實已有前瞻規劃，其累積之經驗也成為後續行動奠定基礎。

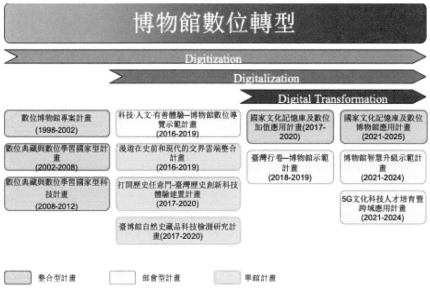

圖 4-1　文化部及其所屬博物館執行之科技計畫（圖片來源：作者自行繪製）

一、數位化行動奠定轉型基礎

　　自 1998 年至 2002 年「數位博物館專案計畫」集結國內眾多資訊科學、資料管理專家學者，進行數位典藏系統技術研發，主係運用使用數位化之技術，力圖突破實體博物館的限制，發揮博物館核心功能，在網際網路上

提供一個可供公眾隨時享用的數位博物館，並建立資料規範，以使分散式的數位博物館系統具有取用互通性；在 2002 年至 2008「數位典藏國家型科技計畫」則是延續以數位化典藏為合新的概念，並納入「數位學習國家型科技計畫」數位學習的概念，並於 2008 年形成「數位典藏與數位學習國家型科技計畫」，是具有推動國家數位知識應用及促進成果走向國際的大型計畫，為數位化工程打造良好基礎，以及提出後續數載都難以企及的願景（林玉雲、林國平、陳淑君、李士傑、李德財，2006；賴鼎陞，2009）。文化部所屬博物館中，國立臺灣史前文化博物館、國立臺灣博物館、國立歷史博物館等都曾參與。

以後見之明檢視其成果，可惜因計畫結束後各館未能全面地持續進行整合及數位應用，且資料庫系統其操作介面仍屬專業人員熟悉介面，對於一般使用者仍存在門檻，保存典藏之外，未能引領民眾運用其數位化資料的風潮，其推廣使精緻文化普及化並加值應用於各項產業的目標非一蹴可即。

文化部自 2012 年建置「文物典藏管理共構系統」，採分年逐館導入策略，建置單一共構資料庫為基礎核心，達成整合、流通與共享目的；另整編共通性欄位，達成資料格式標準化，為顧及典藏樣態多樣與差異性，亦有客製化功能；於藏品管理面，採共構標準作業程序，以達維運嚴謹、品質精確；主要運用於文化部屬博物館。2014 年起配合文化雲政策推出「文化部典藏網」，開始推出對外提供「跨年代、跨類別、跨館所」查詢，使用者可以利用「人名」、「年代」、「分類」、「典藏機關」、「關鍵詞」。自 2018 年起則擴充既有功能推出公版系統，企圖導入其他典藏機構之典藏資料（王揮雄，2014）。

文化部文物典藏管理共構系統原初企圖除了方便博物館管理、查詢、應用、統計，進行系統化蒐集、彙整藏品資訊；其實也企圖以此作為「雲端博物館」及「博物館商城」，讓民眾藉由線上瀏覽物件、取得授權，或購買衍生產品，達到教育、推廣、行銷目的；但目前達到較明顯效益部分仍停留在博物館管理層面，至於教育行銷目的，礙於使用者介面的便利性、物件分類未能以觀眾需求為導向、缺乏系統性知識、引發觀眾興趣的線上展示，以及授權、金流缺乏統一便利體系等技術面問題未能建立指標性成果，但其勾勒之企圖及開累積之內容卻可能作為後來新興計畫的養分，如

文典系統現在介接作為「國家文化記憶庫」的資料庫之一，前臺則可運用當代成熟技術開發使用者便利使用的操作介面。

二、各博物館數位優化之經驗累積

文化部於 2016 年至 2019 年推動「科技‧人文‧友善體驗——博物館數位導覽示範計畫」以應用新媒體技術提供創新服務為核心，集結六個示範計畫館所的典藏數位化及資料基礎，加值應用博物館典藏及展品資訊，並延伸開發博物館應用擴增實境、虛擬實境、3D 浮空投影、微定位等科技技術，創造博物館的「新」科技體驗，企圖以科技來輔助民眾，產生對博物館的展覽及藏品能有更主動性的探索認識，藉以延伸原本視覺實體感受的體驗，吸引觀眾自導式學習，探索認識歷史人文，喚醒觀眾對於歷史的記憶，更發展出適合各類障別等多元族群適合的服務環境，具體落實文化平權（文化部，2016a）。經費直接編列於各館，計畫之規劃及執行面亦分屬各館，如國立中正紀念堂管理處「3D 浮空投影暨 Wowatching 科技導覽計畫」利用浮空投影技術落實互動導覽；國立臺灣歷史博物館「臺灣歷史數位音聲、擴增實境與互動體驗的展示計畫」優化無線網路環境、裝設微定位，並建立聲音數位資料庫；國立臺灣美術館「利用微定位提供創新的博物館服務計畫」同樣也是運用微定位技術提高導覽服務品質；國立歷史博物館「科技＋文物‧博物館也很潮計畫」運用 3D 列印技術級 AR 互動科技建置行動博物館車；國立臺灣文學館「智慧型互動虛擬博物館建置計畫」則是運用 VR 技術推出數位展示，並擴充文學相關數位內容；國立臺灣史前文化博物館「臺灣原住民文化資產科技保存及展示平台前瞻計畫」則是專注於藏品數位盤點，更新臺灣原住民數位博物館網及線上特展資料，同時建置「臺灣原住民文化資產研究專題」。

各館之內容雖符合各館發展重點，亦產生別具新意的展示及成果，但較屬單點式、缺乏橫向連結與整合；同時，文化與科技較無產生互動，大多停留於應用階段，而缺乏研發內涵。

於此階段，各館亦從不同途徑提出科技計畫，以爭取充足經費以亦助於博物館科技解決方案，如國立臺灣史前文化博物館基於領導者對於科技之積極態度，以及博物館地理位置與主題屬性等條件，在 2016 年提出「建構智慧型博物館：漫遊在史前和現代的交界雲端整合計畫（2016-2019）」，

涵蓋整合研究、典藏、展示、教育、行銷與公共服務等資源，運用資通訊技術，以觀眾為主體改善服務品質。包括六面向：包含電子票券系統與計畫推廣、智慧互動展示系統、智慧 APP 導覽系統、智慧文物修復系統、智慧文創產出系統、雲端應用資源整合系統（文化部，2016b），已具備智慧管理之完整架構。

國立臺灣博物館則於 2017 年開始執行「古物新知─臺博館自然史藏品科技檢測研究計畫 (2017-2020)」以該館豐富的自然史典藏為核心，發展非破壞性的檢測技術、超微結構檢測等，以建立藏品檢測數位化完料及資料集管理開放架構為目標，並於計畫執行過程中培育檢測人才及辦理科普活動。最主要的成果即是利用 X 射線螢光光譜儀、拉曼光譜儀等儀器技術，以非破壞性檢測方式，應用於藏品元素成分與結構檢測分析；利用分子系統學應用生物資訊學技術來觀察館內動物標本的核酸片段組成，以此作為物種分類依據以辨別「生命條碼」建立「生命條碼資料庫」以補充典藏品資訊。同時，也利用研究成果推出《史前巨獸》巡迴展、《鯨驗值》等特展（文化部，2017a）。

國立臺灣歷史博物館「打開歷史任意門─臺灣歷史創新科技體驗建置計畫（2017-2020）」以發展科技體驗為核心，發展研究成果轉化、提升文物保存技術及新媒體展示三大面向，執行臺灣涉外關係數位展示暨研究平臺建置、臺灣歷史文物 3D 顯影與科技保存、虛實交錯之多媒體展示等計畫，結合博物館實體場域建構「沉浸式學習」計畫，企圖建立博物館應用資通訊典範，以科技創新博物館展覽模式，促進文化平權，並以此打開博物館的多元加值功能，推動博物館公共化（文化部，2017b）。

上開各項專案計畫各自有其亮點成果，且因主要執行者就是博物館本身，而能針對典藏及知識資料的進行靈活運用（展示、研究、教育、推廣），善用其對於文化內容，創造具話題性、文化魅力的成果，強化觀眾體驗，或運用數位科技提升組織營運效能。但因屬獨立執行的專案計畫，缺少館際間的平行整合，以至於無法展現整合後的明顯效益；各館所採用的 3D 掃描、AR、VR 等技術磨合，亦一定程度消耗了各專案有限之執行成本。

三、開放數位資料帶動全民共筆

「臺灣行卷─博物館示範計畫（2018-2019）」以文化部所屬博物館多

元類型之豐富典藏品為基礎，結合地理資訊 GIS，由文化部所屬博物館共同發展「臺灣是一座博物館」之目標，以館員專業研究及 3D 掃描建模發掘典藏品所蘊涵之知識，轉化為通俗易懂之故事或文字，嘗試與觀眾個人情感記憶或生命經驗連結，建構國家文化記憶庫以利開放資料應用等方式擴大服務面向，進一步提升博物館社會影響力及文化滲透力（文化部，2018）。

由於該計畫「建置及活用典藏」之主軸與「國家文化記憶庫」所積極發展的「保存、轉譯、開放、運用」數位素材之目標相符，且博物館是管理及收集此類數位素材的重要文化機構，因此自 2019 年起，便納入「國家文化記憶庫及數位加值應用計畫（2017-2020）」持續執行，該計畫係與故宮、國史館合作，並補助各地方政府、文化機構與民間團體的大型科技計畫，藉由數位科技工具促進「保存、轉譯、開放、運用」專屬於臺灣的文化 DNA，並藉由全民書寫在地知識及虛實並行的建構行動，共同建構與分層授權的機制，促成實體與虛擬雙軌並行的社會文化行動。

四、數位轉型開創當代價值

自 2021 年，文化部提出之三項專案計畫皆有意識地提出新的模式及創造新的價值，遊戲規則，並將「數位轉型」作為計畫關鍵字，且具整合架構，或可作為博物館邁向下一階段的推進器。

其一，「國家文化記憶庫及數位博物館應用計畫（2021-2025）」之主政單位自 2021 年起由文化部移交給具備公眾歷史學的國立臺灣歷史博物館執行，主係以問題意識解構組織國家文化記憶庫資料，在台灣原生文化ＤＮＡ的大母題下更有系統的分門別類收集各項原住民族、性別、聲音與圖像記憶、傳統產業、當代記憶等議題的資料蒐整，打造友善、零距離的知識平臺，逐步建立文化知識圖譜及促進新地方學之開展（文化部，2021a）。

其二，「博物館智慧升級示範計畫（2021-2024）」之提案背景係在國內外發生多起古蹟、博物館之災害憾事，敲響博物館防災的警鐘，反映出防災意識、應變機制與支援體系之重要性，而各項因應社會發展之創新科技，如物聯網、人工智慧、大數據應用與分析預測等，經進一步研發、運用，將建立具智慧防災、管理、研究與修復的文化資產守護網，因此係以運用科技於博物館管理作為主軸，靈活運用科技以回應時代與趨勢下的挑戰，並把握數位轉型契機，秉持永續、多元、共創及平權之精神，推動博物館

應用科技於典藏、展示、研究、教育及公共服務等核心任務，共同發展適應未來趨勢且能帶動整體永續發展的智慧博物館。較特殊之處是強化各館橫向整合機制，編列專案輔導團隊經費，並秉持計畫之開放精神，其開發之技術、實驗成果等，將開放給各場館及文化機構作為發展參考，發揮示範計畫之外溢效果（文化部，2021b）。

其三，「5G 文化科技人才培育暨跨域應用計畫（2021-2024）」定位為推動場館數位轉型，透過人才育成改變營運思維與產業體質。跳脫以往計畫直接編列給文化部所屬博物館的做法，由部會主責媒合文化內容跨域創新製作資源、調查產業人才需求、協調文化場域開放、研商相關營運模式，企圖透過創新內容跨域人才培育及補助跨域應用計畫並建立創新策略，評估適合文化場館數位轉型之條件；透過支持人才執行專案計畫所需技術或知識內涵，補助示範案例；並規劃協作平臺，媒合產官學各界能量（文化部，2021c）。

上開三計畫方興未艾，其執行成果與所帶來的影響及效益有待檢視。

五、小結

數位化（digitization）、數位優化（digital optimization）、數位轉型（digital transformation）並不是三個截然化分的階段，而是層層累進的行動。博物館數位化主要是將博物館典藏資訊電子化過程，數位化基礎工程從 1998 年的「數位博物館專案計畫」至 2021 年「國家文化記憶庫及數位博物館應用計畫」仍持續進行，因數位資料的基礎必須厚實且完整，方能支持更多靈活運用；博物館數位優化則是採用數位科技的技術或是方式於博物館既有核心功能（典藏、研究、展示、教育），改進營運模式或提升觀眾體驗；博物館數位轉型則是除了運用科技改良各項營運功能、簡化流程、提升觀眾體驗外，更有意識地提出新的模式及創造新的價值，如國家文化記憶庫所提出的「全民共筆」企圖改變博物館觀眾原有學習者的角色，而可以兼具研究者、評論者、自造者多元身分；博物館智慧升級計畫內提出「智慧庫房」、「遠距修復」等構想，亦有可能大幅改變典藏工作高度人力需求的現況，進而影響未來博物館組織人力的結構。

回顧博物館數位轉型這條未竟之路，深刻體認博物館數位轉型是組織共同認知，有展開新頁的契機，有可能失敗風險，必須容錯和調整，因嘗

試是數位轉型必要的過程。

　　博物館的數位轉型之路正如縱橫交錯的河道，各個溝渠可能因各種主客觀原因（經費、政策願景、領導風格、技術與法規成熟與否）粗細不一、有些看似走到盡頭，其累積的資源卻滲透到地層、或昇華而成甘霖，成為其他溪流的豐沛養分，雖然速度、途徑不盡相同，但大抵朝向相同目標邁進，阡陌交錯而成網絡。

即時之應與未竟之路：博物館數位轉型策略初擬

　　博物館的發展與社會思潮、歷史脈動息息相關，因此智慧博物館並非是將科技引導入的單向操作，亦非被動式的被外度力量決定；而是一連串影響、改變、選擇與反思的過程。博物館數位化因此有著多樣發展與異質性的特質。

　　如此次疫情不但改變了民眾自主學習、娛樂及社交的模式；也讓諸多博物館將數位轉型作為邁向未來的解方。藍敏菁（2021）指出依 ICOM 針對疫情影響的調查報告，過去博物館以典藏真品、強調現場體驗等特質，作為區別自身與其他文化機構的優勢，因疫情反成為劣勢；但防疫的隔離措施讓博物館增加使用數位傳播，將社群媒體、線上展覽及教育活動一併計入，增加 50% 博物館使用數位設施。2021 年 5 月，臺灣本土 COVID-19 疫情嚴峻在疫情影響之下，很多博物館暫時休館及停辦活動，因此對外服務中原本強調親臨現場的展示傳統或手做體驗等教育推廣受到第一波影響；對內管理機制也產生變革，如員工遠距辦公及視訊會議，博物館從業人員的數位資訊素養，以及資通訊基礎環境及設備也備受考驗；此外，在疫情中，民眾對於博物館服務的渴望，以及學童在家自主學習的期待，甚至是透過講故事的策略帶領民眾走出焦慮感、回顧而後前瞻等力量，已自然促使更多數位服務的發生，由此各館勢必須要更積極思考數位政策與整備數位環境，把握契機進行整體組織變革（林玟伶，2020）。

　　回顧 2019 年 ICOM 國際論壇、臺灣博物館論壇，可以明確瞭解，在公眾需求面，期待博物館可重視並實現「文化近用」、「互動參與」及「透明開放」，將是數位科技應用後續應強化之精神。文化科技在博物館的

專業發展上，可區分為「數位科技優化核心功能」、「智慧科技創新服務」兩大面向，前者協助博物館管理營運與核心功能（典藏、研究、展示、教育）穩定發展，後者則是推動博物館因應時代需求開創新的服務，與靈活的與不同領域（如知識經濟、影音娛樂、學校教育、觀光旅遊、身心醫療…等）跨域合作，創造新的價值。

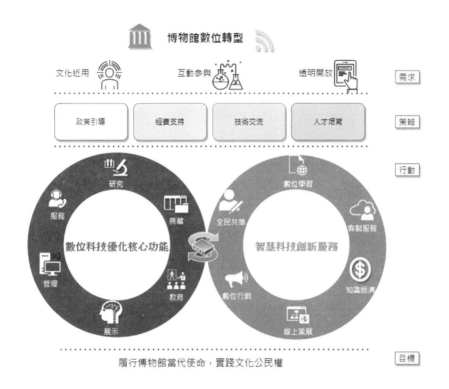

圖 4-2　博物館數位轉型策略初擬（圖片來源：作者自行繪製）

　　經檢視與反省科技計畫執行成果，目前仍需調整與強化的面向包括：

　　在政策面，文化科技政策需能作為博物館數位轉型的穩定支持。揭示共同願景讓各博物館在具支持性的結構中穩定前行；保留彈性空間，讓條件規模不同的場館保持能動性，適性發展。

　　在經費面，各博物館數位轉型的主要預算來源仰賴科技專案計畫而缺乏自主性額度，但在過度仰賴科技計畫經費的狀況下，難免發生為爭取預算壓力下而發生「拼裝車上路」、「舊酒裝新瓶」之弊，或因計畫終止而

導致發展中斷，且如今數位科技已經作為各博物館核心功能重要資源，因此因增加文化單位能自主運用的科技預算，讓各部會及博物館在編列預算及分配資源時，詳實的將屬於核心功能或營運必要項目列為自編經費，屬於創新實驗型，跨部會整合，或具備外溢效益者則申請轉案計畫。

在技術面，因各項具實驗性的科技計畫執行單位大多為規模較大的國立館所，如何將計畫實做所累積的技術與經驗，回饋於中小型博物館，以縮短創意與技術之間差距是重要課題。建立健全技術開放機制、資訊分享平台，以及促進博物館界與技術研發端、產業運用端溝通對話是降低博物館數位轉型時間及經費成本、提升專案計畫外溢效益與成果的必要策略。

在人才面，培育與提供實習機會是解決文化科技人才斷層及從根本改變博物館體質的唯一方法，目前具備文化科技素養及跨域能力的專業人才仍然不足，現今體制內跨域人才不足，文化場域與科技發展難以有效對話，因此，常態性且具階段規劃之人才培育機制，並透過專責輔導團隊，展開體制內外之對話，協助館所跨越障礙是未來必要之推動重點。

推動數位轉型政策的目的係支持博物館履行博物館當代使命，實踐文化公民權。包括導入科技治理及優化核心功能；跳脫物件及機構本位導向，轉向以人作為知識主體；運用科技跨越時空限制，達到文化近用。博物館數位轉型是透過數位科技，創造與傳遞知識，在優化營運管理和觀眾服務及體驗後，最終改變價值的一連串不斷變動的過程，就如人類文化發展與科技發明一般沒有終點。所有嘗試作為即時之應的政策與計畫，謹希望作為支持的力量之一，讓博物館可以在這條未竟之路上繼續前行。

參考文獻

文化部，2016a。建構智慧型博物館：漫遊在史前和現代的交界雲端整合計畫綱要計畫書，未出版。

文化部，2016b。科技・人文・友善體驗 - 博物館數位導覽示範計畫綱要計畫書，未出版。

文化部，2017a。古物新知──臺博館自然史藏品科技檢測研究計畫綱要計畫書，未出版。

文化部，2017b。打開歷史任意門──臺灣歷史創新科技體驗建置計畫綱要計畫書，未出版。

文化部，2018。臺灣行卷—博物館示範計畫綱要計畫書，未出版。

文化部，2019。2019 全國博物館論壇手冊、會議紀要，未出版。

文化部，2020。如何推動後疫情時代博物館、美術館、表演藝術館舍及各文化館舍之數位策展、線上藝文、數位行銷與服務」專題報告，立法院第 10 屆第 2 會期教育及文化委員會 109 年 11 月 26 日報告，未出版。

文化部，2021a。5G 文化科技人才培育暨跨域應用計畫綱要計畫書，未出版。

文化部，2021b。文化科技施政綱領，未出版。

文化部，2021c。國家文化記憶庫及數位博物館應用計畫綱要計畫書，未出版。

文化部，2021d。博物館智慧升級示範計畫綱要計畫書，未出版。

文化部、國立故宮博物院、國史館，2019。國家文化記憶庫及數位加值應用計畫綱要計畫書，未出版。

王揮雄，2014。博物館文物典藏管理共構系統—以文化部為例，檔案季刊，13（2）：18-27。

王嵩山、陳玉苹，2002。數位博物館與社會形式，博物館學季刊，16（3）：7-13。

林玉雲、林國平、陳淑君、李士傑、李德財，2006。結盟與合作：「數位典藏國家型科技計畫」的新能量，博物館學季刊，20（3）：99-117。

林玟伶，2020。新科技媒體發展下博物館、觀眾與組織變革，博物館與文化，20：39-55。

柯秀雯，2020。博物館新定義提案怎麼來？原來話語權在這些國家手上。博物之島專文，http://www.cam.org.tw/article12/（2021 年 1 月 1 日瀏覽）

耿鳳英、曾信傑、顏上情，2019。任重道遠：2019 全國博物館論壇的交流與迴響，博物館簡訊，92：2-5。

陳國寧，2018。博物館的定義：從 21 世紀博物館的社會現象反思。博物之島專文，http://www.cam.org.tw/article12/（2021 年 1 月 1 日瀏覽）

黃心蓉，2020。從繆思到傑努斯？國際博物館協會對博物館新定義的討論。Artouch，https://artouch.com/column/content-11641.html（2021 年 1 月 1 日瀏覽）

劉俊裕，2017。從 3D 到 5D，臺灣文化科技的新命題：科技如何承載人心的情感溫度？聯合報鳴人堂。https://opinion.udn.com/opinion/story/5954/2574982。（2021 年 1 月 1 日瀏覽）

賴鼎陞，2009。博物館資訊學—展望博物館運用科技之系統化方法，博物館學季刊，23（3）：17-35。

藍敏菁，2021。疫情對全球博物館產生哪些衝擊？ ICOM 調查報告揭露危機與轉機。博物之島專文，http://www.cam.org.tw/2021-new03/（2021 年 5 月 1 日瀏覽）

ICOM，2019。Creating a new museum definition–the backbone of ICOM. Retrieved from https://icom.museum/en/resources/standards-guidelines/museum-definition/(Nov.15, 2020)

ICOM，2020。Museums, museum professionals and COVID-19: follow-up survey. Retrieved from https://icom.museum/en/news/follow-up-report-museums-covid-19/(Nov.23, 2020)

智慧博物館：賦予故宮文物新生命的魔法篇章

謝俊科

數位典藏一路走來 20 年

故宮文物數位化工作約始於 1996 年文獻檔案試驗性數位化、1997 年建立全球資訊網官網，後於 1998 年與 IBM 公司進行小型數位博物館合作，建立實驗性數位博物館網頁，內含故宮精品介紹及簡單檢索功能。1999 參加國科會數位博物館計畫、開始發展較完整數位博物館網站，包括「琺瑯之美」、「書畫之美」及「佛經圖繪」等主題。2000 年開始參加國家數位典藏先導計畫，一路展開約 20 年大量文物系統性數位化與應用歷程。經過 10 年數位典藏，故宮建立與累積了資訊系統、文物帳籍、描述文字、影像資料、影片資料等等數位資產。其中，資訊系統已建立具精準帳籍資料的庫房管理系統，及文物描述之後設（詮釋）資料採都柏林核心集格式（dublin core metadata element set）的國際規格後設資料庫系統；影像資料自螢幕預覽、螢幕顯示、中解析度、出版圖錄及複製畫等五級數位影像檔，並且也累積少數 3D 數位化文物資料。依據歷任政府團隊重要施政，故宮爭取預算辦理大型知識經濟數位博物館計畫、U 計畫、電子化政府計畫、文化創意計畫及前瞻計畫。伴隨這些大型計畫，故宮累積了數位實體展演、「故宮創魔列車」偏鄉推廣、線上博物館等量能。以上，綜整故宮推動智慧博物館已有數位資產，結果揭示故宮已含顯性數位檔案等及隱性組織數位科技運用經驗等有形與無形數位能量，展望未來，故宮應具推動智慧博物館有利基礎（張真誠、蔡順慈，2003；謝東志，2013；施尚文，2005）。

數位科技應用相關實例與文獻探討

為探討故宮個案的智慧博物館架構設計與後續章節發展，本文先介紹了故宮目前數位化過程與累積的有形無形數位資產。接著將追蹤數位科技應用實例，如 3D、VR、AR、AI、8K、4G、5G、人機互動科技等等，以利讀者了解接續智慧博物館發展背景思維。數位科技在博物館應用，非常廣泛，本小節將彙整相關文獻於整體數位

發展、數位典藏、數位文創、數位教推面向應用及數位展示重點案例，以助於後續探索智慧博物館架構之設計及數位內容展示風格頻譜議題。

一、整體數位發展

整體數位發展將含文物數位化、存放、加值應用等等過程，其中，張真誠與蔡順慈（2003）整理了一系列故宮數位化的做法，從數位典藏、數位博物館、數位學習、以及數位內容產業來提升博物館在典藏、展覽、教育、研究、出版及多元化加值應用的成效。何傳馨、謝俊科及李文彬（2014）自 1986 年故宮組織條例設立的臨時任務編組資訊中心談起資訊科技在人事管理、財產管理、會計統計、網路建構及資訊儲存等等開始起了作用，1996年圖書文獻處著手進行《軍機處檔・月摺包》的工作，成了文物數位化的起頭。文中舉出當時資訊業務發展願景在於追求無遠弗屆、無所不在的「無牆博物館」理想境界，具體目標則是推動文物數位典藏及數位文創兩大重要工作。談到的數位典藏重要應用有 APP、宣傳影片、動畫、數位裝置及大型數位展覽等五類型。馮明珠、林國平（2012）在談國立故宮博物院 30 年來的變化時，分析故宮過去 90 年的發展歷程，可分為 5 階段：肇建期、播遷期、北溝期、茁壯期及蛻變期。並認為蛻變時期的故宮有 6 項挑戰及故宮面對挑戰所做出的應變，首項即為「數位科技時代來臨的挑戰」，指出在典藏、教育、服務與新媒體應用上，都有快速且巨大的應變措施，將一座古老傳統的博物館蛻變為一座無牆博物館、行動博物館與雲端博物館。文末說明除進用數位科技人才，也通過訓練讓故宮同仁從最初的排斥到認識，進而學習、應用、研發、創新到追求卓越。

二、數位典藏

數位典藏為文物數位化、存放的重要階段，討論數位典藏做法、心得、標準及功效的論著頗多，鄭邦彥、楊美莉（2003）整理了故宮、史博館及科博館等器物類的共通數位化流程，謝東志（2013）在故宮文物月刊提到書畫藏品的數位化工作中書畫後設資料「集叢」欄位的功能與特色，特別專文說明其係整體及部分間關係。吳璧雍、許媛婷（2006）介紹了故宮善本古籍的典藏特色及其數位化發展概況。故宮數位典藏計畫進行了10年後，馮明珠、林國平、蔡玫芬等10餘位（2012）計畫成員有系統地編、寫了過程介紹、成果說明，及命名檔案規則等作業資訊，彙整為《十年耕耘、百年收藏》之數位典藏

成果報告書。他們描述了網際網路興起背景下，行政院國科會於1998年推動數位博物館專案計畫，故宮、國家圖書館等多家機構加入國家數位典藏計畫。過程著重數位化生產線建立、影像規格、詮釋（後設）資料擬定與資料庫建立，當時盤點有21個資料庫被建立。數位典藏計畫含前導部分進行了10餘年，10餘年後的成果供給了博物館教育、文創面向能量。計畫結束後、轉以公務經費方式持續進行。

三、數位文創

　　以數位典藏材料為基礎，進行多元加值創意應用，已是故宮重要日常。郭鎮武、林國平（2008）指出博物館原具有教育、展示、收藏和研究的多重功能，但在文創產業化的潮流中，更被提昇至文化經濟複合體的層次。文中介紹了藝術授權、衍生商品、博物館商店實況。林國平（2019）以「文化＋創意＋產業」為故宮新使命，文中介紹文創發展歷程，也談及現況與願景。吳怡青、邱炯友（2020）談到傳播知識的重要管道出之一的出版業務隨著資訊科技進步、閱讀形式改變、及推動開放政策等因素，對出版品內容、樣態及形式產生了漸進且巨大的影響，其中數位典藏國家型科技計畫為改變出版的關鍵。吳紹群（2014）提到資訊科技在故宮應用重要亮點有人機互動、多媒體影片、網路服務、數位展覽及新媒體藝術，並由當時展望可發展行動服務、高速網路豐富內容、前瞻式博物館遊賞體驗、新科技創新應用與創新學習。在商業機會拓展方面，數位世界提供了網路商城之數位平台，增加銷售管道。就內容加值面向、數位典藏資源提高基材使用效率、擴大創意發想的題材範圍，甚至是透過社群平台，產生群眾參與創造的效果。故宮於2013年推出朕知道了紙膠帶，起初不太有消費者注意到此新商品，後經故宮臉書臉友揪團購買、輕易買到缺貨。屢揪團購買、屢缺貨幾次後，引起電視媒體報導，因而引起全國性購買狂潮，多季蟬聯故宮當季最熱銷商品之冠。

四、數位教推

　　教育推廣不僅是博物館基本職能，也是數位典藏加值應用中很重要的應用面向。賴鼎陞、高淑惠及黃雅慧（2004）介紹運用內容管理系統、無線射頻識別（Frequency Identification, RFID）及 Pocket PC 等發展的數位導覽系統。岳修平、呂姿儀及黃若詒（2008）針對故宮將典藏資源轉換成線上學習方案的所建置故宮 E 學園英文版數位學習網站，進行可使用性研究。丁維欣、莊冠群、戴采如、黃琬淳、翁菁邑及林均霈（2012）以故宮在 2008 與 2010 年於桃園國際機場規畫的「未來博物館」數位藝術展為例，藉仔細探究這兩次展覽的 12 件展品，探討博物館媒體教育性與藝術

性。謝俊科、謝欣芳（2012）指出故宮因 2011 年開放資料擂台（open data challenge）在歐洲盛大舉行，開放資料連結擂台（linked open data challenge）於日本初試啼聲及政府推動開放資料政策等原因，及於行政院科技會報大力支持、財團法人資訊工業策進會協助下，首度開放乾隆皇帝之典藏素材，以「時空之眼—Open 乾隆皇帝的百寶箱」為主題，舉辦「第 1 屆新媒體創意競賽」，讓創作者運用數位科技，將典藏素材轉化為新媒體互動藝術、APP 應用、動畫、微電影等用途。簡佩珊、楊美雪（2012）觀察研究故宮互動展示裝置營運情況，提出結論「多數參觀民眾期望故宮博物院能增加互動展示」。許世芳、鄭永熏、及林詠珊（2014）認為科技是理性的、美學是感性的，並對把兩者融合在一起的教學是否會為低年級兒童開啟美感經驗的旅途有研究興趣，研究以故宮 E 學員及玉器主題網頁等數位博物館內容激發形成學童美感經驗。2014 年起、故宮開始以雲端科技及偏鄉巡迴概念推動教育頻道數位教推活動，並獲得第 9 屆（2017）政府服務品質獎。後經加入磨課師（MOOCS）及 STEAM 精神，發展成「故宮創磨列車」，服務台灣城鄉學子，並獲得 2019 國際博物館協會教育與文化行動委員會（ICOM CECA）最佳實務獎、第 3 屆（2020）政府服務獎。

五、數位展示詮釋理路早期發展：文物剖析、學習教育及新媒體藝術

故宮數位展示起初由向 1999 年向國科會所申請「故宮文物之美計畫」所建立線上數位博物館網站為主，包括：「明清琺瑯工藝」、「宋代書畫冊頁」、「佛經圖繪詳說」、「鈞窯之美」、「書畫精華賞析」與「佛經圖繪」等等，以強調賦予文物新生命、強調文物精美及呈現視覺豐富性為特點（項潔、陳雪華，2003）。不久後，陸續出現數位實體展示作品。其中，以 3D 科技激盪出的「故宮 3D 虛擬文物展示系統」發展成最初起點，作品中運用 3D 科技剖析、文物短片闡述故宮名品〈翠玉白菜〉、〈象牙球〉、〈轉心瓶〉、〈雕核桃小舟〉及〈毛公鼎〉精巧與獨特；很快、另一數位學習風潮引動的「數位學習展示系統；宋徽宗的御花園」掀開數位展示新頁，舞蝶迷香徑、翩翩逐晚風，隨著充滿美感詩句，人們藉數位科技來持扇撲蝶與臨桌賞帖；「故宮未來博物館」於桃園機場發起以數位藝術為策展重心的數位展示第三波，透過藝術家們不同角度、多媒材運用及數位科技鋪陳，精采萬分（林曼麗、林國平等人，2007）。「故宮 3D 虛擬文物展示系統」、「數位學習展示系統；宋徽宗的御花園」及「故宮未來博物館」三個最早發展且不同

目的數位展示系統，此三系統所代表剖析文物特性、學習教育及新媒體藝術發展脈絡，掀起了後來故宮數位展示新篇章。

六、數位展示科技潛能

數位科技在故宮有哪些主要運用？數位展示科技產生那些貢獻？數位科技在故宮運用起初以資料庫、網路、網站、平面及三維數位掃描等科技為主，自 2008 年起強調無所不在（ubiquitous）的 U 科技、U 思維興起，其中，電腦視覺科技為基礎的偵測科技及各類投影顯示科技，觸發數位人文呈現於世人面前的更多可能性。「魚躍龍門」結合凌空觸物及浮空投影科技，讓〈故宮宋范安仁魚藻圖〉中魚兒自千年畫卷中凌空躍出、「魔幻水晶球」運用螺旋紋的菲涅爾透鏡（fresnel lens）創造欣賞翠玉白菜的魔幻焦距、雍正皇帝互動桌引入可觸知物件（tangible objects）科技，更直接鍊結博物館在虛擬與實體世界敘事力，互動展演了雍正帝的人、事及地故事。約 2010 年前後，故宮團隊製作一系列「古畫動漫」系列，其中，〈清明上河圖〉即觸發世博會 100 公尺長「會動清明上河圖」作品，產生世人欣賞書畫卷軸新視角。（Hsieh, C. K., Liu, I. L., Yu, Yu, N. H. et al., 2010; Hsieh, C. K., Hung, Y. P., and Chiang, Y. C., 2011; Hsieh, C. K., Liu, I. L., Lin, Q. P. et al., 2009）隨著人機互動及顯示科技不斷進步，接著頭戴式虛擬實境 VR、擴增實境 AR 及 8K 等陸續導入，故宮後續推出走入「鵲華秋色虛擬實境」、「以文會友—雅集圖特展」擴增實境及「國寶新世界翠玉白菜」一系列 8K 影片。

七、數位展示

展覽為博物館基本功能之一，以數位進行展示，也成了數位時代的重要應用面向。故宮自小型數位展示，發展出數個大型數位展覽，在此介紹乾隆潮、藝域漫遊及動物藝想三個別具風格展覽，以幫助讀者了解過去幾年實況，進而有助了解接下章節的歸納與推論。

（一）乾隆潮—新媒體藝術展

來到 2012 年數位匯流時代，數位科技在博物館的運用上已愈來愈能彙集文物知識、奇幻體驗及時尚設計等元素。故宮舉辦了「雍正大展」後，開辦「十全乾隆：清高宗的藝術品味」實體文物展覽，探討乾隆皇帝的藝術養成、鑑賞製作及生活藝術。故宮數位團隊、資策會、光住大房、及陸蓉之等藝術家群啟發自實體文物展覽，創作了「時空洞」、「奇異山水」、「春曉慶典」、「小宇宙」、「十全乾隆」等作品。觀眾進入展場，首先體驗時空洞作品，作品以〈皇清職貢圖〉中外國人、原住民營

造時空旅程氛圍；奇異山水作品中時尚設計師陳劭彥由故宮乾隆收藏文物激盪再創的時尚衣著，搭穿在自文物外型簡化後的衣架，彷彿供民眾倘佯的時尚森林、「春曉慶典」作品中、觀眾可自主地將臉龐掃描、並以卡通化方式融入作品街景人群中，最後、觀眾看著自我形象遊玩於古畫中，此作品區也形成展區自拍熱點；陸蓉之等藝術家，以導電成影玻璃、金工、聲音等複合媒材，各自展現自我收藏、整體並以多寶格形式與多寶理念呼應展覽乾隆收藏的豐富性。

（二）藝域漫遊—郎世寧新媒體藝術展

　　義大利傳教士郎世寧將歐洲文藝復興藝術能量帶進華人世界、留下〈聚瑞圖〉、〈錦春圖〉、〈魚藻圖〉、〈百駿圖〉、〈白海青〉及〈平定準噶爾回部得勝圖〉等等作品。2015 年是義大利傳教士郎世寧於 1715 年 8 月 20 日來華後的 300 年紀念、故宮積極籌辦紀念展之際、義大利共薩格大學佛羅倫師分校教授佛西拉教授來訪、邀請本院共同策展。香港城市大學校長郭位以學校知名特色「創意媒體中心」辦理大學博物館、並和故宮多次合作辦理數位展，這次投入邵逸飛教授團隊的創作力。最後，在以故宮為主、港義合作策展團隊共同出力下、「藝域漫遊—郎世寧新媒體藝術展」成型，並於台藝港三地展出。此展包含「栩栩風華—郎世寧複製文物選萃」、「再現丹青—郎世寧新媒體作品」、「國寶神獸闖天關」動畫及「銅板記功影片」及「來華之路影片」。在新媒體作品方面、有「職貢圖時空隧道」、「百花綺園—仙萼長春新媒體藝術裝置」、「穿真透時—畫孔雀開屏情境裝置」、「百駿圖動漫」及「探索郎世寧世界的花鳥走獸」。本展在台義港三地展出時、結合了各處特點、呈現異國風味情趣。在台灣展出時、最大特色是結合全球收藏郎世寧作品最多的故宮之郎世寧真跡、造就觀眾參展經驗的上、獨特的虛實對話。在義大利展出時、郎世寧數位展帶著他的故事回到他的故鄉、佛羅倫斯文藝復興氛圍、常駐佛羅倫斯聖十字教堂的但丁、米開朗基羅及伽利略等義大利藝壇與科學巨擘、形成對作品、展覽很有支撐的時空脈絡。在香港城市展出時、創意媒體中心的邵志飛團隊結合未來感十足的科技藝術設計、並且發展了以美國大都會收藏百駿圖手繪草稿版及故宮油畫版的擴增實境裝置（謝俊科，2016）。

（三）動物藝想—故宮新媒體藝術展

香港城市大學媒體創意中心與故宮共同策畫了這檔動物展，以藝術、科學、自然和社會角度去說動物世界的故事。展覽第 1 單元為博物百科，《本草綱目》、《三才圖繪》、〈坤輿全圖〉、〈百駿圖〉、〈海錯奇珍〉、「島腳藍鯨錄」，甚至貓狗斷層掃描都是科學說故事的題材。第 2 單元為如意吉祥，《百福繁生圖》複製畫、〈秋林羣鹿〉複製畫、「金牛犢」裝置等等古今作品述說著人類賦予動物的有趣意義。第 3 單元為傳說製造：《西遊記》、〈海怪圖記〉、「無國界動物」（捻角虎，藝術家將老虎和捻角三羊合體）及「國寶星遊記」中古今中外傳說中的動物，活靈活現地講述著他們的故事。第 4 單元和諧衝突，動物既在藝術家自然和諧地呈現作品中，如〈枇杷猿戲圖〉複製畫、〈貓猴圖〉複製畫、〈雙喜圖〉複製畫、甚至取自香港、澳洲及瑞士畜牧業環景影像。然而和諧的另一面、北極熊無地自容、珊瑚礁白化、基因改造的「螢光青兔」都在在顯示人類發展與自然的衝突面。最後一單元為當代藝術，於港台兩地都有在地藝術家非常精彩的作品參與展出。

（四）奇幻嘉年華—21 世紀博物館特展

人類文明不斷演化中，科技自用火、金屬器、印刷術、火藥、蒸汽機、電、電腦及網路等等推進不斷，科技的進展影響了人類文明社會的每個角落。本展邀集多家博物館法國羅浮宮、橘園美術館、英國泰特美術館、德國舊國家藝廊、捷克慕夏基金會及最新虛擬實境產業巨擘宏達電共同探索科技帶給 21 世紀博物館的巨大潛力。本展展區分「璀璨光河」、「故宮啟航」、「羅浮宮驛站」及「美學世界」四大展區。「璀璨光河」展區旨在提供觀眾走過銀河般光影區、了解幾個主要展品特色。第二展區為「故宮啟航」，透過故宮走入〈早春圖畫〉中、「龍藏經裝置」、「清明上河圖 VR」、「鵲華秋色 VR」、「自敘帖 VR」、開啟博物館於 21 世紀的探索。接著是「羅浮宮驛站區」，展出「蒙娜麗莎－越界視野 VR」，這場虛擬實境講述了蒙娜麗莎的生平之謎、羅浮宮長期保存研究逸事，最終並搭乘達文西所畫飛行器遨遊於文藝復興世界。「美學世界區」展出了「莫內傾慕睡蓮 VR」、「海邊修道士 VR」、「莫迪里亞尼 VR」、「原鄉的斯拉夫人 VR」及「南懷仁的坤輿世界 VR」。

21 世紀智慧博物館構想與架構設計

21 智慧博物館在故宮的定義、構想與架構設計為何？本節將自先前故宮團隊曾構想與發展過的資訊架構談起，再提出目前故宮團隊以前瞻計畫量能建構中的 21 世紀智慧博物館構想與架構，以了解故宮定義的 21 世紀智慧博物館。故宮智慧博物館

構想、理念為以博物館藏品為核心能量，再將藏品數位化後、於數位世界產生藏品數位分身。接著、經由網路科技及社群網絡發散藏品能量於典藏、展示及服務面向。此一構想，必須有下列有利科技環境條件，包括；擁有高度競爭力的藏品、藏品經過大規模數位典藏、數位儲存科技已能將大量數位典藏資源以線上雲端方式儲存、網路科技能快速傳輸（如 5G、WiFi 6）、終端物件能數位化與網路化（即物連網物件），並擁有較高的數位素養員工。整體科技環境及故宮個別環境，目前正接近這有利情境中，一步一步邁向智慧博物館願景。

一、故宮先前資訊架構探討

　　故宮自推動數位典藏計畫不久後，隨即陸續申請推出數位學習計畫等，這些數位計畫、大致上是隨著文物數位化產生數位資源再加值運用數位資源的延伸活動。簡化地説、數位典藏一開始產生文物詮釋資料及文物數位影像資料兩類資源。接著、會依據研究員興趣與任務，發展精緻化的詮釋資料庫、主題網頁，最終普及成全球資訊網、多媒體光碟及數位博物館網站等。實例如當時稱為主題知識庫與數位博物館網站之明清琺瑯、宋代書畫冊頁、佛經圖繪知識庫與數位博物館網站。其中，數位學習面向則按可分享的內容物件模型標準（Sharable Content Object Reference Model，簡稱 SCORM）製做數位學習課程網頁教案。有關早期以內容運用觀點提出的數位博物館架構，如圖 5-1。

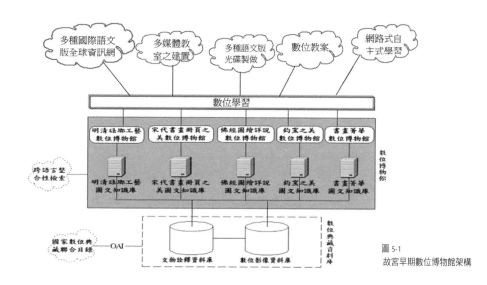

圖 5-1
故宮早期數位博物館架構

二、21 世紀智慧博物館架構

近幾年來、博物館資訊架構與應用的發展與 10 幾 20 年前有何不同？接著將整理比較幾個關鍵案例與學術發表，以研判趨勢發展，並説明故宮後續實際發展藍圖。Schindel DE, Cook JA 2 位於 2018 年提出一篇下一代自然史藏品（The next generation of natural history collections）文中探討資料跟藏品衍生活動（collection event）關係、博物館角色與資料運用過程，並指出下一代的大事是促進各領域、類型資料以更直接相連於自然史藏品的方式來資料標準化、數位化、分享及聚合。其中，能更直接相連為兩位研究者指出的未來發展關鍵。美國紐約大都會藏品系統發展規模大、完整及先進，為故宮發展過程中參考系統之一。筆者藉網路蒐集資料、疫情間與系統發展團隊電郵請教方式，整理可供研判未來發展歷程與特質。1990 年代大都會建置了博物館系統（The Museum System，簡稱 TMS），2012 年擴展了保存工作室，目前則發展成下一代數位資產發展平台（NetX Digital Asset Management Platform，簡稱 NetX），最新一代系統具三大特色：流程、採用平台，整合關鍵系統等。故宮智慧博物館系統，以藏品為中心、發散能量於典藏、展示及服務面向，再參照了前述兩位學者所提之更直接相連及 NetX 三大特性，期望建構了 21 世紀智慧博物館架構藍圖。智慧故宮博物架構以博物館藏品為核心、散發能量到典藏、展示及服務三大面向；以資料觀點談文物所散發能量可分為數位典藏、數位內容及大數據資料。典藏文物數位化及典藏知識外顯化後，即為數位典藏資料，各類加值應用及相關活動收錄即成數位內容資料，總和收集各類博物館營運資料即成大數據。這三大類型資料透過高度自動化、網路化方式，直接連應用系統，包括；全球資訊網、典藏資料庫、行政檢核系統、策展協作平台、智慧環境系統、導覽牆系統、行動語音、全球資訊網及典藏資料庫系統，如圖 5-2。若反向自使用者觀點看系統，將有內外部使者兩大類，內部使用者使用典藏資料庫系統、行政檢核系統、策展協作平台、智慧環境系統。外部使用者將看到全球資訊網、語音導覽系統、導覽互動牆及數位展示系統，如圖 5-3。

三、21 世紀智慧博物館的魔法混成體驗

21 世紀智慧博物館的願景、構想打造成智慧博物館架構後，將提供觀眾哪些新參觀經驗？前後觀眾體驗有哪些不同？此智慧博物館架構打造完成後，將成為提供觀眾虛實皆重、且高度整合的混成體驗（hybrid experience）平台。在展示方面，智慧博物館平台將使得博物館線上內容能從數位典藏資料庫產生更豐富內容、更強大民眾參與吸引力。現在、觀眾是進入網站觀看安排好的故事內容，未來、除看安排好

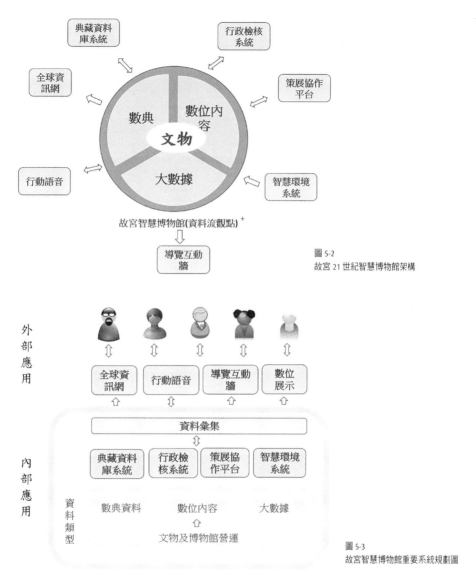

故宮智慧博物館(資料流觀點)+

圖 5-2
故宮 21 世紀智慧博物館架構

圖 5-3
故宮智慧博物館重要系統規劃圖

的部分、還會隨著觀眾線上行為，動態自資料庫產生對民眾有意義、有用資料，甚至奇幻體驗。如觀眾現在進入故宮網頁典藏精選欣賞〈郎世寧百駿圖〉並放大鑑賞西洋畫馬的肌理與毫毛、立體與陰影等等，將來在智慧博物館平台，平台將透過數位典藏資料庫的詮釋資料分析後，建議觀眾可以比對一下〈唐 韓幹牧馬圖〉，華人古代畫家靠主體與留白形成氣勢營造、靠勾勒誇張形體之肥壯身軀與細長四肢對比襯托，更可以拿起手機、頭戴 VR 裝置欣賞一段「四季百駿 VR360」。過幾天、觀眾來故宮參觀，靠著 AR

裝置、選擇一匹陪您逛故宮，進入沉浸劇場，沿途駐足觀賞的文物，一個一個以超現實的夢幻身影與觀眾巧妙互動，沉浸劇場也自動幫忙拍下觀眾美照，傳給觀眾手機，然後、觀眾高高興興地上傳分享自己朋友。回家後、也可看看旅程碰到文物知識、趣聞與自己及家人美照。以上，為將來智慧博物館平台未來提供的魔法般混成體驗劇本。

數位內容呈現風格頻譜模型提出

談到博物館展示基本展示思維，若先以單件作品分析，通常博物館展示時想傳達的首要資訊是創作者於作品上的創作理念、作品巧妙及珍貴等特質，接著傳達作者生平、作品時代資訊。進入數位展示模式呢？基本模式仍然一樣，但透過數位科技、數位媒體會產生更大敘事可能性，科技的輔助能講人說不出的故事、讓知識傳達更無遠弗屆、讓當代科技與前人作品創意共舞、讓當代元素與古時對話，彼此激盪產生非常多可能性。在此、提出數位展示風格光譜觀點，此光譜將將展示思維態樣依忠於原作再現性展示到融入新想法、新科技及新時尚等新元素的再創造型展示為兩端的光譜，再具體舉光譜不同位置五實例探討專案理念、作法。光譜之左端為最忠於原作之「清明上河圖動畫」、接著是「故宮南院嘉年華：21 世紀的博物館特展（謝俊科等人，2019），光譜中間位置的「郎世寧新媒體藝術展」（謝俊科，2016），接著是「故宮動物藝想展」（高于鈞，2019）及最右端「乾隆潮展覽」（黃瓊儀、謝欣芳，2013；謝俊科、楊婉瑜、及蘇育曄，2015）。打造「清明上河圖動畫」過程中，很挑戰之一為平面畫作缺視角面的另一邊資訊、國畫寫意較多的空間性問題也是挑戰，無論如何、當時自現有畫作找尋線索、全力以赴地以忠於原作精神完成動畫，相關圖示見圖四；「故宮南院嘉年華：21 世紀的博物館特展」中故宮與羅浮宮、橘園美術館、泰特美術館、慕夏基金會共同探討了 21 世紀的博物館展如何詮釋藏品，運用新科技、新觀念詮釋各自博物館經典藏品，所以、把本例擺在左二位置。「郎世寧新媒體藝術展」策展團隊包含故宮、香港城市大學、資策會團隊及義大利天主教教會方共同策展人絞盡腦汁、既介紹郎世寧作品、生平，也企圖透過當代新科技、新藝術產生對話，擴大展覽張力，評估為面面俱到均衡性作品，故據有光譜中間位置。接著光譜中右位置展示實例是由故宮與香港城大共同策展「故宮動物藝想展」，詳見圖 5-4。

圖 5-4　故宮數位內容呈現風格頻譜（本研究整理）

世紀肺炎疫情對故宮智慧博物館推動影響討論

全球博物館在這波嚴重的新冠肺炎下，有些閉館、有些推出線上博物館、虛擬事件因應疫情帶來衝擊。國際博物館學會（ICOM）因為疫情大流行，於官方網站設立疫情專區（COVID-19），專區中提供重要措施建議，分享博物館、博物館專業人士與疫情系列性調查報告，並蒐集疫情應對成功案例。調查報告中彙整了大部分博物館於閉館期間加重數位活動、多數專業人員遠端工作、將重新審視數位政策、增加數位設備等等現象。列舉疫情反應成功案例如：將藏品上線的荷蘭國立博物館 Rijks Studio、史密森尼學會將 280 萬件高解析 2D、3D 物件放上開放近用平台、多不勝數的博物館在官網、臉書及 IG 上安排線上導覽。故宮面對疫情應對作為對智慧博物館推動影響，大致可整理歸納為外部擴大觀眾數位參與及內部組織數位素養提升兩部分。

一、外部擴大觀眾數位參與

故宮團隊擴大觀眾數位參與的方法經共同思索後，產生了線上論壇、行動影音 YouTube 及 Podcast 服務、線上活動、線上博物館專區及非接觸式實體數位展等等應對方案。故宮於去年年中（2020 年 6 月 29 日）因應疫情與數位轉型，邀請典藏社長簡秀枝擔任主持人，與故宮院長吳密察、副院長余佩瑾、行政院科技會報前辦公室主任張文櫻、台達基金會副董事長郭珊珊、夏普常務董事王建二、志工代表們，舉辦數位人文圓桌論壇，同步網路直播，一同討論分享見解。其中，吳院長認為大家過去都只把故宮當成收藏古代文物藝術品的地方，現在他希望將來民眾也能視故宮是一個優

秀的博物館，透過先進的展示科技，將故宮藏品能讓全民共享，落實開放博物館的理想（典藏雜誌編輯群，2020），論壇與談人們最終產生未來數位與人文應該進一步、深化結合產生綜效共識；故宮於 YouTube、 Podcast 平台推出行動影音服務，策展人們於 YouTube 上說出自己對文物的多年感受，在有聲節目 Podcast 上向貓奴分享國寶貓咪；故宮官網推出線上博物館專區，含得獎影片、720 度參觀、開放資料、線上策展、藏品賞析、視訊美背圖下載等等單元，也特別推出強調疫情期間不接觸的「魔幻山水展」。

二、內部組織數位素養提升

　　觀察故宮這段期間之組織素養提升，大致上可分為博物館員素養提升、組織運作數位程度提升、組織數位資料質量提升及組織數位基礎建設提升等四部分。博物館員數位素養提升，主要透過外部專家教授、分享及座談等。這段期間進行了數位人文系列、展示科技系列及區塊鍊與非同質化收藏品 NFT（non-fungible token）等主題；在組織運作數位程度提升方面，隨著分區辦公、居家辦公、閉館及遠端合作等等外在環境強迫改變，博物館團隊遠距協作必要性提高，館員們已漸漸熟悉視訊虛擬會議、雲端資源、行動辦公，甚至學習了更多資安知識；組織數位系統建立後，將持續蒐集館員們輸入資料。故宮團隊於這段期間，重整及新增了各部門資料，尤其重視智慧博物館架構下的文物生命史記錄蒐集、保存與自動化運用；最後，起因於 5G 概念興起、視訊會議網路需求較大及居家行動辦公需求，故宮這段期間戮力進行了建設網路、擴大中央磁碟儲存容量、伺服器更新及打造更堅強資安防護城池等工作。

結論與未來發展

　　本文貢獻在於整理故宮 20 餘年來數位化緣起、探討故宮智慧博物館定義、構想與架構，並整理關鍵的數位內容呈現風格頻譜等三大部分。追蹤故宮 20 餘年來的實例，從計畫推動先後、數位資源建立過程、數位資料應用等面向切入，談到數位典藏、數位博物館及數位學習等等，期望能建立讀者了解本文的背景知識；建構智慧博物館架構章節闡述了現任故宮團隊發展智慧博物館的策略理念、並參考了國外學界及國際大博物館最新情況，來建構以典藏為核心的 21 世紀智慧博物館架構，並且以 21 世紀博物館的魔

法世界模擬未來智慧博物館觀眾參觀體驗劇本；智慧博物館觸及觀眾的方式除自動化智能服務外，數位內容是傳達知識、傳播美的重要管道，本研究整理了故宮數位內容呈現時風格頻譜。撰寫本文的同時、故宮數位資訊團隊正推進發展智慧博物館願景中核心的典藏系統、及典藏系統中關鍵的數位內容（數位物件）系統、策展流程協作平台。希望未來能有機會更進一步分享發展中的經驗及最後結果與台灣及全球博物館界。然而、本文以故宮為個案探討範圍，整理發展智慧博物館過程中的重要議題，尚難完整推論整體博物館產業智慧博物館發展情況，未來期望能擴大觀察其他重要博物館做法，以更清楚智慧博物館於博物館界發展趨勢。

致謝：

本篇文章需感謝科博館徐典裕研究員邀請、審稿人寶貴意見，及眾多投入故宮數位任務的前前後後長官同仁及無數產官學研先進合作與幫助。特別感謝，吳密察院長提出 21 世紀智慧博物館願景與率團隊實踐理念黃永泰、余佩瑾副院長，及現正共同努力推進夢想中的同仁蔡炯民、吳紹群、林致諺、高于鈞、黃瓊儀、李蝶衣（標題與摘要翻譯）、曾一婷、林農堯、鄭立源、林逸文、許素芬、林宏煐、賴珍蘭、隨時給予建議的郭鎮武與所有內外團隊夥伴們。

參考文獻

丁維欣、莊冠群、戴采如、黃琬淳、翁菁邑、及林均霈，2012。博物館教育科技媒體：五個值得思考的問題。博物館與文化，4，169-196。

何傳馨、謝俊科、及李文彬，2014。國立故宮博物院資訊業務發展概要。國發會政府機關資訊通報，（318）。吳璧雍、許媛婷，2006。故宮善本古籍的典藏特色及其數位化發展概況。大學圖書館，10（2），頁 34-49。

林國平，2019。文化＋創意＋產業—國立故宮博物院的新使命。佛教圖書館館刊，（65），28-43。

林曼麗、林國平等人，2007。時尚故宮—數位生活。

施尚文，2005。故宮與明日世界的對話。從 U 計畫之網路基礎建設談智慧型博館。

岳修平、呂姿儀、及黃若詒，2008。故宮 E 學園英文版數位學習網站之可使用性究。

吳紹群，2014。博物館多媒體互動展之海外展覽觀眾滿意度研究，博物館學季刊，28(4)，93-120。項潔、陳雪華，2003。數位博物館大觀園。

吳怡青、邱炯友，2020。博物館出版之知識典藏與數位時代傳播策略：國立故宮博物院個案研析。圖資與檔案學刊，（96），41-65。

典藏雜誌編輯群，2020。故宮首度數位人文圓桌論壇，8K 技術賦予人文新感動檢自 https://artouch.com/news/content-12807.html （10, June, 2021）。

高于鈞，2019。動物的過去與未來—動物藝想—故宮新媒體 藝術展。故宮文月刊，（434），46-55。

許世芳、鄭永熏、及林詠珊，2014。用國立故宮數位博物館課程訓練美感經驗於國小低年級課程的教學行動研究。創造學刊。

郭鎮武、林國平，2008。博物館品牌規劃與行銷初探—以國立故宮博物院為例。

黃瓊儀、謝欣芳，2013。古今交錯話乾隆—乾隆潮新媒體藝術展介紹。故宮文物月刊，（368），108-119。

張真誠、蔡順慈，2003。社會教育與資訊科技的結合—國立故宮博物院文物數位化之發展。

馮明珠、林國平，2012。十年耕耘、百年珍藏：國立故宮博物院數位典藏成果專刊。臺北市。

鄭邦彥、楊美莉，2002。標準作業程序於器物數位化流程之應用—以故宮器物數位典藏子計畫為例。

賴鼎陞、高淑惠、及黃雅慧，2005。博物館數位導覽系統建置與使用者評估。

簡佩珊、楊美雪，2012。互動展示之觀眾研究：以國立故宮博物院為例。

謝東志，2013。書畫藏品的數位化—書畫資料集叢欄位的功能與特色。故宮文物月刊，（360），100-107。

謝俊科、謝欣芳，2012。國立故宮博物院雲端技術應用：國立故宮博物院雲端技術應用—從「時空之眼—Open 乾隆皇帝的百寶箱」第一屆新媒體創意競賽説起」。

謝俊科、楊婉瑜、及蘇育曄，2015。故宮文物的黃金數位十年。故宮文物月刊，（384），70-79。

謝俊科．，2016。不同風味的郎世寧—臺義港藝域漫遊 4G 新媒體藝術展。故宮文物月刊，（399），118-128。

謝俊科、吳紹群、鄭莉榮、羅勝文及賴志婷，2019。故宮南院嘉年華：21 世紀博物館特展專刊。

Hsieh, C. K., Liu, I. L., Lin, Q. P., Chan, L. W., Hsiao, C. H., & Hung, Y. P. ,2009, September. Treasure transformers: Novel interpretative installations for the national palace museum. In International Conference on Arts and Technology (pp. 112-119). Springer, Berlin, Heidelberg.

Hsieh, C. K., Liu, I. L., Yu, N. H., Chiang, Y. H., Wu, H. T., Chen, Y. J., & Hung, Y. P. ,2010, October. Yongzheng emperor's interactive tabletop: seamless multimedia system in a museum context. In Proceedings of the 18th ACM international conference on Multimedia (pp. 1453-1456).

Hsieh, C. K., Hung, Y. P., & Chiang, Y. C. ,2011, September. Way to inspire the museum audiences to learn: development of the interpretative interactive installations for Chinese cultural heritage. In International Conference on Technologies for E-Learning and Digital Entertainment (pp. 284-291). Springer, Berlin, Heidelberg.

ICOM, 2020. Museums, museum professionals and COVID-19. From ICOM website: https://icom.museum/en/covid-19/ (10, June, 2021).

ICOM, 2020. Follow-up survey: the impact of COVID-19 on the museum sector. From ICOM website: https://icom.museum/en/covid-19/ (10, June, 2021).

ICOM, 2020. How to reach your public remotely. From ICOM website: https://icom.museum/en/covid-19/ (10, June, 2021).

Schindel, D. E., & Cook, J. A. ,2018. The next generation of natural history collections. PLoS Biology, 16(7), e2006125.

博物館資料開放服務及其對智慧社會影響之研究：以故宮資料開放平台為例

吳紹群

緒論

　　博物館如欲融入未來以「資料驅動」（Data Driven）的智慧社會中，便不能只服務傳統的博物館愛好者（Museum goer），博物館除了主動開放資料以外，更應注意開放資料如何在大數據、AI、行動服務所打造的智慧社會中被擷取、應用，讓博物館資料成為智慧社會的基礎之一。而要讓博物館成為智慧社會中的一部份，就需先將類比資料數位化（Digitalization），並以科技改變運作模式，在數位化的基礎上推動「數位轉型」、建立智慧博物館，進而成為智慧社會中的一環。在此進程中，博物館的開放資料（Open Data），不僅是數位轉型過程中博物館可以釋出的成果，也是建構「資料驅動」的智慧社會的重要元素。因此，博物館的開放資料服務成效、以及如何經由開放資料對智慧社會發揮影響，實為博物館數位轉型過程中重要的探討議題。

　　博物館無法存在於真空之中，智慧社會的來臨使得博物館不能只以展覽方式提供整理過或選擇後的資料，所有人更需要可以大量、自由、多管道取用博物館的資料（Sanderhoff, 2013）；另一方面，隨著數位政府和開放政府的觀念日益增強（Janssen, Charalabidis and Zuiderwijk, 2012），對於大多為公立或接受政府補助的博物館，更面臨接軌數位政府服務、提升開放服務的壓力。因此近年來國外許多博物館都紛紛提供開放資料（Open Data）或開放近用（Open Access）的服務。

　　相較國外博物館，國內博物館雖然都或多或少提供了程度不一的資料開放服務，卻尚未較深入的探討博物館資料開放服務的成效和影響。因此，本研究擬以國立故宮博物院（以下簡稱故宮）之「Open Data 專區」網站為例，採用網站記錄分析法（Web log analysis），並分析故宮所舉辦之資料開放競賽

活動，除探討故宮資料開放服務的特徵外，也藉以了解故宮開放資料服務在智慧社會發展上的意義、並對博物館未來在數位轉型的過程中推動資料開放服務提出若干建議。

文獻探討

一、博物館資料開放服務之定義

博物館資料開放服務，在國內較為常見的認知，指的是博物館的文物數位化資料在網路上以免費、自由下載的形式供全民利用，甚至可供產業界轉化應用，且博物館不主張著作財產權（毛舞雲，2018）。而在國際博物館界，對於博物館的資料開放服務，其定義方向和國內的認知大致相符，但通常用「Open Access」、「Open Data」、「Openness」等多種名詞來指涉博物館資料開放的概念。根據開放知識基金會（Open Knowledge Foundation, OKF）的定義，文化或知識的開放資料，是要讓開放資料有用、能用、確實被使用，且具有易於取用、可再利用或再傳布、在發布技術上必需具有普遍易於參與的特性（Kapsalis, 2016）。另外 Kelly（2013）的研究指出，博物館開放資料，指的是博物館典藏品（主要是影像），以數位形式在網路上免費提供、無版權上的主張、也沒有授權的限制。當然，由於不同博物館彼此之間在典藏多樣性、組織或經費來源、開放的採用標準等特性上差異很大，因此部份研究者也認為，博物館開放資料範疇應該要尊重不同博物館在技術、倫理、定位等方面的差異（Ross, Beamer and Ganley, 2018）。

博物館經由資料開放服務，讓數位資產得以被再利用，也讓博物館在數位時代進一步擴大其在公眾視野中的任務或使命，也是另一種擴大其教育功能的方式（Sanderhoff, 2013）。正由於博物館的此一公共性，加上博物館大多接受政府補助或本身即為公立機構，因此，部份博物館的開放資料服務，也具備有由政府主導推動、強調資料集釋出、機器可讀、方便程式開發者開發創新、搭配資料應用或程式競賽（蕭景燈，2012）等政府開放資料的特徵。

二、博物館開放資料之起源與發展

國外博物館界很早就開始推動開放資料服務。2010 年歐洲聯合性數位

典藏組織 Europeana 便已提出「公共領域憲章」，Europana 匯集全歐超過 3700 個美術館、博物館、圖書館 5300 萬件數位文化資料，Eruopana 主張這些數位文化資料，只要是已經進入公共領域者，博物館不能以各種理由主張重新取得著作權保護，應視為公共財公開供大眾利用（毛舞雲，2020）。而國際間各個指標性的大博物館，也紛紛推動開放資料，如荷蘭國家博物館（Rijksmuseum）自 2011 年即開始開放釋出文物影像；美國大都會美術館（The Metropolitan Museum of Art）自 2014 年起將已超過著作權保護年限的作品陸續開放，並在 2017 年進一步擴大釋出並完全放棄著作權；洛杉磯蓋堤博物館（J. Paul Getty Museum）自 2013 年起、美國國家藝廊（National Gallery of Art）自 2014 年起，也都陸續公開釋出文物圖像（毛舞雲，2018；毛舞雲，2020；Kapsalis, 2016）。綜合而言，各博物館自 2010 年起，便開始積極開放博物館的典藏品數位化資料。根據調查，至 2015 年，全球前 100 大藝術類博物館中，即已有 67% 建置有對外使用的影像資料庫、而在這些博物館中又有 89% 已制定有開放使用時可參考的使用條款（Terms of Use, TOU），這些使用條款各博物館開放方向不一，有的開放但僅限於非營利用途、有的全然不限制、有的採用不同程度的 CC 創用標示（Sum, 2015）。各大博物館到 2019、2020 年左右，不僅持續擴大開放數量，也加深了資料開放的深度或多樣性，例如史密森尼機構提升開放程度至 CC0、美國大都會美術館和微軟（Microsoft）合作，以開放資料進行黑客松（Hackthon）程式設計競賽等。

三、促成博物館推動資料開放的原因

　　許多專家學者陸續都有分析博物館界近年推動資料開放的背後原因為何。綜合各方面的論述，促成博物館推動資料開放的原因，大致可歸類為以下數方面：

（一）資訊社會的來臨

　　許多分析都一致指出，網路和數位媒體、社群媒體的興起，讓觀眾不再只滿足被動接受博物館單方面提供詮釋後的資訊，觀眾更需要用數位文化內容去分享、交換、再製，觀眾也不再只是實體走進博物館參觀的人（Dupuy, Juanals and Minel, 2016; Sanderhoff, 2013）。這讓博物館開放資料的壓力大增。

（二）搜尋、接收、學習方式的網路化

在網路時代，Google、Wiki、FB 等數位媒體對人們在搜尋、接收、學習的方式有很大影響，博物館不再是傳播資訊的唯一權威。博物館必須開放典藏資料，才能在現代人的生活中取得能見度（Dupuy, Juanals and Minel, 2016）。例如美國國家藝廊便發現，該館過去由於未曾公開典藏影像，導致人們用 Google 搜尋該館藏品時常常只找到品質低劣的影像或錯誤資料，博物館不如直接公開高品質影像，讓人們在搜尋博物館藏品時可找到正確的資料（Kelly, 2013）。

（三）博物館領導者的個人決策

雖然博物館開放資料已成為趨勢，但博物館過去囿於擔心文物影像的藝術完整性受損、授權收益變少等因素而讓開放的步調停滯不前（Schmidt, 2018; Sanderhoff, 2013）。因此，許多博物館開放典藏資料的案例顯示，博物館成功推動資料開放，經常是博物館館長、主要策展人等高階主管的推動決心所致（Kelly, 2013）。

（四）專案補助將資料開放列為申請之必要條件

博物館在推動研究、實驗性活動、社教推廣業務時，經常需要申請各類專案經費補助。自 2010 年代起，國外許多基金會都已開始將資料開放列為博物館申請補助時的必要條件，例如福特基金會、比爾蓋茲基金會等均是如此（Kapsails, 2016）。這對於高度仰賴補助的博物館會產生很大的開放壓力。

（五）圖像授權的收入低微

許多博物館都發現，博物館靠著圖像授權所能獲得的收入其實並不高，僅有極少數博物館可以在圖像授權中獲得滿意的收益，而且圖像授權收入在數位時代甚至有下降之勢（Schmidt, 2018; Kelly, 2013），不如擴大開放的幅度，對博物館更好。

（六）數位時代文物影像的使用需求大增

影像及影音編輯工具的普及化，使得大至企業小至個人、由文教到商業，數位影像素材在使用上的需求大增，營利和非營利使用的界線也日益模糊，博物館也無力詳細追蹤所有數位檔案的去向，造成了博物館對數位

（七）數位典藏和管理系統水到渠成的結果

　　許多博物館在推動藏品數位化工作、建置數位資產管理系統（DAM）、對外提供藏品查詢目錄之後，已經完成大部份資料開放的科技準備（Ross, Beamer and Ganley, 2018; Kingston and Edgar, 2015; Schmidt, 2018; Kelly, 2013），自然會開始考慮推動資料開放。

四、博物館推動開放資料服務的優缺點

　　雖然博物館的資料開放已然成為潮流，但正如許多文化政策一般，博物館推動資料開放有其優點，也有缺點產生。經由各方研究結果，可以綜整出博物館資料開放的優缺點如下（Sanderhoff, 2013; Ross, Beamer and Ganley, 2018; Kingston and Edgar, 2015; Schmidt, 2018; Kelly, 2013; Kapsails, 2016）：

（一）博物館推動資料開放的優點

1. 博物館可以滿足其推廣、教育、支持學術研究、刺激文創產業等使命。也提升博物館的聲譽。

2. 許多案例顯示，推動資料開放，對於提升博物館網站流量有極大幫助。不少博物館在開放資料免費下載之後，網站流量提高了 20%-25%，提升百分之百者更是不少。

3. 國外案例顯示，經由博物館文物數位化、開放服務導入、對文圖像開放尺寸或畫素的討論等工作的實施，可提升博物館人員的資訊素養。

4. 擴大博物館在網路上的聲量，確保正確的和高品質的文物資訊可以在網路上流通、使用、被搜尋。

5. 部份案例顯示，博物館在大幅開放文物影像後，使博物館品牌授權營業額大幅成長，彌補了因資料開放對圖像授權所造成的損失。

6. 經由資料開放，可以增加被其它機關注意到的機會、增加跨機關及跨領域合作的可能，提高了申請各類補助成功的機率。

7. 博物館資料開放，讓典藏品可以自由的在 Flickr Commons、Wikimedia

Commons 等共筆平台中被轉譯、研究,無形中等於多了更多的志工對藏品進行研究和註釋,實踐了博物館的群眾外包（Crowdsourcing）。

8. 博物館一旦開放資料免費下載、瀏覽,即可經由分析下載和瀏覽數據,對觀眾進行使用動機和使用型態的分析,實現博物館數據決策、智慧治理。

（二）博物館推動資料開放的缺點

1. 博物館需要在資料開放上投入人力資源進行資料的整理和釋出等工作,而著作權的盤點、清理也相當耗費行政成本。

2. 博物館的資訊基礎架構、儲存空間和流量容納等均需要提升始能因應。

3. 損失圖像授權的收入。國外調查指出,博物館大幅開放資料之後,圖像授權的收入損失,大約在 2 萬美元至 40 萬美元間不等,視博物館規模和經營方式不同而定。

4. 博物館一旦推動資料開放,雖然影像可以讓使用者自行下載,但有關特定文物資料是否列入開放、開放程度為何、是否有進一步開放計畫等問題也接踵而至,是相當大的工作負擔。

（三）博物館開放資料服務的未來挑戰

博物館在推動開放資料服務上,未來仍有若干挑戰需要逐步摸索、克服、找尋提升之道。首先,在商業模式上,雖然部份案例顯示博物館可經由資料開放刺激品牌授權,但整體而言,資料開放後,博物館的商業模式目前仍沒有滿意的範例（Sanderhoff, 2013）,尤其,博物館在數位時代不能再仰賴售票、販賣圖檔之類的舊商業模式,面對新生代觀眾、數位時代的電子商務及數位體驗等新的環境因子,博物館既已將資料開放,下一步便需要找出在數位環境下新的商業模式（Bertacchini and Morando, 2013; Nikiel, 2019）。其次,博物館的資料開放,必需要進一步思考如何突破單純的下載模式、擴大應用層次與應用的深度,例如,如何將博物館的資料與第三方結合應用（Ross, Beamer and Ganley, 2018; Schmidt, 2018）以擴大可及性、或是採用 Open API 技術、LOD 模式等加深與其它資訊系統介接、擴大被應用程式

開發用於解決日常生活問題的可能性，而非僅止於被下載來出版、設計商品、教育學習。

（四）數位轉型、智慧社會發展與博物館資料開放

　　智慧社會起源於物聯網、大數據、人工智慧等科技導入後發軔於智慧製造（工業 4.0）概念的智慧化理念，延伸到智慧城市、智慧生活等區塊，最終跨領域融合到社會上的其它領域之中、促使各行各業開始進行轉型，朝向智慧社會甚至是「超智慧社會」的目標發展（邱錦田，2017）。而智慧社會和過去的智慧製造、智慧城市、智慧生活等概念相較，最大的不同是智慧社會更強調科技對各行業及人群在生活方式、理念、服務感受上的影響（王飛躍、王曉、袁勇、王濤、林懿倫，2015），關注如何以科技提高社會生活各層面的便利性並解決社會存在的問題，故而也對生活有更大的影響（Karimi, Kashani and Akbari, 2021；邱錦田，2017），也對更多行業產生數位轉型（digital transformation）的壓力。可以說，智慧社會必需經由各行各業持續的數位轉型始能達成，而數位轉型係建立於過去將紙本／類比資訊轉換為數位資訊的「數位化」工作之基礎上，進一步運用數位科技協助優化並提升效能、或運用數位科技發展創新應用模式，並發展整體的策略性業務轉變、強調以服務對象為中心、以及更關注科技對跨部門組織變革的影響（徐方正、黃靖琳、鄧巧意，2019；歐宜佩、陳信宏，2019），如此始能在由過去的「數位化」進展到「數位轉型」。

　　而在組織經由數位轉型向智慧社會邁進的過程中，「資料」占據了不可忽視的重要地位。資料不僅是各組織在數位化、數位轉型工作中所直接產生的成果，也是建立智慧社會的重要元素。在智慧社會中，由於必需應用科技提高社會生活的便利性並解決社會存在的問題，因此需要以各種傳感器、物聯網、資料庫介接、網站等工具收集資料、管理資料、粹取資料，並從中進行資訊探勘，甚至以 AI 對資料進行演算和開發，解決社會和生活問題（Foresti, Rossi, Magnani, Lo Bianco, Delmonte, 2020），因此資料的多樣、體量、價值等特徵也將決定智慧社會建構的效率以及智慧社會中的決策、管理等之品質（Karimi, Kashani and Akbari, 2021）。由此可知，「資料」是智慧社會建構和運作的重要因素。博物館必需在數位化工作的基礎上進行數位轉型、建立智慧博物館，應用智慧科技對博物館的典藏管理、教育、展示、服務進行系統性的轉型（徐典裕，2018），在博物館的數位轉型過程中，各種服

務、系統、管理機制將會因為科技的導入而產生大量資料，博物館除了一方面收集這些資料用於推動內部的智慧化以外，這些資料如能夠以開放資料的方式、以智慧化工具／技術導入智慧社會各個領域的粹取和採掘機制之中，將可以使博物館成為智慧社會更重要的一部份、也可以觀眾即使不在博物館也能在智慧社會中的其它生活層面受益。

研究方法與研究個案

一、研究方法

本研究以故宮「Open Data 資料開放平台」為主要研究對象，採取複合性方式，以量化導向的網站流量分析方法（Web Log Analysis）為主、並以內容分析法（Content Analysis Method）為輔進行研究。

（一）網站流量分析方法

網站流量分析方法（Web Log Analysis），可視為系統記錄分析法（Transaction Log Analysis, TLA）方法的一種，是指經由網頁流量工具（例如 Google Analytics）獲取特定網頁的流量記錄（Log）、然後進行分析以了解使用者行為、探討網頁和使用者之間互動狀況、評估系統的表現或效益（Jamali, Nicholas & Huntington, 2005）。網站流量分析方法具有相當多優點，包括可以快速收集大量多面的數據、較為經濟、可以連續自動產生、不會受到目標對象或地理空間的限制、具非介入性不會受到誤導或干擾、資料產生較為客觀（Lin and Hong, 2010; Fang, 2007; Jamali, Nicholas and Huntington, 2005）。本研究由於主要研究對象「Open Data 資料開放平台」為一具體的網站系統，需要長時間、自動搜集多面向的平台使用者數據，其特性適合採取網站流量分析作為主要的研究資料收集方法，故本研究以 Google Analytics 為工具，收集該平台自 2019 年 4 月 1 日起至 2020 年 4 月 1 日止為期 1 年的流量記錄，並進行敘述性統計分析。

（二）內容分析法

本研究以內容分析法（Content Analysis Method）為輔助研究方法，以故宮為「Open Data 資料開放平台」所舉辦之黑客松（Hackthon）程式設計競

賽以及「Open Data 線上策展人競賽」為對象，探討在故宮 Open Data 推展上意義為何。

二、研究個案

本研究主要研究對象「Open Data 資料開放平台」，係故宮專門為提供開放資料服務所設立的網站。自 2013 年起，故宮即開始建置有獨立的 Open Data 服務平台。目前的「Open Data 資料開放平台」為故宮第三代開放資料服務平台，所提供的開放資料服務主要包括有：

（一）精選文物圖像下載

提供 300dpi 以上中高階文物影像免費下載，全部採用 CC BY 4.0 創用 CC 授權條款、文物影像下載時並隨附以 XML 語法寫成的文物 Metadata 檔案，以利程式設計師應用。目前已開放超過 2 萬筆以上的中高階文物影像。

（二）資料庫文物影像下載

提供 72dpi 中低階文物影像的免費下載，也同樣採取 CC BY 4.0 創用 CC 授權條款，目前已開放超過 10 萬張文物影像。

（三）文數字資料集（Dataset）開放

提供故宮相關之服務類、會計類、文物類相關數據資料集，以 XML 語法集中為資料集，供外界使用。

（四）資料視覺化、Open API 服務

提供參觀人數、教推活動統計等之開放數據供各界下載，並以視覺化圖表呈現。也提供 7 種 Open API 供申請介接。

（五）其它服務

如動物森友會影像檔取用、Open Data 滿意度調查、展覽包資料下載、資料更新通知等等。

故宮「Open Data 資料開放平台」之主頁面、資料視覺化服務介面，如圖 6-1、圖 6-2 所示。

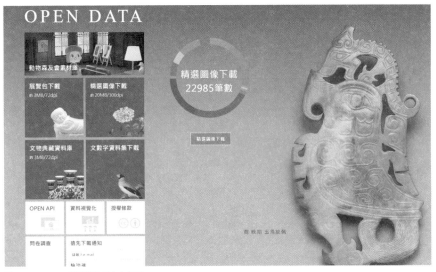

圖 6-1 Open Data 資料開放平台之介面

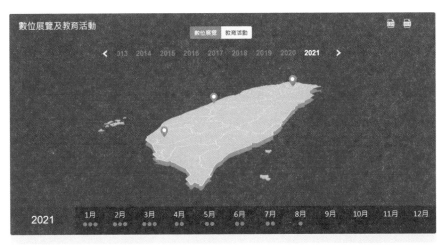

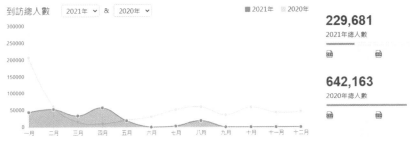

圖 6-2 開放資料視覺化服務介面

一、開放平台整體使狀況

　　研究結果顯示，故宮 Open Data 資料開放平台在 1 年內，一共創造了 154 萬多次的網頁瀏覽量、共吸引 10 萬多人次的使用者。考量國內博物館的規模、國內藝文人口、中文和英語在網路世界宰制力的差異等因素，國內博物館特定服務導向的平台有如此的瀏覽量和使用人次，已屬不易。

　　而在所有的使用人次之中，新使用者占比高達 80％，且新使用者跳出率（61.17%）比整體使用者跳出率（50.22%）要高得多，而重複使用者約占20%。此一現象顯示了絕大多數使用者可能都是因為新聞、展覽等因素吸引而來的一次性使用者、且使用未久即離開平台；而有長久需求、會多次造訪者比重則略低。故宮 Open Data 平台整體瀏覽量整理，如表 6-1 所示、平台使用者比例，如表 6-2 所示。

表 6-1　故宮 Open Data 平台整體瀏覽量

期間	瀏覽總網頁量	不重複	不重複百分比
2019/4/1-2020/4/1	1,542,392	1,216,574	78.9%

表 6-2　故宮 Open Data 平台使用者比例

	人數	百分比	跳出率
使用者總數	106,734	100%	50.22%
新使用者	85,464	80%	61.17%
重複使用者	21,270	20%	36.09%

二、使用者語言與地區

　　進一步分析故宮 Open Data 平台使用者的作業系統語系、流量來源地區，可以發現，故宮 Open Data 平台前 10 名的語系使用者即占了 93,185 人之多，而在前 10 名的使用者語系中，來自臺灣的中文使用者即占了 50.6%，遠高於其它各種語系；其次占比依序為英文（美式）、中文（中國大陸）、日文、英文（其它地區）、韓文、中文（香港）、法文。顯見使用故宮 Open Data 服務者仍以故宮所在地的臺灣為主；而在使用者語系方面，使用者所

使用前 10 大語系中，中文語系即占有 3 種，合計占比達所有語系的 77%，也說明了故宮文物的背景內容特性影響了其 Open Data 服務的吸引對象。故宮 Open Data 平台使用者作業系統語言整理，如表 6-3 所示。

表 6-3　故宮 Open Data 平台使用者作業系統語言

語言種類	使用人數	百分比
中文（臺灣）	47,136	50.6%
英文（美式）	15,251	16.4%
中文（中國大陸）	24,319	26.1%
日文（日文）	1,807	2.0%
英文（其它地區）	1,060	1.1%
韓文	656	0.7%
中文（香港）	458	0.5%
法文	343	0.4%

　　而針對故宮 Open Data 平台之流量來源進行分析顯示，在前 10 大流量來源地區中，仍以臺灣為最重要的流量來源，其使用人數占比達 51%，遠高於所有其它來源地區或國家，其次依序為美國、中國大陸、日本、來源不明、香港、南韓、加拿大、英國、新加坡。顯見故宮開放資料服務仍以臺灣受眾為主，而中國大陸、香港、新加坡等均排入前 10 大流量來源地區，也顯示故宮 Open Data 服務的使用高度集中於華語文使用較為強勢的地區。

表 6-4　故宮 Open Data 平台使用流量來源地區

流量來源	使用人數	百分比
臺灣	48,322	51.0%
美國	14,091	14.9%
中國大陸	9,795	10.3%
日本	7,349	7.8%
不明	4,312	4.6%
香港	3,617	3.8%
南韓	827	0.9%
加拿大	640	0.7%
英國	640	0.7%
新加坡	593	0.6%

三、前 100 大到達網頁分析

在 Google Analytics 分析之中相當重要的流量數據之一，便是所謂「到達網頁」（Landing Page），指的是使用者進入某一網站後、真正停下來觀看的第一個頁面。本研究收集了一年內故宮 Open Data 平台的前 100 大到達網頁。而為了分析使用者的企圖或行為模式，本研究律定了 6 種使用者可能的瀏覽網頁類型，包括了平台首頁、高階圖像下載頁、特定文物頁、查詢頁、展覽包資料頁、資料集（Dataset）頁面等 6 種可能抵達瀏覽的網頁類型，然後逐一打開前一百大到達網頁，判斷每一個到達網頁屬於上述 6 種瀏覽網頁類型中的哪一種，並予以編碼統計。

結果顯示，故宮 Open Data 平台前 100 大到達網頁中，在數量上占比最高者為文物網頁，占 58%，但使用者平均停留時間也是最短的，顯見使用者心中已有預設要找的文物，直接搜尋到該文物網頁並下載後就直接離開。第二大類型的到達網頁為下載網頁，占 15%、第三大類型為查詢頁，占 11%、第四為展覽包資料頁，占 10%、第五為平台首頁占 5%、最末一種為資料集（Dataset）頁面，僅占 1%。由資料集網頁的到達比率如此之低（1%）、文物網頁到達比率極高（58%）此一對照可以發現，故宮 Open Data 平台的使用者多為不擅長以機器可讀數據進行應用、統計、開發的人，與資料社群、軟體開發領域的聯結應該不高；使用者可能大多為教育、藝術史或美術等背景人員。故宮 Open Data 平台前 100 大到達網頁類型分布，如表 6-5 所示。

表 6-5　故宮 Open Data 平台前 100 大到達網頁類型分布

網頁類型	數量	百分比	工作階段	平均平留時間
首頁	5	5%	45,426	332.9
下載	15	15%	12,069	473.7
文物	58	58%	10,465	166.1
查詢	11	11%	11,136	246.3
展覽	10	10%	1,542	450.8
資料集	1	1%	188	254.1

而為了能進一步了解故宮辦理特展是否會對民眾使用 Open Data 產生影響，本研究特別針對資料收集的一年期間、故宮所辦理的 11 個特展進行整理，並與 Open Data 平台的前 100 大到達網頁進行比對，觀察此一年期間所

展出之文物是否出現在前 100 大到達網頁之中。研究結果顯示，故宮展出的 11 檔特展中，僅有職貢圖、雅集圖兩項特展的文物出現於前 100 大到達網頁之中。顯見故宮辦理的特展，對民眾使用 Open Data 造成的影響不大，看展覽的人和使用 Open Data 的人顯然並非同一客群。故宮 Open Data 平台前 100 大到達網頁與當期展覽之比對整理，如表 6-6 所示。

表 6-6　故宮 Open Data 平台前 100 大到達網頁與同期特展比對

資料分析期間所舉辦之特展	出現於一百大到達網頁之特展展出文物
職貢圖	職貢圖
筆歌墨舞	無
國寶聚焦	無
受贈書畫展	無
巨幅書畫	無
筆墨見真章	無
婉而通	無
以文會友 - 雅圖集	十二月令圖、畫登瀛洲圖、芝蘭室圖等
小時代	無
故宮動物園	無
受贈名品展	無

四、使用者停留時間

進一步分析故宮 Open Data 平台使用者的停留時間，可以發現，絕大部份使用者的停留時間在 10 秒以內，占比達 54.1%；使用時間在 1800 秒以上的長時間使用者，僅占 8.4%。整體顯示，停留時間越長的使用者、在全體使用者中所占比重越低。顯見故宮 Open Data 的使用者中，長時間搜尋文物資料、比對資料、仔細觀察文物等行為的人仍占少數。故宮 Open Data 平台之使用者停留時間分布整理，如表 6-7 所示。

表 6-7　故宮 Open Data 平台之使用者停留時間分布

工作階段時間長度	工作階段	百分比
0-10 秒	82,363	54.1%
11-30 秒	9,406	6.2%
31-60 秒	8,505	5.6%

61-180 秒	15,599	10.2%
181-600 秒	16,037	10.5%
601-1800 秒	12,840	8.4%
1801 秒以上	7,518	4.9%

五、使用者進入資料開放平台方式

在故宮 Open Data 平台使用者進入方式之中，以直接查詢（使用者直接輸入網址）所占比例最高，達 52.9%；其次為自然搜尋（經由搜尋引擎），占比 31.4%、再其次為轉介連結（如：先進入故宮官網），占比為 11.9%，最末者為社群連接（如：經由 FB），僅占 3.7%。由此可見，故宮 Open Data 平台的使用者大多已有明確的使用動機、目標。故宮 Open Data 平台之使用者取用方式整理，如表 6-8 所示。

表 6-8　故宮 Open Data 平台之使用者取用方式

連接管道	使用人數	百分比	平均使用時間
直接	52,605	52.9%	254.31
自然搜尋	31,182	31.4%	339.12
轉介	11,872	11.9%	539.87
社群連接	3,714	3.7%	153.24

若進一步針對故宮 Open Data 平台使用者的轉介途徑進行分析，可以發現，在採用轉介方式進入的使用者中，以先進入故宮官網（含 .gov、.edu 等不同網址之官網）再前往故宮 Open Data 平台的比例最高，合計達 80% 以上。而經由其它網頁轉介進入的比例則占比極低，如維基百科等都僅在 2% 左右以下。而在經由社群網站進入的使用者中，絕大部份都是經由 FB 進入故宮 Open Data 平台。以上顯示，故宮 Open Data 平台在經由第三方平台來擴大使用層面、發揮眾包（Crowdsourcing）作用、跨領域創作應用等方面，仍有探索推廣空間。故宮 Open Data 平台之使用者轉介途徑分析整理，如表 6-9 所示、使用者社群網站使用類型整理，如表 6-10 所示。

六、使用裝置及瀏覽器

在故宮 Open Data 平台的使用者中，以使用桌上型電腦（含 PC、筆電）

表 6-9　故宮 Open Data 平台之使用者轉介途徑分析

轉介途徑	使用人數	百分比
故宮網站 I	7,410	72.0%
故宮網站 II	1,320	10.7%
數字古籍圖書館	271	2.2%
雅虎奇摩入口網	259	2.1%
openculture.com	246	2.0%
數字古籍圖書館	237	1.9%
50 ＋學院入口網	186	1.5%
故宮網站	158	1.3%
大數據導航入口網	119	1.0%
維基百科（Wiki）	104	0.8%

表 6-10　故宮 Open Data 平台之使用者社群網站使用類型

社群網站	使用人數	百分比
Facebook	3,416	92.0%
Douban	134	3.6%
Twitter	42	1.1%
Plurk	38	1.0%
Blogger	31	0.8%
Pinterest	13	0.3%
Sina Weibo	9	0.2%
VKontakte	9	0.2%
YouTube	7	0.2%
Instagram	5	0.1%

所占比例最高，達 67.7%，手機和平板等行動裝置使用率不高。而所使用的瀏覽器也與一般市占比率接近，以 Chrome 使用比例最高，占比達 69.2%，但行動裝置常見的瀏覽器、美工或影音影像製作常用的 Mac 作業系統體系下的瀏覽器，使用比例較低。故宮 Open Data 在行動環境下被使用的比例不高，這可能和文物影像在手機上觀看並不方便有關。故宮 Open Data 平台使用者所使用裝置及瀏覽器整理，如表 6-11、6-12。

　　進一步以結合不同維度（如語言、國家、社群管道、裝置與瀏覽器）來進行交叉驗證。以故宮 Open Data 的使用者電腦語系和其所使用的社群平

表 6-11　故宮 Open Data 平台使用者所使用裝置

裝置種類	使用人數	百分比
桌上電腦	63,743	67.7%
手機	27,832	29.6%
平板	2,546	2.7%

表 6-12　故宮 Open Data 平台使用者所使用瀏覽器

所使用瀏覽器	使用人數	百分比
Chrome	64,977	69.2%
Safari	13,610	14.5%
Safari（in-app）	4,245	4.5%
Android Webview	4,136	4.4%
Internet Explorer	2,007	2.1%
Firefox	2,006	2.1%
Edge	1,287	1.4%
Samsung Internet	983	1.0%
Opera	293	0.3%
Mozilla Compatible Agent	73	0.1%

台進行交叉分析，可以發現，語系和其所習用的社群平台有關聯性，其交叉分析表，如表 6-13 所示。其次，以使用者的國家和電腦語系進行交叉分析，可以發現使用者的國別和其所使用的電腦系統語系有所關聯，值得注意的是，雖然故宮 Open Data 以臺灣的繁體中文使用者為主，但美國、日本等海外使用者除使用英文外，中文使用上均以簡體中文為主，其交叉分析表，如表 6-14 所示。

表 6-13　使用者系統語系和其所使用的社群平台工作階段交叉分析

	繁體中文	簡體中文	英文	日文	泰文
Facebook	3,459	71	470	0	30
Douban	0	102	38	0	0
Twitter	0	0	0	58	0
Blogger	56	0	0	0	0
Plurk	48	0	0	0	0

表 6-14　使用者國家和系統語系之工作階段交叉分析

	繁體中文	簡體中文	英文
Taiwan	44,484	0	1,995
United States	0	2,108	110,817
China	0	9,638	0
Japan	0	4,125	0
Hong Kong	1,272	0	0

七、中低階圖像下載情形

　　故宮 Open Data 平台也連結了故宮文物資料庫，提供文物影像的中低階影像查詢、免費下載。由於中低階影像係以關聯式資料庫直接提供下載服務，無法以 Google Analytics 統計觸發下載動作之次數，因此必需由故宮所使用之關聯式資料庫中取得使用記錄（Action log）以統計下載次數。資料分析結果顯示，1 年來故宮中低階開放影像之下載次數達 410,140 次，開放成效良好，但下載的影像則集中在知名度較高的文物，例如翠玉白菜、清明上河圖等。

八、故宮 Open API 使用情形

　　Open API 為資料智慧化、自動化應用的重要機能。故宮在 Open Data 平台中，也提供了 7 種不同的 Open API，供具有軟體開發或程式設計需求的民眾申請使用，自動介接故宮的資料運用於軟體或服務之中。經由對故宮已開通的 API 服務分析，發現 1 年內約被申請使用了 123 次。故宮的 Open Data 服務，在政府期許資料開放能以機器介接、或大量讓民間編程再利用等目標之達成可能仍有努力拓展之空間。

九、黑客松（hackathon）程式設計競賽及線上策展人競賽

　　故宮為推廣 Open Data 服務，曾於 2018 辦理黑客松程式設計競賽，並於 2020 年辦理線上策展人競賽。而該兩次競賽的性質並不相同。黑客松競賽主要以程式開發社群為主要推廣對象，期望故宮 Open Data 資料和 Open API 可以成為解決生活問題時開發應用服務的資料來源，參加的隊伍雖然有 40 餘組，但競賽結果顯示，在應用故宮 Open Data 上的想像仍以文物、參觀為主，並未有隊伍以故宮 Open Data 結合其它類型的 Open Data（如交通、天

氣），也未有文化或藝文領域以外主題的應用程式創作。而 2020 年所辦理的線上策展人競賽則是採取和黑客松完全不同的訴求方向，是以提供類似 Google Art Cultural 的簡單介面，鼓勵學生、藝文愛好者以線上圖像／影音／文字的組合形式、應用 Open Data 圖像進行線上策展，吸引了超過 200 組以上的組合參賽。

結論與建議

　　博物館開放資料在智慧化生活的社會中，不能僅僅是被動開放、坐等使用者自行下載；博物館更應該思考，資料如何在智慧化的社會可以自由流動，進而被智慧化的擷取、應用，並且被各種載具和平台無縫的分享／再製，讓博物館可以在「資料驅動」的智慧社會中占有一席之地。本研究經由對故宮開放資料服務平台的研究，以網站流量分析方法、內容分析法等方法，分析故宮開放資料服務在各方面的特徵，並由故宮的案例，對我國博物館未來推動開放資料服務提出若干建議。

一、故宮開放資料特徵、及在數位轉型和智慧社會上的意義

（一）開放資料服務使用量大、已建立具規模之資料服務成效

　　研究結果顯示，故宮開放資料在 1 年內的瀏覽次數達到 1,542,392 次、使用人次達 106,734，對於屬於小眾產業的藝術、歷史類博物館而言，在一年內達到百萬級的瀏覽次數和 10 萬級人次，在國內已屬成效極佳。故宮作為以藝術類和歷史性藏品為主的博物館，和其它博物相較，同為歷史類博物館的台史博，同樣設有 Open Data 專區，但數量僅 3 千餘筆、平均每筆瀏覽量大多僅數 10 次，在規模和成效上難達到故宮同等的效益；而其它藝術博物館如北美館、高美館等由於受限於當代藝術的授權問題不易解決，在開放的規模上無法與以古美術為主的故宮相較。顯見故宮的開放資料平台，已經建立相當的使用基礎，有了基本的資料服務能量、也是重要的文化資料服務來源。

（二）開放資料平台使用者大多具目的性

　　研究結果顯示，開放平台使用者中，新使用者占比高達 80%，且新使用

者跳出率極高（61.17%），加上停留時間在 10 秒以內者占比達 54.1%、找尋文物居多且平均停留時間最短。以上結果顯示，故宮開放資料服務的使用者以新使用者、短時間使用者居多，顯見使用者之使用動機可能是因為新聞、活動、工作等因素吸引而短暫進入開放資料平台，也可能是因為工作或查找特定文物等高度目的性因素來使用。

（三）特展與開放資料服務使用無直接關聯

研究結果顯示，資料分析收集的 1 年期間，故宮開放資料平台的前 100 大到達網頁（Landing Page）裡，11 檔特展中僅有兩檔特展的文物出現於前 100 大到達網頁之中。此結果代表了二層意義，其一，對故宮實體展覽有興趣的觀眾和網路世界中對開放資料有興趣的觀眾，兩者顯然是不同的群體；其二，故宮的文物展規劃和 Open Data 資料釋出規劃並無直接關係。

（四）使用者多以個別文物為目標、且深受文物之語言文化背景影響

經由對故宮開放資料平台之使用者分析發現，前 100 大到達網頁中，在數量上占比最高者為文物網頁，占 58%。此外使用者仍以臺灣地區最多（51%）、而使用者所使用的系統語言也以中文（含繁體、簡體及香港中文等）的比例最高（77%）。交叉分析也顯示，故宮 Open Data 使用者在系統語系和使用者所居住的國家上有所關聯。顯見使用者仍以找尋特定文物為主、且深受文物的文化背景及使用者所在地的語言影響。

（五）資料使用仍以下載為主，尚未進入行動應用

本研究也顯示，故宮開放資料平台的使用者，絕大部份以個人電腦（PC 及筆電）進入故宮的開放資料平台（67.7%），以行動裝置進入的比例很低。此一現象，可能和在手機上觀看文物較為受限有關，但也有可能是故宮開放資料平台的使用者大多具有高度的目的性、是因為工作所需才會來找尋特定文物有關。

（六）使用者仍為典型的博物館使用者，未融入資料驅動環境中

在故宮開放資料平台的前 100 大到達網頁中，值得注意的是查詢型網頁、文物網頁等占比最高，而在智慧環境中可被其它領域直接用於程式開發的資料集（Dataset）網頁的占比不只是最小的，而且比例極低（1%），顯

見目前故宮資料尚未進入軟體產業（如軟體、網站、App）的視野。而使用者經由社群媒體進入故宮開放資料平台者比例不高（僅 3.7%，以 FB 為主），經由創作性第三方如 Wiki 等進入開放資料平台的流量也極低（0.8%），顯見目前故宮開放資料被納入眾包（Crowdsourcing）或再創作的情形可能不多，使用者應該多為直接下載圖像使用，故宮資料尚未融入資料驅動的大環境中。

（七）智慧社會的參與已起步

故宮有提供介接故宮開放資料的 Open API 服務，目前一年的 API 服務申請量約 123 次，已為我國博物館首先提供此類服務者、也是藝術類博物館唯一提供者；而在推廣上，故宮開放資料曾創國內博物館先河、舉辦過兩次的黑客松程式設計競賽，但自去年（2020）年起，則轉變為辦理開放資料「線上策展人」競賽。由故宮的 Open API 服務及黑客松活動概念，可以發現故宮的開放資料服務，已經注意到博物館的開放資料服務不能只是被動「下載」，已開始重視開放資料的智慧應用。

（八）智慧博物館發展和智慧社會上的意義

由智慧社會的發展進程可以得知，智慧社會是建立在「數位化」的基礎上、再經由「數位轉型」，提高科技在社會生活等各層面的便利性並解決問題。故宮的大規模 Open Data 產出和下載、Open API 服務等，顯示出故宮在「數位化」過程中已建立持續數位化的生產和釋出機制，也不斷引進各種資訊系統和 ICT 科技、並持續將資料釋出和提供 API 介接，已經開始進入數位轉型的進程之中，故宮在智慧社會中以「資料」作為參與基礎的觀念已經建立。

二、對我國其它博物館發展開放資料服務之建議

（一）加強智慧化利用開放資料

案例顯示，博物館單純以文物資料下載為主要的開放資料服務模式，確實可以建立博物館開放資料服務的基礎。但更需要經由推動第三方應用、眾包或共創、API 介接等有利用智慧化應用的服務，擴大博物館資料在智慧化未來中被廣泛利用的機會，讓博物館資料在未來能有活化、深入社會應

用的可能。

（二）資料的使用者需由同溫層擴散到其它領域

研究顯示，故宮開放平台流量雖高，但使用者仍集中於傳統客群。博物館資料如果要融入智慧社會，需要讓資料能被跨領域應用（例如，博物館各區服務時間的資料集，可以和公車資料集一起被旅遊 App 的開發所應用）、或是被行動查詢、轉發、二創、行動化教學取用等等；而博物館的開放資料競賽活動，也應該面向開發者，不是只面向博物館的藝術愛好者或文物歷史社群。

（三）開放更多樣的資料型態

博物館資料的開放，不能僅以文物圖像作為主要的開放資料，必需提供多樣的型態或格式，才能滿足「資料驅動」下智慧社會在各種開發和應用上之所需。故宮目前仍以 2D 的文物圖像為主要開放型態，未來仍可能需要將資料開放的類型擴大到 3D 模型、擴充 JSON 或 XML 格式、資料集等。

（四）擴大介接模式及標準

為了回應智慧化社會的到來，博物館在開放資料的介接、查詢等方面，需要採行更多的模式、也需要更具跨平台能力的介接標準。以博物館開放資料而論，未來博物館加強推動 LOD（Linked Open Data）、或導入 IIIF（International Image Interoperability Framework）以利各博物館之間進行圖像資料交換互通、開放資料語意檢索等，都是未來可探索的方向。

（五）開放資料未來需要提升至智慧社會發展層次

隨著博物館的數位轉型，未來智慧博物館除了目前在「數位化」工作層次下所開放的圖像、文字資料以外，未來各種資訊系統、影音資料、AR / VR、傳感器和物聯網（IoT）產生的數據、人流數據、網站流量數據不斷產生，這些不僅可作為智慧博物館在建構和分析維運上的基礎，也可以適度納入「開放資料」的一環，以智慧介接方式、讓各方可以將之融入於智慧城市、智慧學習的架構中，進而成為智慧社會發展中一環。

致謝：
本文之資料收集及形塑，需感謝故宮謝俊科博士等主管長期對 Open Data 業務之支持，以及羅定紘技佐、網頁小組之技術投入，在此一併特申謝忱。

參考文獻

王飛躍、王曉、袁勇、王濤、林懿倫，2015。社會計算與計算社會：智慧社會的基礎與必然。科學通報，60（5／6）：460-469。

毛舞雲，2018。典藏品照片釋出之研究—以法律角度出發。故宮文物月刊，425：122-127。

毛舞雲，2020。著作公共化研究 - 以數位典藏照片釋出為例。博物館學季刊，34（3）：5-17。

邱錦田，2017。日本實現超智慧社會（社會 5.0）之科技創新策略。上網日期：2020/7/23。取自：https://portal.stpi.narl.org.tw/index/article/10358。

徐方正、黃靖琳、鄧巧意，2019。數位轉型下對教育智慧化改革之初探。高等教育研究紀要，10：63-80。

徐典裕，2018。智慧科技時代博物館創新思維與經營模式——以國立自然科學博物館為例。主計月刊，754：30-36。

浦莉安，2019。故宮再想像‧創意不斷電——談黑客松設計競賽。故宮文物月刊，432：120-125。

歐宜佩、陳信宏，2018。近期數位轉型發展趨勢之觀察。經濟前瞻，178：94-99。

蕭景燈，2012。資料開放發展現況與展望。研考雙月刊，36（4）：22-38。

Bertacchini, E., & Morando, F., 2013. The future of museums in the digital age: New models for access to and use of digital collections. International Journal of Arts Management, 15(2): 60-72.

Dupuy, A., Juanals, B. & Minel, Jean-Luc 2015. Towards Open Museum : The Interconnection of Digital and Physical Spaces in Open Environments. Museums and the Web 2015.

Fang, W., 2007. Using google analytics for improving library website content and design: A case study. Library Philosophy and Practice, 9(3): 1-17.

Foresti, R., Rossi, S., Magnani, M., Bianco, C. G. L., & Delmonte, N., 2020. Smart society and artificial intelligence: Big Data scheduling and the global standard method applied to smart maintenance. Engineering, 6(7): 835-846.

Jamali, H. R., Nicholas, D. & Huntington, P., 2005. The use and users of Scholarlye-Journals: A Review of Log Analysis Studies. Aslib Proceedings: New Information Perspectives, 57(6): 554-571.

Janssen, M., Charalabidis, Y., & Zuiderwijk, A., 2012. Benefits, adoption barriers and myths of open data and open government. Information systems management, 29(4): 258-268.

Kapsalis, E., 2016. The Impact of Open Access on Galleries, Libraries, Museums, &Archive. Smithsonian Emerging Leaders Development Program. Retrieved from http://siarchives.si.edu/sites/default/files/pdfs/2016_03_10_OpenCollecti ons_Public. pdf.

Karimi, Y., Haghi Kashani, M., Akbari, M., & Mahdipour, E., 2021. Leveraging big data in smart cities: A systematic review. Concurrency and Computation: Practice and Experience, e6379.

Kelly, K., 2013. Images of works of art in museum collections: the experience of open access. A Study of Eleven Museums. Prepared for the Andrew W. Mellon Foundation. Retrieved from http://msc.mellon.org/msc-files/Open%20Access% 0Access%20 Report%2004%2025%2013-Final.pdf

Kingston, A., & Edgar, P., 2015. A review of a year of open access images at Te Papa. Museums and the Web Asia 2015.

Lin, S. C. & Hong, M. C., 2010. A web metrics study on taiwan baseball wiki using

google analytics. Journal of Educational Media & Library Sciences, 47(3): 343-370.

Nikiel, Slawomir 2019. New Business Models for Cultural and Creative Institutions. Management, 23(2): 124-137.

Petri, G., 2014. The public domain vs. the museum: The limits of copyright and reproductions of two-dimensional works of art. Journal of Conservation and Museum Studies, 12(1): 8.

Ross, J., Beamer, A. & Ganley, C., 2018. Digital collections, open data and the boundaries of openness: a case study from the National Galleries of Scotland. Museums and the Web 2018.

Sanderhoff, Merete 2013. Open Image : Risk or Opportunity for art collections in the digital age. Nordisk Museologi, 2 : 131-146.

Schmidt, A., 2018. MKG Collection Online : The Potential of Open Museum Collections. Hamburger Journal für Kulturanthropologie, 7 : 25-39.

Sum, Hedren 2015. Openness of Digital Images in Art Museums (Doctoral dissertation, Nanyang Technological University).

數位時代的博物館觀眾研究

林詠能

前言

　　博物館觀眾研究的發展相當早，已有 100 多年的歷史。在傳統的觀眾行為研究中，吸引了心理學、社會學、人類學、教育、行銷研究、傳播與文化研究領域的博物館從業人員與學者投入其中。早期觀眾研究以觀察與訪談為主要的研究工具，至 90 年代開始，量化問卷調查或實驗法逐漸增加；這些都提供了解觀眾在博物館內外的行為或態度的機會，使我們對觀眾的樣態與參觀模式有了更多的理解。令人驚訝的是，100 多年間的相關研究裡，博物館的觀眾樣態與行為並沒有太大的變化；但其研究取徑，則變得更加複雜和多元，博物館從業人員與學者也能在這些基礎上，更了解觀眾、並提供更好的展覽與服務。

　　進入 21 世紀，隨著數位科技的進步，行動載具已成為人們生活中不可或缺的工具；民眾在網路上的瀏覽與消費行為所帶來的大量數據，提供了我們擴大觀眾行為研究之可能。數位時代的觀眾研究，逐漸成為學者所關注的焦點之一。本文首先回顧 100 多年來重要的觀眾研究成果，接著聚焦在數位時代可得到的觀眾資訊，包含政府文化統計、網站搜尋與瀏覽行為、行動載具的數據研究應用等，提供觀眾行為研究的另一種樣貌。我們將以文化統計的數據資料、Google Trend、Google Analytics 與行動載具的觀眾數據為內容，提供博物館觀眾行為研究的參考。

傳統的博物館觀眾研究

　　博物館是重要的教育與學習機構，除了為我們的下一代而典藏，也提供了民眾學習、娛樂、社交等不同功能。而觀眾研究可提供觀眾的特質、

行為與學習成果等成果，有利於博物館提供更好的展覽與服務。百年來博物館觀眾參觀行為的研究成果十分豐碩，在數位時代的大浪潮來臨前已有許多學者的研究產出，深化了觀眾研究的範疇，如最早將參觀者區隔為不同觀眾群的 Higgins（1884）；探究觀眾參觀博物館因展示不當引起博物館疲勞（museum fatigue）的 Gilman（1916）等。Robinson（1928）與 Melton（1935）則研究展示的吸引力（attracting power）與持續力（holding power）的觀眾參觀行為。Melton 同時也觀察到觀眾在館內參觀時，多數情形將產生右轉傾向（1933）。Hood 則分析經常、偶發與非觀眾在參觀動機上的差異（1983）等。這些博物館觀眾研究的累積成果，成為全球博物館從業人員與學者思考如何吸引觀眾前來參觀、館內流動的動線與方向，與提升觀眾觀展品質的重要參考。

早期的博物館觀眾研究，有相當多的策展人參與，但隨著時間的改變與專業分工，目前觀眾研究的工作有相當大的部份由館外學者擔任，因為觀眾研究的專業背景通常在博物館中並不常見。博物館觀眾行為研究最早的文獻出現於 1884 年，由當時的利物浦博物館（Liverpool Museum）無脊椎動物收藏名譽館長 Henry Higgins 所發表。Higgins 是英國博物館協會（British Museums Association）創始人之一，同時在 1890 年成為博物館協會的第一任主席，在 Higgins 的 Transactions of the Literary and Philosophical Society of Liverpool 一文中，記錄了他對博物館觀眾的研究成果（McManus, 1996）。Higgins 在研究中同時採取質化與量化的策略（Hein, 1997），在量化研究結果中，78% 的觀眾被定義為觀察者（observers）、指一般參觀與只是看看的觀眾族群；另有 20% 的閒逛者（loungers）與 1-2% 的認真學習無脊椎動物生物學的學生（McManus, 1996）。不過，Higgins 顯然更重視質化的詮釋，在研究中針對被觀察與受訪的觀眾有更多的深入詮釋，他認為對參觀者進行一系列觀察與訪談觀眾對於博物館展出物件所發表的評論，可能會產生更多有價值的訊息。

博物館疲勞是博物館實務界已熟知的理論。Gilman（1916）在其研究中，以一系列 30 張的照片展示博物館觀眾在伸展、蹲下、爬上梯子，來說明為何展示會導致博物館疲勞，這項研究是自然主義的研究經典。透過對觀眾的觀察，Gilman 認為博物館不當的展示設計會引起觀眾的身體疲勞感受。有趣的是，這些照片內的觀眾是依照 Gilman 的指示，在不同的展品前擺出各

種觀看的姿勢，努力嘗試從展品中得到所需要的訊息。Gilman 指出博物館的展示設計不良是造成觀眾參觀博物館所產生身體疲勞的主因（1916）。在 Gilman 的定義下，博物館疲勞純粹來自觀看不良的姿態所產生的身體疲勞感受。不過，當代研究中，已進一步理解博物館疲勞不僅來自身體的疲憊，同時也來自心理層面。如 Bitgood（2009）對於觀眾博物館疲勞的觀點，認為是觀眾進到館內參觀幾小時之後所產生的身體與精神上的疲勞，觀眾感受到心力交瘁的狀態稱之。其他學者也印證了與 Bitgood 的說法，指當觀眾參觀博物館時，所產生的身體與精神的疲乏現象。Bitgood（2009）指出，博物館疲勞對於觀眾而言，是參觀博物館展示過程中隨著時間的增加，而產生的生理與精神上的疲憊。不過，對於博物館研究人員而言，則有不同意義。Bitgood 認為博物館疲勞包含了二項可觀察的結果：一是在觀看展品時關注程度或興趣持續減低的情形；二是隨著關注度的降低、生理與精神疲憊增加的程度。這些現象包含了生理與精神疲憊、展品滿意度、關注展品的時間長短與更為精選所參觀的物件等。他認為博物館疲勞應該被定義在可操作的二項因素，一是因果與促發因素（觀看量）和觀眾實際產生的結果上（隨著時間的增加而降低的注意力）。不過，觀眾注意力下降可能來自一個以上的原因，除博物館疲勞，關注度的降低亦可能如是 Gilman 所言是因為設計不當所引起，研究人員必須謹慎區別（Bitgood, 2009: 124; Gilman, 1916；鄭淑文、許家瑋、林詠能，2018）。

不同於 Gilman 的博物館疲勞定義中，僅描述因參觀所產生的身體疲勞，Robinson（1928）與 Melton（1933; 1935），在研究中進一步檢視博物館疲勞與觀眾參觀行為間的關係。這二位學者進一步提出吸引力（attracting power）及持續力（holding power）的觀察內容；從觀眾在館內的參觀動線與其停留時間，以計算展品吸引觀看的人數（吸引力）與那些展品吸引停留時間最長（持續力）。這些研究對博物館疲勞現象仍有盲點，至今仍舊吸引許多研究者的投入（Bitgood, 2009）。以往的研究方法多採觀察法，用以測量博物館疲勞、吸引力、持續力，這些傳統研究仰賴大量人力與時間，但在數位時代，隨著數位科技的進步如 Beacon 低功率藍芽發射器的開發，提供了博物館學者許多精準數據。而透過行動載具的大數據，亦可以獲得精準的博物館疲勞產生的時間、觀眾的參觀動線、吸引力與持續力等重要資訊，提供對於舊理論的新看法。

另一個著名的觀眾行為研究，則是 Melton（1933）所提出的右轉傾向。Melton 在其研究指出，觀眾進入博物館時會產生明顯的右轉傾向，約有 7 至 8 成的觀眾進入博物館會轉向右邊。右轉傾向的行為也已被許多博物館研究印證，且亦可見於其他型態的公共場所的遊客行為當中。不過，也有許多的研究指出觀眾並非總是向右轉，如 Bitgood 與 Dukes（2006）等，在近百年博物館學研究中，對於這個議題仍有許多不同意見。

對於右轉傾向有深入研究的美國學者 Bitgood 在其多年的推論補充了 Melton（1935）的研究深度，Bitgood（1995）發現觀眾右轉傾向似乎有層次性（鄭淑文、許家瑋、林詠能，2018）。

其推論層次如下：

（一）目標導向循環：若觀眾心中有特定觀看的目標，將對轉向的選擇有最強的作用。

（二）明星級展品：影響觀眾決策的第二個重要因素是大型或明星級展品。

（三）敞開大門的吸引力：Melton（1933）發現，若沒有上述二個因素，敞開的大門或出口具有相當大的吸引力，即產生出口傾向。研究發現觀眾大部分會從所遇見的第一個開放出口走出展區。

（四）慣性：在沒有任何以上的因素影響下，觀眾會選擇往相同的方向行走。

（五）右轉傾向：若沒有上述的任何力量，觀眾進入展區時會轉向右邊。（1995: 5）

博物館觀眾研究因認知心理學的抬頭，研究的取徑也有了改變，更加關注觀眾心理層面的議題。如美國博物館學者 Hood（1983）在俄亥俄州的 Toledo 市，以問卷調查進行了民眾的休閒選擇動機，並檢視不同動機與觀眾參觀行為間的相互關係。Hood 採用了一般民眾的調查，以了解民眾選擇休閒的動機與為何。Hood 回顧前 60 年間相關博物館觀眾研究與社會學、心理學、消費者行為等領域，並挑出 6 項一般民眾選擇休閒活動的動機：社交互動、做值得做的事、在環境中能輕鬆自處、帶來新經驗的挑戰、學習、與主動參與機會（1983: 51）

Hood 認為傳統將觀眾區分為參與者與非參與者並不完全符合實際的情況，他依觀眾的參觀頻率分成三個族群：經常觀眾（每年至少參觀博物館 3 次以上

者）、偶發觀眾（每年參觀 1 至 2 次）與非觀眾（調查前 1 年內未曾參觀博物館者）。Hood 發現經常觀眾佔 Toledo 人口的 14%，但卻佔市立美術館參觀人次的 45% 到 50%。偶發觀眾佔全市人口的 40%，在市立美術館的參觀人次也約佔 5 成。Hood 發現經常觀眾重視學習、新經驗的挑戰與做值得做的事。偶發觀眾與非觀眾較為接近，重視社交、環境中能輕鬆的自處與主動參與。Hood 認為傳統博物館將重點放在教育和學習，這忽略了以社交、休閒取向的觀眾的需求，將造成偶發與非觀眾參觀上的阻礙（1983）。另一位英國學者 Slater（2007）也曾針對國家藝廊的觀眾進行動機研究，並得到逃離、學習與社交與家庭互動等三個觀眾參觀的動機。從 Hood 與 Slater 的研究中顯示，當代觀眾參觀博物館所追求的，顯然是可滿足多重動機的博物館經驗（林詠能，2013）。

表 7-1　傳統博物館觀眾研究主要文獻

年代	研究者	內容
1884	Higgins	將參觀者區隔為不同觀眾群
1916	Gilman	提出博物館疲勞理論
1928 1935	Robinson Melton	研究吸引力與持續力
1933	Melton	發現右轉傾向、出口傾向
1983	Hood	發現六項動機，且應將觀眾區分為經常、偶發、非觀眾三類
2007	Slater	建構逃離、學習、社交與家庭互動等三個觀動機

（資料來源：作者整理）

數位時代的博物館觀眾研究

近年來數位科技進展迅速，人們的生活與科技產品息息相關，手機、平板、手提電腦等行動載具充斥在人們的生活當中。網路的普及，大量的知識、訊息存在網路空間，提供了人們娛樂、生活、學習等更多的需求。依據國家發展委員會 108 年個人家戶數位機會調查報告中，台灣 12 歲以上民眾的資訊近用情形顯示，民眾使用任一項行動設備上網比率從 2010 年的53.0% 逐年提高，至 2019 年已達 98%，顯示我國民眾極為仰賴數位科技。同一份報告亦顯示民眾使用即時通訊與社群軟體約為 95.9%、使用網路電話為89.8%、線上影音有 87.1%，線上購物比率則達到 64.2%（國家發展委員會，

2019）。民眾在網路上的任何瀏覽行為，留下了大量的數位足跡，這些大量的數據提供學者研究較大範圍的民眾行為之可能，也為博物館觀眾行為研究帶來契機。

線上的觀眾行為研究自 1990 年代中期興起。網際網路在美國商業化之後，博物館開始建立自身的網站、將館藏上網供一般社會大眾瀏覽。網路普及，線上觀眾的行為自然成為學者關注的焦點之一。Dierking 與 Falk（1998）研究中指出，在 1997 年底，使用 USA Weekend 網站，大約可搜尋到 8 千個博物館網頁，這意味著社會大眾可以很容易的瀏覽博物館網站與線上收藏。不過研究者對這些網路使用者的期望、興趣與瀏覽的行為的理解仍相當有限。當時線上觀眾行為的研究，仍處於起步階段，如關注網頁設計是否方便觀眾使用或網站導覽是否清晰等。Dierking 與 Falk 建議，研究線上觀眾可以從大量的傳統觀眾研究成果中得到一些方向（1998）。2010 年起隨著無線射頻辨識技術（Radio Frequency Identification, RFID）與 2013 年 Beacon 低功率藍裝置的推出，提供觀眾行為研究更多的可能性；如 Strohmaier 等人在 2015 年展示如何以觀眾的參觀動線視覺化研究，來強化觀眾在館內的觀展經驗。Strohmaier 等人在 "Heart over Heels" 的動手作展覽中，在其中 17 個設置有 RFID 閱讀器來記錄觀眾的資料與互動的展示內容，並據以產生吸引力與持續力的熱圖與觀眾參觀路徑等，依據這些圖示化的數據資料，策展人員可以做為展覽規劃的依據，強化觀眾經驗（Strohmaier, Sprung, Nischelwitzer and Schadenbauer, 2015）。

近年來觀眾研究有了快速進展，數位時代多了許多可供研究人員使用且免費的分析工具。如總體層次的文化統計、Google Trend 等，可做為觀察總體環境的發展趨勢；或做為機構個體層次分析的 Google Analytics、RFID、Beacon 低功率藍裝置、光學雷達（Light Detection and Ranging, LiDAR）與人臉辨識系統等，這些可用來檢視參觀路徑、留滯、互動、情緒等感測與分析等，使觀眾研究更為多元。惟受限於篇幅，本文僅針對博物館較少使用的政府文化統計、Google Trend、Google Analytics、與行動載具 APP 的觀眾數據分析進行探討。

一、總體層次的文化統計

文化統計乃針對各國有形與無形的文化表現形式，進行相關資料的收

集、分析、詮釋，以提供一個國家總體的文化發展現況。對政府而言，文化統計展現了過去的文化施政成果、現今資源分配情形與未來政策的依據。文化統計對博物館學者而言，可做為分析整體博物館參觀的重要資訊，並提供國際博物館發展的比較依據（文化部，2020）。我國文化統計最早出現於 1979 年行政院主計處的「社會指標統計年報」中的「文化與休閒」篇。在 1992 年，文化部的前身文建會首度出版「八十一年文化統計」；自 2000 年起，年度文化統計相關數據已可在文化統計網站中查閱與下載。雖然文化統計隨手可得，但卻極少博物館研究針對文化統計的博物館數據資訊進行分析或詮釋，顯示我國的研究仍關注在機構的個體層次上，缺乏對總體環境的觀察。

從文化統計的數據可看到，隨著社會進步，民眾對休閒活動的需求逐漸增加，近年來博物館參觀的人數亦有大幅成長的趨勢。依文化部 2020 年文化的統計資料，我國 15 歲以上的民眾博物館參與率相當高，2019 / 20 年度參觀博物館一次以上（指在調查年度期間去過博物館）的比例為 46.5%、約 1,070 萬人造訪博物館。而民眾每年平均參觀博物館 1.3 次，年度總參觀人次接近 3,000 萬人次，顯示博物館參與已是我國民眾重要的文化生活，這也彰顯了博物館服務公眾的程度（文化部，2020）。若以過去五年來看台灣的博物館參與趨勢，2015 / 16 年度參與率為 40.9%，同時逐年成長至 2018 / 19 的 49%；而 2019 / 20 年因受到新冠疫情的影響，下滑至 46.5%，表 7-2。

表 7-2　我國博物館參與比率 2015-2020（%）

	2015/16	2016/17	2017/18	2018/19	2019/20
參與比率	40.9	43.9	47.9	49.0	46.5

（資料來源：文化部，2020）

各國的典型博物館核心觀眾以女性、擁有較高社會經濟地位的群眾為主，文化統計也印證了這個情形。表 7-3 呈現了國內不同族群的博物館參與情形，其中女性的參與比率為 48.1%，高於男性的 44.8%；在年齡層方面，50 歲以下的各個年齡層參與比例差異不大，但從 50 歲開始，年齡越高，參觀的比率則越低，顯示博物館高齡觀眾的服務，仍有進步的空間。統計顯示 50 到 59 歲的民眾參與比率為 43.4%、60 到 64 歲降至 38.8%，65 歲及以上參與

比率最低、僅達 30.5%。在族群方面，原住民族群參與率為 35%、遠低於其他族群。東部及其他離島地區的博物館參與率僅 38.7 %，落後其他區域，顯示政府應該更挹注資源在弱勢族群與地區，以提升博物館的近用程度與文化平權。

表 7-3　2019/20 不同群眾博物館參與情形（%）

變項	參與比率	變項	參與比率
性別		年齡	
男性	44.8	15-19	48.7
女性	48.1	20-29	52.7
教育		30-39	51.9
小學及以下	15.9	40-49	56.5
國（初）中	24.3	50-59	43.4
高中（職）	34.9	60-64	38.8
專科／大學	54.5	65 歲及以上	30.5
研究所以上	67.7	族群	
地區		閩南	47.2
北部	46.1	外省	43.4
中部	46.9	客家人	43.5
南部	47.6	原住民	35.0
東部及其他	38.7	新住民 *	57.5

＊新住民參與比率失真，係受樣本數（69 人）過少之影響
（資料來源：文化部，2020）

二、Google Trend 趨勢分析

自 2000 年以來，全球數位科技發展迅速，網路成為多數民眾生活的必備條件，在人們工作與生活中已不可或缺。當人們上網時，隨著瀏覽與消費而留下的數位足跡，產生了大量的數據資料，為學術研究提供了方便的研究素材。博物館如何掌握這些大數據（big data）已成為當今研究的重要課題。

大數據有容量大、更新速度快、多樣性高、數據具有真實性與價值等重要特徵。網路上的大數據來源多元，累積速度快，且多為非對稱、非結構化，這些大數據以傳統統計軟體無法處理（Gandomi and Haider, 2015）。學者 Hilbert 提出大數據的五項特徵：（一）大數據隨處可見，其低成本的特

色為研究者提供許多機會，且大數據不需事前解釋，通常採事後分析。（二）學術研究多採隨機抽樣，不過網絡世界的數據，幾乎是母群體的資料，無需抽樣，其誤差相當小。（三）大數據可以獲得最即時的數據訊息。（四）混亂且不完整數據足跡，可透過整合而得到更為完整的資料。（五）大數據日益成長，將有助於未來運用在人工智慧決策的使用（Hilbert, 2016）。這些特色在在顯示大數據研究產生的價值，博物館如能善用這些數據，可觀察到現今最熱門的討論趨勢。

大數據分析有許多免費的工具可供使用，如 Google 在 2006 年推出的 Google Trend（Google 趨勢）。Google Trend 提供了 Google 搜尋引擎在特定時間於全球或國家被搜尋的關鍵字情形，這些數據可做為了解博物館各種事件的趨勢與發展。透過 Google Trend 搜尋針對不同地區、不同時間的關鍵字搜尋博物館相關鍵字並予比較，研究的價值相當高。

本文以 Google Trend 分析新冠疫情期間的博物館、虛擬博物館、線上博物館、科博館的關鍵字搜尋情形，以了解台灣民眾搜尋博物館相關鍵字的消長；線上展覽關鍵字並未被使用的原因是搜尋量太低、無法呈現。以 2020 年 1 月 1 日至 2021 年 6 月 15 日為取樣時間，透過上述四個關鍵字組合探索疫情期間的搜尋行為。圖 7-1 顯示，新冠疫情期間，博物館與科博物館的關鍵字的搜尋趨勢相當類似。如 2020 年 6 月下旬暑假開始的搜尋量為最高；但在疫情最嚴重時為例，不論是 2020 年 3 月中下旬或 2021 年 5 月中旬，因博物館閉館或強化社交距離，二段時間搜尋量在二個年度都是最低點，顯示當無法前往參觀博物館時，民眾即減少搜尋博物館的相關資訊。

博物館從業人員希望疫情下可以虛擬博物館或線上展示方式吸引觀眾，但虛擬博物館或線上博物館的搜尋量極低，其效果似乎不彰，這項結果值得博物館思考。若從消費者決策模型：產生動機、資訊搜尋、事前評估、消費、消費後評估等五個步驟來看，上述的數據結果顯示，博物館網站對多數民眾而言，是決策的第二個資訊搜尋環節，提供民眾是否參觀博物館的依據，而非第四個消費環節（陳思妤、許家瑋、陳諾、陳映廷、林詠能，2020）；國立海洋科技的研究也印證本項論點，其官網被瀏覽的高峰，絕大多數出現在參觀人次高峰的前 1、2 天，顯示瀏覽係資訊搜尋的行為（陳素芬、宋祚忠，2021）。

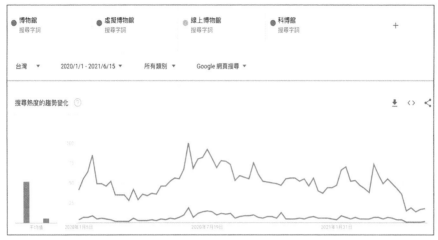

圖 7-1　新冠疫情期間台灣博物館相關關鍵字搜尋情形

　　為了印證以上的假設，再以 virtual museum 與線上教育 Coursera 查閱 Google Trend 全球搜尋量進行比較。圖 7-2 顯示，以 virtual museum 關鍵字搜尋，在 2020 年 3 月間疫情最嚴峻時，virtual museum 僅有短暫成長一段時間之後即迅速下滑。但 Coursera 在疫情爆發之後，搜尋量迅速提升，在各國封城期間，其搜尋量持續了一段相當長的時間。結果顯示，當封城民眾無參觀博物館時，即使博物館推出許多線上展覽或虛擬博物館的服務，仍無法刺激民眾的需求。但對於長時間在家的民眾而言，尋求合適的學習資源則有相當大的需求。我們似乎可以推論，博物館推出好的線上學習資源將會比線上展覽或虛擬博物館更容易滿民眾的需求，才有可能將民眾的消費決策從

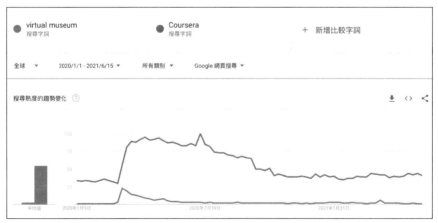

圖 7-2　新冠疫情期間全球 virtual museum 與 Coursera 搜尋情形

第二個資訊搜尋環節，轉移至第四個消費環節。使用 Google Trend，可以檢視我們對於博物館特定議題的假設是否成立，且可以迅速回應這些議題。

三、使用 Google Analytics 了解觀眾

以往博物館觀眾研究的量化取徑中，常以問卷調查做為研究工具，透過發放問卷給觀眾填寫後以統計軟體予以分析，以呈現數量化的數據結果。這些統計結果，多數為觀眾的態度，如觀眾表達會再度造訪博物館，僅表示觀眾有正向的態度、傾向未來再次到訪博物館，而非真正再次前來。但觀眾在網路上瀏覽博物館的網站，如再次造訪網站，則是真正的行為而非態度；透過數位足跡所做的分析，具有很高的學術與實務價值。在分析數位足跡的工具上，Google 所提供的 Google Analytics 是做為分析博物館網站的最佳工具之一，因為 Google 搜尋引擎是全球與台灣最常被使用的搜尋引擎。

Google Analytics 是 Google 在 2005 年推出的網站流量統計的服務，其簡單、容易操作的介面與豐富的圖形報表，是網際網路分析上最被廣泛使用的服務。博物館只要在官方網站上植入追蹤代碼（tracking code），一段時間後即可產生瀏覽網站的觀眾所留下的數位足跡等數據，研究者可據以分析觀眾在網站上的各種行為。透過 Google Analytics 可獲得觀眾使用官方網站的資料，包含來源、使用者、使用的裝置與造訪路徑等。Google Analytics 所提供每一份的資料中，均由維度（dimension）與指標（metric）組成。維度是資料的屬性，可用於訪客分類與特徵描述，如訪客來自那個地區、使用的裝置類別等。指標是量化的測量方式，工作階段、平均停留時間等。一份報表至少由一個維度與指標所組成（Alhlou, Asif and Fettman, 2016）。

本文以教育部智慧博物館計畫專案辦公室的部落格網站（專辦部落格）為分析案例。專辦部落格提供教育部所轄 10 所國立社教機構計畫參與人員內部參考之相關科技資訊。本次分析的數據收集時間為 2019 年 1 月 1 日至 2020 年 12 月 31 日期間。

專辦部落格總體績效，如表 7-4 所示，在 2 年的總瀏覽量約 40,425 次，不重複瀏覽量為 33,547 次，網站活躍率為 82.99%。在性別方面則相當平均，其中男性為 50.6%、女性 49.4%。訪客的年齡層以 19 至 44 歲為主要的客群，其中以 25 至 34 歲最高達 35.11%。雖然網站以計畫館所為主，也未進行宣傳，但除了 84% 的國內訪客，亦有 16% 訪客來自海外，主要來自香港、美國與

中國大陸地區。透過 Google 等搜尋引擎導入網站的訪客佔 75.9%、其次為直接點擊網站的 16.5%。在訪客的比例上，新訪客 88.19%，大幅超過舊訪客。

表 7-4　教育部智慧博物館部落格總體關鍵績效指標比較表

維度	次維度	智博部落格
總瀏覽量	—	40,425
不重複瀏覽量	—	33,547
活躍率	—	82.99%
性別		
	男性	50.6%
	女性	49.4%
年齡		
	18-24 歲	21.55%
	25-34 歲	35.11%
	35-44 歲	20.96%
	45-54 歲	12.74%
	55-64 歲	6.31%
	65 歲以上	3.33%
國家 / 地區		
	台灣	83.97%
	香港	6.98%
	美國	3.48%
	中國大陸	1.00%
管道來源		
	Organic Search	75.9%
	Direct	16.5%
	Social	4.7%
	Referral	2.8%
訪客比例		
	新訪客	88.19%
	舊訪客	11.81%

（資料來源：作者整理）

　　從圖 7-3 可看到智博專辦網站的訪客瀏覽行為。在 1.8 萬個工作階段（指一個觀眾與網站的互動如瀏覽、點擊等行為，系統預設為 30 分鐘；透過工作階段可了解使用者跳出率或平均使用時間等，可做為研究分析使用），

有 1.6 萬人次只看了一則文章後即離開網站。在第二階段的 2202 個工作階段中，另有 794 人次流失。透過這些資訊，我們可以了解到網站訪客的不同瀏覽行為。除了來源的維度，我們可另選擇媒介、事件動作、活動標籤、到達網站等多個維度來做研究，可以對訪客行為進行更深入的探討。

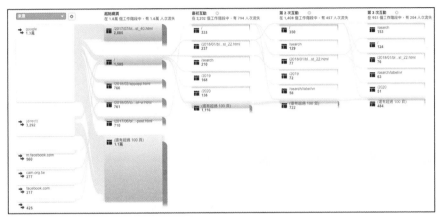

圖 7-3　智慧博物館專辦部落格網站訪客的瀏覽行為（資料來源：作者整理）

四、運用行動載具數據建構觀眾行為

　　以往博物館運用科技的考量，因科技產品通常建置經費用可觀、後續維護不但金額龐大，加上傳統博物館人多不熟悉數位科技，博物館對於科技導入，往往較為保留。但隨著近年數位科技的進步與個人行動載具的成熟，加上許多傳輸與接收技術的大幅進步，提供博物館應用上的機會。目前有許多的科技設備裝置費用已大幅降低，讓博物館可用較低的建置成本導入這些裝置，同時可將展示內容傳輸至觀眾個人的行動載具或平板，提供方便與客製化的個人觀展經驗。博物館亦可將這些個人行動載具所收集到的數據資料予分析，也有助於博物館對於觀眾行為的進一步理解。

　　個人行動載具發展帶來巨大的變化，大幅影響著世界民眾的日常生活，且超乎想像。以導入博物館場域的低功率藍芽發射裝置為例，這項技術相當成熟，提供了大型建築或室內空間等室內導航與導覽功能，這項技術應用了 Apple 在 2013 年底發表的 iBeacon 技術。Beacon 是低功率藍芽訊號發射器，最早是為了行動載具能在零售業使用做為支付的工具、並提供商場內的定位功能。低功率藍芽傳輸設備可透過藍芽傳輸訊號，提供定位，其接

受範圍可達數 10 公尺，對於大型博物館而言，對進館觀眾可有很大引導作用。而透過 Beacon 蒐集到的大數據資料，可進行觀眾行為分析，了解觀眾在館內參觀動線、停留時間、觀看的訊息等。以行動載具所蒐集的參觀行為數據進行資料分析的意義在於，以往觀眾調查多以問卷或參與觀察收集到觀眾參觀資料，但以行動載具的資料則是觀眾真正的行為而非態度，可提供更為精準與細緻的參觀訊息。對於進一步理解博物館觀眾的參觀行為，具有極重要的價值。

我們以國立臺灣科學教育館「科教館行動導覽 APP」後端蒐集到的觀眾數據分析為例進行說明。這項參與計畫的觀眾都被事前告知其參與資訊均會被記錄且會被用來分析，但會採去識別化的方式進行。因 Beacon 低廉的價格與主動推播的功能，可為觀眾服務帶來助益，透過這些數據，將有助於將觀眾參觀行為模型化，提供其他博物館在觀眾研究或服務上的運用。下表顯示了 APP 所收集到參與本次研究的觀眾特質，其中女性為 52.56%，使用者的年齡則以 35 至 44 歲的觀眾為主（36.11），其次是 25 至 34 歲佔 16.67%（林詠能等，2016）。

表 7-5　使用科教館行動導覽的觀眾特質

變項	%
性別	
女性	52.56
男性	47.44
年齡	
15 歲以下	9.72
15-19 歲	12.50
20-24 歲	11.11
25-34 歲	16.67
35-44 歲	36.11
45-54 歲	11.11
55-64 歲	2.78
65 歲以上	0

（資料來源：林詠能等，2016）

接著以科教館觀眾使用行動導覽 APP 所記錄的數據資料，展現觀眾在館內參觀過程的博物館疲勞、動線、方向、吸引力與持續力等數據資訊。

圖 7-4 展示了觀眾在科教館 5 樓使用 APP 導覽的參觀原始路徑圖。本次記錄了觀眾人數共 71 人、112 條路徑；在未經整理的圖片路徑中，僅大約看出右上與中間下方的路線重疊比率較高，但無法判斷觀眾的正確流動方向與觀看展品的情形為何，需要進一步的分析（林詠能等，2016）。

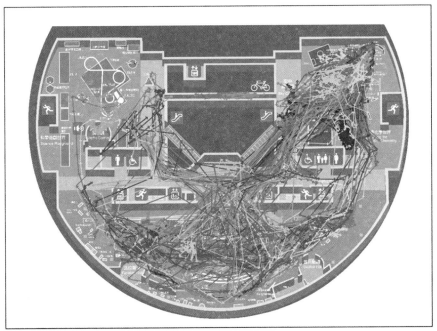

圖 7-4　科教館五樓觀眾參觀原始路徑圖（資料來源：林詠能等，2016）

　　科教館 5 樓觀眾資料經過整理後，顯示參觀人次熱圖，圖 7-5，從這張圖已可判斷每個展區與展示物件的吸引力與持續力。研究以每 6 秒記錄一次五樓觀眾參觀的路徑資料，透過經緯度分析、歸類後，顏色越紅的區域代表觀眾停留的越多、時間越長，即吸引力與持續力越高。下圖右上方較為密集的區域為電梯上樓的位置，為觀眾觀看的展品數量較多、停留時間也較長的地區。經過簡化後的圖示顯示，觀眾剛開始參觀時，觀眾停留的時間較長，越接近展場後方，觀眾停留時間則大幅縮短，顯示已產生疲勞。經計算觀眾開始 APP 的平均時間為 40 分鐘，顯示多數觀眾在 40 分鐘後即產生博物館疲勞現象而關閉 APP（林詠能等，2016；鄭淑文、許家瑋、林詠能，2018）。

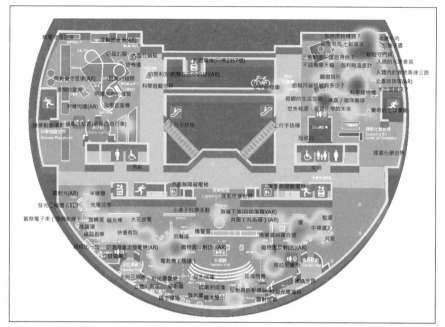

圖 7-5 科教館五樓觀眾參觀人次熱圖（資料來源：林詠能等，2016）

　　圖 7-6 則顯示了觀眾的參觀動線、方向與觀眾在何處開啟 APP。圖片中紅色線條的粗細代表觀眾行走的次數，線條越粗代表越多觀眾走過；箭頭指示方向則代表觀眾的方向，透過這些訊息可以看到觀眾行走的主要動線。透過計算觀眾在 5 樓開啟行動導覽 APP 起點，則可得到何處是觀眾開啟 APP 的熱點，下圖顯示手扶梯一上來的 A 點開啟 APP 的比例最高，其次是 M、B、E 與 F 點。

　　以往我們想了解博物館疲勞、觀眾行走動線、吸引力與持續力的訊息，必須透過追蹤觀察才能獲得；現今透過觀眾的行動載具所蒐集到的數據即可產生有效的結果，且所花費的資源更少、資訊更為精準。

五、數位時代的觀眾研究策略

　　上述的 4 種方法中，文化統計與 Google Trend 為總體層次分析工具，文化統計可觀察全國民眾的實體博物館參觀行為，展現博物館服務社會大眾的程度；Google Trend 則呈現全球、國家或區域民眾網路搜尋博物館關鍵字的情形，顯示特定時間的資訊蒐集比率高低。這二項研究工具以往較少受到研究學者的關注，能有效補充個體（機構）層次無法獲得的觀眾行為資訊。

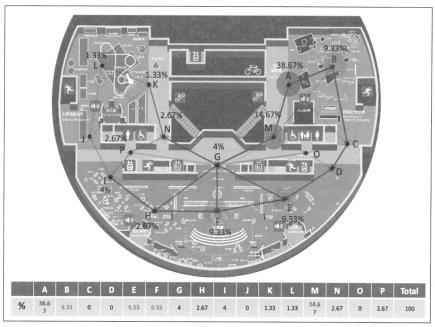

	A	B	C	D	E	F	G	H	I	J	K	L	M	N	O	P	Total
%	38.67	9.33	0	0	9.33	9.33	4	2.67	4	0	1.33	1.33	14.67	2.67	0	2.67	100

圖 7-6　科教館五樓觀眾使用 App 起點（資料來源：林詠能等，2016）

　　Google Analytics 與行動載具的數據分析則運用在個體層次的研究。Google Analytics 分析觀眾在博物館網站的瀏覽情形，可觀察觀眾如何使用網站訊息，同時提供線上物件或訊息的吸引力與持續力數據。行動載具收集到的數據，則可分析觀眾在實體博物館的參觀路線、吸引力、持續力與博物館疲勞現象等，亦可印證傳統觀眾研究的假設是否成立。若能結合數位與傳統觀眾行為的研究工具，能提供更為細緻的資訊，進一步提升對觀眾行為的理解，表 7-6。

　　結合傳統的博物館觀眾研究策略與數位時代的分析工具，可讓我們更了解觀眾在實體與虛擬世界的行為。而科技的進步日新月異，不斷產生新

表 7-6　四種研究工具比較

	型態	樣本	層次
文化統計	實體參觀行為	抽樣	總體
Google Trend	線上搜尋行為	母群體	總體
Google Analytics	網站瀏覽行為	母群體	個體（機構）
行動載具數據	實體參觀行為	母群體	個體（機構）

（資料來源：作者整理）

的可能，如人臉辨識系統等感測與分析工具，則可做為了解觀眾情緒反應的研究，是未來可以發展的方向。此外，數位時代所進行的觀眾研究，需注意研究倫理；如獲取觀眾的參觀行為與個人資料時，必須對每位觀眾的個資採取嚴格的保護措施，除事先必須獲得每位觀眾的同意，也須將可辨識的個資予以去識別化後，方能進行分析與研究。

結論

100 多年來包含不同領域的學者投入博物館觀眾的行為研究，不但帶動觀眾研究的發展，也讓我們更為了解博物館的觀眾樣態。從早期的觀眾研究中所採取的觀察、訪談到量化問卷調查中，我們驚訝的發現博物館觀眾的特質與參觀行為模式相當接近，最大的差異則是使用了更為多元、複雜的研究工具。博物館可在這些研究基礎上，提供觀眾更好的服務。

近年數位科技與行動載的發展日新月異，網際網路與手機在人們的生活中佔有重要的地位；這些科技背後所累積的大量數據，也提供了新的取徑。民眾使用各種數位工具所留下的數位足跡，提供新的研究可能。以量化研究為例，以往測量的是民眾對特定議題的看法與態度，而大數據背後，則是母群體的真正行為。

本文回顧了過去 100 多年來的觀眾研究，從傳統觀眾行為的研究取徑，到數位時代以數據為主的研究工具。數位時代有許多既存的資料可供觀眾行為研究使用，這些資訊包含了文化統計、Google Trend、Google Analytics、與行動載具數據，均提供研究的另一種可能樣貌。不過，我們必須了解透過網際網路或行動載具的數據研究，只是多元的研究工具的一環，傳統的質性觀察、深度訪談與量化的問卷調查等，仍有不可取任的價值，唯有整合多元的研究策略才得以更全面的了解博物館觀眾，並提供更好的服務。

數位時代的發展相當迅速，對於博物館觀眾行為研究，有更多的選擇。在未來的研究發展上，可依據現有的觀眾研究基礎，融合不同的研究工具，從了解觀眾的行為、態度，可更細緻的區隔不同觀眾群體與其行為。透過這些數據，可預測觀眾在實體博物館參觀與線上瀏覽的行為，將可進一步提升觀眾滿意度與博物館資源的使用效率。

文化部，2020。2020 文化統計。新北市：文化部。

林詠能，2013。臺北市立美術館觀眾參觀動機研究。博物館與文化，6：167-189。

林詠能等，2016。教育部資訊及科技教育司 105 年度大學以社教機構為基地之數位人文計畫 - 融入使用者體驗的觀眾研究與遊戲化互動設計思考脈絡期末報告。未出版。

國家發展委員會，2019。108 年個人家戶數位機會調查報告。臺北市：國家發展委員會。

陳思妤、許家瑋、陳諾、陳映廷、林詠能，2020。新冠肺炎疫情對臺灣民眾參觀博物館決策之影響。博物館與文化，20：3-37。

陳素芬、宋祚忠，2021。蛻變中的國立海洋科技博物館：從博物館的智慧服務、數位學習與智能管理談起。博物館簡訊，96：6-11。

鄭淑文、許家瑋、林詠能，2018。數位時代下的博物館觀眾經驗。博物館與文化，15：31-51。

Alhlou, F. Asif, S. & Fettman, E., 2016。Google Analytics breakthrough: From zero to business impact. John Wiley & Sons.

Bitgood, S., 1995. Visitor circulation: Is there really a right-turn bias? Visitor Behavior, 10(1), 5.

Bitgood, S., & Dukes, S., 2006. Not another step! Economy of movement and pedestrian choice point behavior. Environment and Behavior, 38(3): 394-405.

Bitgood, S., 2009. Museum fatigue: A new look at an old problem. Informal Learning Review, July-August Issue, pp. 18- 22.

Dierking, L. & Falk, J., 1998. Understanding the museum experience: A review of visitor research and its applicability to museum web sites. Museums and the Web 1998 Conference Proceedings.

Gandomi, A. & Haider, M., 2015. Beyond the hype: Big data concepts, methods, and analytics. International Journal of Information Management, 35(2): 137-144.

Gilman, B.I., 1916. Museum fatigue. The Scientific Monthly, 2(1): 62-74.

Hein, G.E., 1997. The maze and the web: Implications of constructivist theory for visitor studies. Visitor Studies Association Keynote Speech.

Higgins, H.H., 1884. Museums of natural history. Transactions of the Literary and Philosophical Society of Liverpool.

Hilbert, M., 2016. Big data for development: A review of promises and challenges. Development Policy Review, 34(1): 135-174.

Hood, M.G., 1983. Staying away: Why people choose not to visit museums. Museum News: 50-57.

McManus, P.M. 1996.Museum and visitor studies today. Visitor Studies, 8(1): 1-12.

Melton, A. W., 1933. Studies of installation at the Pennsylvania Museum of Art. Museum News, 10(15): 5-8.

Melton, A. W., 1935. Problems of installation in museums of art Museum. Washington, DC: American Association of Museums Monograph New Series 14.

Robinson, E. S., 1928. The behavior of the museum visitor. Washington, DC: American Association of Museums.

Slater, A., 2007. Escaping to the gallery: Understanding the motivations of visitors to galleries. International Journal of Nonprofit and Voluntary Sector Marketing, 12: 149-162.

Strohmaier, R., Sprung, G., Nischelwitzer, A. & Schadenbauer, S., 2015. Using visitor-flow visualization to improve visitor experience in museums and exhibitions. Museums and the Web 2015 Conference Proceedings.

打造智慧觀光博物館園區──
以國立海洋科技博物館為例

宋祚忠

前言

　　國立海洋科技博物館（以下簡稱海科館）位於基隆的八斗子地區，是世界上第一個由火力發電廠整建而成的國家級博物館，擁有海洋科學科技展示館、海洋劇場、區域探索館等各藝術建築群以及潮境公園與高地公園等山海戶外遊憩區，主題館所在位置是於 1937 年日治時代開始建置並於 1939 年完工的北部火力發電所，續由國民政府於 1953-1955 年擴建，使發電容量增為 7.8 萬瓩。電廠於 1965 年改名北部火力發電廠，於 1983 年除役，並於 2004 年 3 月 1 日由基隆市政府公告為市定歷史建築。隨著海科館於 2014 年 1 月 26 日正式開館，從日治時期（1939-1945 年）到國民政府時期（1946-1983 年）的 44 年期間擔負臺灣工業化重要基礎電力設施，穩定臺灣供電需求重要推手的「北部火力發電廠」，翻然蛻變成為必須肩負「永續海洋」重責大任的「海洋博物館」；從供應人們基礎生活無虞的發電設施，晉升為可以提供人們終身學習的場域（施彤煒、孫寶年及林炳炎，2009；國立海洋科技博物館，2020；陳素芬、宋祚忠，2021；周慧茹，2019）。因此，如何提供不同型態的服務內容給觀眾，是海科館必須面對的重要課題。

一、海科館場地特性造就不同面向的博物館觀眾服務需求

　　自開幕之初，海科館即以提供觀眾優良的環境，讓遊客能帶著良好的參觀經驗離開為主要目標。就基地特性而言，海科館除了以室內展示為主的海洋科學與科技展示館之外，戶外場域涵括土地面積更達 125 公頃，周圍銜接八斗子漁港、長潭里漁港以及望海巷漁港等三座大小不等之漁港，圖 8-1。

　　這種坐擁山海基地特性，且同時設有海科館站及八斗子站等兩座火車站的博物館實屬特殊（陳素芬、宋祚忠，2021）。

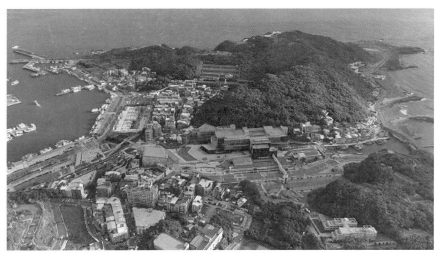

圖 8-1　國立海洋科技博物館基地由南朝北之空拍照片（圖片來源／宋祚忠、張沂群）

二、引入現代科技滿足博物館管理需求

　　前教育部部長吳京教授在 1997 年為黃光男館長的著作《博物館行銷策略》所撰寫的序文提到，博物館營運已由傳統運作方式，轉為多元的現代管理方法，且必須將企業管理的觀念帶入博物館並使之運作，才能讓博物館更能面對日益競爭環境的挑戰。黃光男館長更在《博物館企業》一書的自序中明確指出，隨著應用科技的進步，博物館營運不只是資訊傳遞方式之變易，在涉及博物館專業或行銷方式方面亦有更多的觀念在發生變化。如何有效促使博物館的持續發展，有賴企業管理觀念與科技應用思維的挹注。黃光男館長及吳京前部長在當時所謂「多元的現代企業管理方法」的重要技術核心，對照現今可採用之技術而言，包含資通訊科技、行動運算（Mobile Computing）、大數據（Big data）技術、物聯網（Internet of Things, IoT）技術，甚至是結合人工智慧（Artificial Intelligent）與物聯網技術的智慧物聯網（the Artificial IoT, AIoT）、虛擬實境（Virtual Reality）／擴增實境（Argument Reality）沉浸式體驗技術等，在目前第四次工業革命（又稱為工業 4.0）所倡議之智慧工廠中，均扮演重要角色。

　　基於前述原因，引進並運用創新科技打造海科館成為一個最了解觀眾或遊客需求、提供遍佈在海科館全區遊客優良的參觀環境、導覽與導引服務，兼具全齡、友善、便捷、創新與觀光特性之智慧海洋博物館城已刻不容緩。（陳素芬、宋祚忠，2021）

海科館場域特性說明

一、優越的山海景緻與廣闊的基地形成海洋教育與觀光休閒園區

　　海科館基地佔地約 53 公頃，若包含民宅區域的面積，則基地總面積更將接近 125 公頃，幅原廣闊，依山傍海資源豐富，是進行海洋教育與環境教育之絕佳場域。優越的山海景緻，依照資源屬性及主題特色分類，已經規劃並完成建置「海岸地質」、「濱海潮間」、「地景變遷」、「自然生態」、「區域探索」與「容軒園區」等 6 大主題步道，與海科館合體構成「海洋教育與觀光休閒園區」，已成為每逢假日必吸引很多遊客來此尋幽踏青之處所。

二、分散的博物館建築形成「博物館園區」

　　海科館的建築物雖分散，但完全融合於八斗子半島，採用沒有圍牆的設計，與民宅「零距離」，形成「博物館園區」。遊客可藉由步行或搭乘園區接駁車於 1 天內周遊於不同性質場館，觀察體驗海洋科學科技展示、海洋生態展示、風土民情展示，或徜徉於山海景緻之間，進而獲得不同的博物館參觀經驗。

三、真實的遊客需求

　　不同於一般博物館，海科館現場服務人員常遇到遊客的提問種類繁多，舉凡交通、地點、服務、學習等。遊客於戶外山海場域地點指引、交通及停車資訊提供、室內展廳之展項導覽、民生需求資訊的提供等，已成為海科館必須提供之服務項目。

　　實際上，不只遊客需要引導，博物館管理人員亦需要獲得即時資訊以利做出正確的決策。例如：全館各區建築樓層之 5 大管線位置及設備用電分析、展廳內的溫濕度與空氣品質（CO_2）狀況、或展廳內冷氣溫度的設定是否合宜；山海戶外場域的空氣品質（PM2.5）狀況、配合遊客分佈及移動趨勢以便即時提供充足人力、或者潮汐預報等海水水位資訊等，使館方人員能夠即時地、適性地提供資訊或服務給遊客（宋祚忠、張沂群，2019）。

博物館的科技應用探討

　　茲將可運用於博物館管理範疇的資訊科技予以彙整，提供讀者參考。

一、戶外場域服務

　　戶外場域之資訊服務，首推適地性服務（Local-based Services, LBS）。基本上，LBS 是一種參照遊客到處移動的位置特性所提供之適當行動服務，以增加遊客對該服務之滿意度（饒文軒，2009）。張伯青（2005）指出，在應用 LBS 時，最先被提到的問題通常圍繞在如何讓「顧客的定位資訊」幫既有的服務加值。黃凱祥（2018）則提到，LBS 的概念是參考遊客所在的區域位置為基礎來提供相關的服務或應用。因此，如何「定位（Positioning）」遊客的位置就成為 LBS 技術運用的首要工作。目前，LBS 常使用的定位技術，包含全球定位系統（Global Positioning System, GPS）、輔助全球定位系統（Assisted GPS, A-GPS）以及 Cell-ID 定位系統。看到這裡，您可能馬上就會聯想到安裝在個人智慧型手機（Smart phones）或行動裝置（Mobile devices）上的 Google Map 應用程式。基本上，Google Map 應用程式幾乎已可達成「我在哪裡？」、「路線指引」、「周邊熱點（伴手禮商店、美食餐廳）POI」、「交通搭乘資訊」等目標。但是，當遊客身處不熟地域時，除非他已針對遊程做好規劃，對於 Google Map 上之資訊能夠了然於胸，可以依其規劃按部就班完成遊程。否則，一套能夠整合在地資訊，並可以適時適地的提供遊程建議及場域完整資訊給初到博物館遊客之 LBS 系統，仍具必要性！

二、室內定位與引導與導覽

　　隨著資通訊技術（Information Communication Technology, ICT）快速發展，已有許多不同的室內定位技術（Indoor Positioning Technology）被導入車站、賣場、圖書館以及博物館，以滿足對不同客戶型態所需之差異化服務。常見的室內定位技術包含 Wi-Fi、Beacon，以及光通信（Light Fidelity, Li-Fi）等（宋祚忠、張沂群及梁譯，2019）。

(一)Wi-Fi 室內定位技術

　　相對於其他室內定位技術，Wi-Fi 室內定位技術雖較早被討論，但很容易受到環境佈置或是其他訊號之干擾而影響其定位之精確度的情況（林武男，2009）。黃凱祥（2018）則指出，Wi-Fi 基地台設備雖然取得較易，且行動載具常內建 Wi-Fi 連線功能，但若使用於室內定位，則有訊號易受干擾、定位效果與基地台數量及距離有關之缺點。即便如此，仍有博物館場域啟用 Wi-Fi 裝置與基地台作為遊客行為研究之工具。

美國芝加哥藝術學院（The Art Institute of Chicago）為了瞭解訪客在博物館中之參訪動線，利用博物館 Wi-Fi 網路設備中的行動裝置存取紀錄來分析遊客的參訪路線和在畫廊的停留時間。此種應用除了可以讓管理人員快速觀察遊客在博物館建築物之分佈情況，也可作為策展人員規劃或調整展覽參觀動線之參考（American Alliance of Museums, 2017；宋祚忠、張沂群，2019）。

（二）Beacon 室內定位技術

Beacon 技術首次由蘋果公司在 2013 年於 World Wide Developer Conference（WWDC 2013）提出（The WordStream Blog , 2019），是一種以低功率藍牙技術向附近的其他智慧行動裝置發送信號的小型無線發射器。Beacon 的出現，使得以位置為基礎之查詢和互動之需求，能夠更容易達成（宋祚忠等人，2019）。

Beacon 室內定位技術在國內外博物館之應用相當多，最早可以追溯至 2014 年 8 月。英國的國家岩板博物館（The National Slate Museum）是全世界第一所將 Beacon 技術應用至博物館的機構（WalesOnline, 2014）。美國克利夫蘭藝術博物館（The Cleveland Museum of Art）則同樣在 2014 年底啟用了強化版的 ArtLens 應用程式，讓遊客經由 ArtLens 與數位館藏牆互動（The Cleveland Museum of Art, 2014）。在國內部分，2015 年國立臺灣科學教育館成為臺灣首座全面佈建 Beacon 並提供導覽服務館所。自此，國立臺灣史前文化博物館、國立臺灣美術館及國立臺灣歷史博物館也開始導入室內定位技術於導覽服務（鄭淑文、許家瑋及林詠能，2018；黃凱祥，2018）。

（三）Li-Fi 室內定位技術

Li-Fi 技術首先由蘇格蘭愛丁堡大學 Haas 教授於 2011 年 7 月在 TED Talk 提出（Haas, 2011），宣稱可以同時解決無線傳輸技術所面臨之承載量（Capacity）、效能（Efficiency）、可用性（Availability）以及安全性（Security）等四大瓶頸。Li-Fi 與可見光通訊（Visible Light Communication, VLC）皆屬光學無線通訊（Optical wireless communication, OWC）技術，但 Haas 等人（2016）認為此二者應用領域稍有不同。其研究認為 VLC 是一種點對點數據通信技術，基本上是作為電纜替代品；Li-Fi 則描述了一個完整的無線網絡系統，包

含雙向多用戶通信。透過 LED 燈泡傳輸資料，在燈光可照射的小範圍才有效，不會穿透牆壁、建築或任何物體，因此具備高度可靠的安全性（蘇宇庭，2016）。

目前，Li-Fi 在國內的應用多以工業技術研究院之 VLC 研發技轉為主。北師美術館在 2017 年策劃的《日本近代洋画大展》中，圖 8-2，運用美術館空間的特性，結合工業技術研究院 VLC 和 AR 擴增實境技術，發展以觀者體驗為主體的學習導覽展示系統，透過直觀、跳脫線性的敘事，讓觀眾能夠跨越時空回到歷史的當下，走進日本洋畫家的時代，也可以吸引到更多平常可能不常看畫展的民眾（黃怡翔，2017；中華民國博物館學會，2019）。

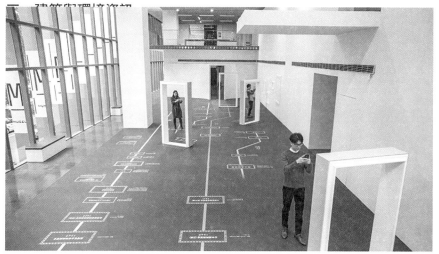

圖 8-2　北師美術館策展之《日本近代洋画大展》將「可見光通訊」和 AR 擴增實境技術應用於導覽，並以「任意門」作為虛實共構的意象（圖片來源 / 中華民國博物館學會 https://www.cam.org.tw/notice20190223/）

（一）建築資訊建模

建築資訊建模（Building Information Modeling, BIM）技術，具有在 3D 虛擬空間中提前規劃營建生命週期各項活動，預先模擬可能情境之功能。並可配合相關軟體工具，讓所有專案成員在同一平台進行模型協調及衝突檢測，使得錯誤設計與衝突在設計階段即可被發現，避免讓錯誤延伸至施工階段，以減少不必要之成本支出，進而提升工程效率及品質。此外，更可運用 3D 視覺化管理模式，將 BIM 深化應用至營運維護管理階段，提升設施維運效率。基於以上優點，行政院公共工程委員會於 2014 年 5 月開始建構公共工

程運用 BIM 推動平台，逐步推動試辦公共工程導入運用 BIM 技術（楊智斌，2017）。

除了 BIM 於設計施工階段之應用外，國內外在 BIM 於空間場地維護、設施管理，甚至藝術典藏品管理的應用技術也開始發展。黎冠德（2014）提出以 BIM 系統的 3D 介面及完整的設施設備資料內容為基礎，建置一套可以即時了解設施之樣態、位置、維護資料，並可以進行快速維修通報設之設施設備報修系統平台。李典倫（2019）則提出一個新世代的 BIM 建築物維運管理概念，將存在於 BIM 系統之虛擬資訊透過擴增實境（Argument Reality, AR）技術與現地產生聯結，建構一個以環境感知為基礎之維運管理系統。溫子馨（2019）則以整合點雲（Point Clouds）技術方式，運用 3D 雷射掃瞄技術快速取得既有建築物之點雲資訊，建置既有建築物之 BIM 模型，並應用於營運維護管理階段使用之空間平台。位於義大利佛羅倫斯的學院美術館（the Galleria dell'Accademia）在研究人員的協助下，透過雷射掃瞄儀完成 BIM 模型的建置，且嘗試將一起掃瞄進來的藝術品 3D 模型賦予幾何資料及物理性質資料，如尺寸、材質、重量…等典藏資訊存入 BIM 資料庫中，測試以 BIM 技術同時應用於博物館建築物維護及收藏品安全評估之情境與成效（Tucci, Betti, Conti, Corongiu, Fiorini, Matta, Kova evi, Borri, and Hollberg, 2019）。

（二）環境物聯網

近年來，已有國外學者針對環境資訊監測技術於博物館管理進行策略或應用研究。Lucchi（2018）在對歐洲、加拿大和美國 50 年（1965-2016 年）其間超過 110 份以上有關博物館建築物預防保護（Preventive conservation）的參考文獻嚴格審視後發現，博物館環境管理、監測、紀錄與控制是博物館管理人員主要工作，而博物館空調系統的節能改善、應用環境感測器於博物館微氣候監測與即時資訊收集，以及建置操作友善介面之環境監控系統平台等方面，是未來值得研究發展之項目。Tucci 等人（2019）則在其研究中明確指出，將博物館環境資訊一起納入 BIM 圖台進行建物、典藏及設施設備維護是值得進行的工作。

隨著物聯網（the Internet of Things）技術分別在底層技術研發及情境應用已有長足進步，有研究者開始以單晶片系統結合溫度、濕度等不同感測元件之方式，構建環境資訊感測網路以監測小範圍之環境（林芸瑄，2016；

江舫進，2017；陳玉婕，2019）。除了監測環境外，亦有學者針對控制室內環境之目的發展環境監控系統（呂威霆，2020；楊俊彥，2020；謝耿順，2020）。行政院環境保育署並於 2017 年起開始推動發展環境物聯網（the Environmental IoT），引進民間成熟的環境物聯網建置技術與設備，針對大範圍環境資料蒐集監測、數據分析甚至執法於焉啟動（智慧城市與物聯網，2018）。

國內各博物館、美術館室內空間自 2017 年 1 月 11 日開始已列為行政院環境保育署室內空氣品質管理納管場所（行政院環境保育署，2017）。鑑於國內企業已掌握成熟環境物聯網技術與經驗，且建置成本已逐漸降低的情況下，以場域管理為考量，於博物館或美術館導入環境物聯網似可成為提升服務績效、擴大服務面向的方法之一。

四、大數據資料蒐集與分析

曾任國立自然科學博物館籌備處主任及首任館長、世界宗教博物館館長的漢寶德先生在《博物館管理》著作中「博物館的行銷與觀眾服務」章節提到，在現今這個博物館被要求需有大量觀眾參觀的年代，一個現代博物館經營者，應該不是把行銷對象很籠統的侷限在觀眾，只想辦法招攬更多觀眾入場而已；而是應該採取科學營運方式，有系統的研究行銷對象的行為模式、習慣，甚至旅遊之模式。呂佳紋（2017）亦呼應漢寶德先生的說法，於現今所處瞬息萬變的數位時代，博物館行銷已從憑藉消費者歷史資料為決策基礎分析測量方法，轉換為以消費者行為「資料驅動即時評估」的行銷模式，才能確保行銷活動不斷進步。因此，運用大數據資料蒐集與分析技術於博物館管理已為不可逆之趨勢。

「大數據（Big data）」首次出現於 2012 年 2 月 12 日的《紐約時報》Sunday Review 專欄，Lohr（2012）在文中提及「大數據時代已然來臨！」，並引用 Brynjolfsson 所提論述，未來無論在商業、經濟或是其他領域，制定決策將越來越依賴相關數據及其分析結果，而非只依賴人的經驗與直覺。隨著行動通訊、物聯網、雲端服務、資料儲存及大數據分析等技術日益精進，人們看待「數據」的角度已經不同。根據 Brynjolfsson 等人（2011）的研究指出，數據驅動決策（Data-driven decision making）或數據引導管理（Data-guided management）之思維已在美國企業中蔓延，並有企業開始獲得回報。Mayer-

Schönberger 及 Cukier（2013）在《大數據》一書更直接提到「巨量資料呈現之結果，你我都不用知道『為何如此』，只要知道『正是如此』就行了！」呼應了 Lohr 在《紐約時報》專欄的說法（宋祚忠、張沂群，2019）。

（一）人流與熱點分析

智慧人流分析技術目前已為智慧城市發展過程中重要的一環，除了可採用傳統紅外線電子圍籬方式估算人數之外，以監控攝影機整合電腦視覺與人工智慧技術進行人流追蹤與分析亦已成為熱門應用。運用紅外線電子圍籬方式雖成本較低，但常會因通道因素（門框樣式或出入口太廣）而導致無法實施（林益聖、張楚翎、黃仲誼及葉奕成，2019）。

運用監控攝影機實作戶外或室內人流分析主要可以分成兩大類，其一是運用裝置於門框或通道正上方的攝影機，採從上而下垂直之方式根據移動件通過情況進行流量計算（Li, Zhang, Zhang, and Xu, 2014; Zhao, Sun, and Fan, 2010），另一個則是將攝影機架設在較高處，以俯視一個相對大的區域方式，對行人追蹤以達到人數估算目標（林益聖等人，2019）。

縱然現今採用攝影機進行智慧人流分析技術已相當成熟，引進門檻不高，但是卻容易引發個資保護議題。即使在技術導入，或設備引進過程中可以運用「去識別化」的方式處理，社會大眾多數仍對此等技術產生疑慮。因此，一種被稱為光學雷達（Light Detection and Ranging, LiDAR）的技術，已開始被發展與測試（Shackleton, VanVoorst, and Hesch, 2010; Romero-González, Villena, González-Medina, Martínez-Gómez, Rodríguez-Ruiz, and García-Varea, 2017; Yan, Duckett, and Bellotto, 2017; Günter, Böker, König, and Hoffmann, 2020），未來應會引進公共場域，扮演具去識別化效能的人流追蹤、人數估算及安全偵測的重要角色。

前述技術的應用層面已不再只侷限在人流分析、人數估算範疇，若搭配各式人工智慧的演算法，則可將應用擴增到道路車輛監測、車流分析、車數估算，以及室內空間的人流分析、人數估算，甚至是停留熱點分析等領域，對於博物館未來應用於科技管理範疇，應會有所助益。當然，本文前面曾提及芝加哥藝術學院利用博物館 Wi-Fi 網路設備來分析遊客的參訪路線和在畫廊的停留時間的技術，也依舊可以視情況予以考慮。

　　大數據技術除了在商業或行動服務應用已見成效外，亦有應用在國內外博物館領域的相關文獻可供參考。有研究者以 Google 搜尋引擎及 Facebook 社群軟體作為輿情分析樣本，探討文化類輿情對博物館平均活動入館人次是否有關聯性的影響（邱書豪，2016）；或是藉由博物館官網 Google Analytics 之分析結果，探討網站設計原則與使用者效益、官網使用現況、分眾使用差異特性等（莊雅婷，2018）。亦有研究人員透過探討大數據意涵、數據分析之意義及大數據應用於博物館案例之過程，瞭解大數據應用於博物館行銷之意義（周晏如，2017）。另有研究者為了提升博物館展示、教育與營運成效，以取得大量博物館參觀資料，或從特展所取得行為資料，分析到博物館參觀民眾的屬性，並進行博物館觀眾研究（賴鼎陞，2014；蘇芳儀，2018）。鄭淑文等人（2018）認為觀眾的參與是當代博物館必須關注的焦點，因此藉由使用博物館建置之行動導覽 APP 的觀眾所留下的參觀時間戳記與位置，透過後台數據資料庫的分析，瞭解使用 APP 的觀眾參觀動線，進而驗證博物館觀眾右轉傾向及博物館疲勞現象。張志光（2018）則指出，博物館商品銷售系統中的銷售資料亦可以作為大數據技術分析的對象，可藉由研究成果瞭解熱門銷售商品以及商品創意與文物之關係，有利於新文創商品的開發。

　　根據 Microsoft reporter（2017）的報導，英國倫敦的大英博物館（The British Museum）於 2017 年導入 Microsoft Azure 及 Power BI 大數據分析工具與技術，將觀眾使用導覽機及 Wi-Fi 熱點的大量匿名訊息蒐集起來並予以分析，探討觀眾在其參觀動線上之各展區所花費的時間，瞭解訪客使用的導覽設備以及語言等。如圖 8-3 及圖 8-4 所示，是筆者於 2017 年暑假赴英國參加國際研討會時，藉時間及地利之便參訪大英博物館所留下之參訪履歷。

　　自 2014 年起，美國芝加哥藝術學院開始將資料驅動決策之概念應用在學院各面向之大數據分析計畫，將來自中央系統所產出之內部資訊以及來自於外部數據統整到數據庫（Data warehouse），並使用其他工具（例如 alteryx+tableau 等）以有效的方式存取、處理並可視化此等有意義之營運資訊（American Alliance of Museums, 2017）。

　　除了以上談到的票務、會員、研發、典藏、教育、博物館商店，以及

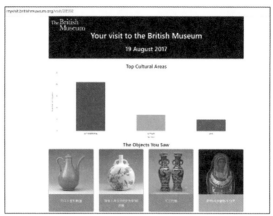

圖 8-3　顯示在大英博物館租借給訪客使用
之導覽裝置上之參觀訊息彙總圖表
（圖片來源 / 宋祚忠）

圖 8-4　大英博物館於訪客參觀後經由 EMAIL 寄送之參訪履歷
（圖片來源 / 宋祚忠）

財務系統可以統整起來作為博物館策略制訂之參考之外，周邊停車場剩餘停車位數量資訊的顯示，對於以往未充分運用資訊的博物館而言，要將其統整後提供給自行開車來參觀博物館的遊客的工作，也許頗有深度而不易達成。但對現今的博物館而言，由於資通訊科技已普及運用，即便停車場之間並無中央停管系統統籌管理，也可採用分散式或主從式之系統架構，以網際網路搭配虛擬私人網路（Virtual Private Network, VPN）將各停車場剩餘車位即時傳送至雲端資料庫，再透由館方建置的 LBS 服務亦可達成提升遊客服務滿意度的目的。

實現智慧海洋博物館園區

　　如前所述，海科館自開館之初，即因為場地特性造就不同面向的博物館觀眾服務需求，因此必須引入現代科技以同時滿足博物館在遊客服務及營運管理之目標。茲就海科館打造智慧博物館城之規劃經驗，將採用之技術與目前的成果分為戶外場域服務、智慧場館導覽服務、場域大數據蒐集管理與訊息提供、BIM 應用等四方面予以描述。

一、戶外場域服務

　　根據經驗，若是自行開車的遊客，到海科館之前最想知道的資訊是停車前之博物館「停車場空位數」及「停車場位置」指引服務。搭大眾運輸工具到館的遊客，剛下車且身處海科館諾大的場域裡時，一開始迫切的需

求並非室內、戶外的導覽服務，而是想要知道「他們目前所在位置」以及如何去「他們想去的位置」二大功能。

有鑑於此，海科館檢討可提供之既有資訊、規劃可提供之政府開放資料（Open Data），包含「交通停車」、「環境資訊」、「急難救助」以及「景點商店」推介等服務。遊客可以使用智慧型手機、行動載具透由網際網路存取「海科在地通：遊客 LBS 服務平台 https://lbs.nmmst.gov.tw」（如圖 8-5 所示）即時了解海科館附近大眾運輸交通資訊、停車場位置及可停車位數、園區接駁車服務現狀、知曉海科館附近氣象資訊、室內空氣品質、潮汐情況，查詢海科館附近景點、商店及即時優惠資訊以及景點（或稱興趣點 Points of Interest, POI）路程引導資訊，若遊客遭遇不便時，還可結合 GPS、微定位技術，請求必要之緊急協助（陳素芬、宋祚忠，2021）。

圖 8-5　左：「海科在地通」服務。中：「海科在地通」提供遊客從目前位置到景點的指引服務。右：「海科在地通」服務提供遊客停車位資訊以做為停車前之參考（圖片來源／取自「海科在地通」網站 https://lbs.nmmst.gov.tw）

二、智慧場館導覽服務

（一）主題館暨山海步道自主行動導覽 APP

有鑑於行動裝置在國內的使用日益普及，又 Beacon 型式構建行動導覽系統亦日趨穩健情況下，海科館為了讓參觀主題館之觀眾，以及在戶外園

區山海步道踏青之遊客，能有個可以對現處環境有所認知，並與展示內容產生互動，認識海科館六大步道，滿足遊客學習的需求。自 2016 年開始規劃導入 GPS 及 iBeacon 定位技術於建置博物館室內與戶外兼具之自主導覽系統 APP，並於 2018 年與工業技術研究院合作，首次將光通訊（Light Fidelity, Li-Fi）技術導入於國內科學博物館，建置一個同時兼具 iBeacon 及 Li-Fi 之小規模場域，透過遊客實際使用過程收集「去視別化（De-identified）」之體驗資訊，以提供未來進行博物館更新展廳展示項目時之規劃參考。「主題館暨山海步道自主行動導覽 APP」之功能包含參觀資訊、公共設施指引及位置引導（含室內及戶外）、自主路線學習分享、個人化服務（軌跡紀錄、學習歷程、學習資源打包）、兒童廳視障與聽障導覽服務、展品編碼及 QRCode 掃碼導覽服務、Li-Fi 感應導覽等（宋祚忠等人，2019）。截至 2021 年 7 月止，海科館已完成安裝約 700 顆 Beacon 於室內及戶外場域，並完成建置戶外 6 條山海步道、10 條自主導覽學習路線。其中，「兒童廳視障與聽障導覽服務」已為海科館在博物館平權近用（Accessibility）之實踐邁出一大步。

（二）沉浸式實境遊戲體驗與開發平台

除了前述導覽 APP 外，「沉浸式實境遊戲」也是海科館近年為提升博物館教育活動效能所採取的方式之一。沉浸式實境遊戲（Alternate Reality Game, ARG）是一種隱身在玩家真實世界的闖關遊戲。若遊戲在博物館的真實環境中啟動，則玩家們就必須依照遊戲設定，一關一關的在博物館中依序執行，直到全部完成解謎。海科館於 2019 年透過解謎手冊與 LINE-based 機器人回覆系統互相搭配之跨媒介敘事手法，陸續研發出「航海家回憶錄」、「海女養成班」與「海科王的寶藏」等 3 套 ARG 體驗學習課程，讓觀眾沉浸在海科館主題館的原創故事中，並頗獲得好評。然受限於 LINE-based 機器人回覆系統僅能做到單線式闖關的情境，無法滿足靈活發展闖關情境之遊戲設計需求。

因此，海科館於 2020-2021 年建置一套 Web-based 之沉浸式實境遊戲體驗與開發平台。此平台除了是一個 Web-based ARG 體驗平台外，亦是館內教育研究人員持續研發 ARG 體驗遊戲／課程的永續平台，同時也為制式與非制式教育體系之間找到了新的連結。未來，學校端教師可為學生設計專屬的 ARG 體驗遊戲／課程，發展出更多以海洋素養為主軸之海洋教育體驗活

動（倪紳煬、宋祚忠，2020）。如圖 8-6 所示，是為正在闖關「航海家回憶錄」遊戲的玩家。

圖 8-6　正在闖關「航海家回憶錄」遊戲的玩家（圖片來源 / 倪紳煬）

三、場域大數據蒐集管理與訊息提供

此處所稱「場域大數據」涉及面向頗多，基本上包含海科館售票資訊、基地室內戶外環境即時資訊（含溫度、相對濕度，以及二氧化碳 CO_2、空氣懸浮微粒 PM2.5、甲醛 HCHO、總揮發性有機化合物 TVOC 等濃度）、停車場空位即時資訊、室內人留及戶外人車數量估算資訊、主題館展廳熱點資訊、官網 Google Analytics 資訊、即時天氣資訊、大眾運輸交通即時資訊等，除了官網 Google Analytics 資訊取自於 Google 雲端服務；後二者之資訊可以取自於政府公開資料服務之外，其餘皆產自於海科館自有系統，個別系統特性及與海科館「大數據蒐集與分析平台」之資料界接方式，如表 8-1 所示。

海科館的「戶外人車數量估算平台」及「展廳人流與熱點資訊蒐集分析系統」所採用的辨識技術皆為「影像」為基礎，搭配後端由機器學習（Machine Learning）或深度學習（Deep Learning）形成之人工智慧技術所構成的影像辨識核心，將影像予以分析後存入資料庫，作為後續分析之用。如圖 8-7 所示，是為提供人流及熱點資訊查詢顯示功能之「展廳人流與熱點資訊蒐集分析系統」之畫面；圖 8-8 則顯示正在進行人車估算之「戶外場域人流車流估算系統」之畫面。

表 8-1　海科館自有系統特性及與海科館「大數據蒐集與分析平台」之資料界接方式列表

資訊類別	提供系統名稱	系統架構	資料庫系統	與「大數據蒐集與分析平台」資料界接方式
售票資訊	票務資訊系統	三層式主從架構	Microsoft SQL Server	唯讀資料集
停車空位資訊	停車管理系統	三層式主從架構	Microsoft SQL Server	唯讀資料集
環境資訊	環境資訊感測蒐集與管理平台	基於網站基礎之主從架構	Microsoft SQL Server, Mongo DB	應用程式介面
人車估算資訊	戶外人車數量估算平台	基於網站基礎之主從架構	MySQL DB	應用程式介面
人留資訊	室內人留估算系統	二層式主從架構	Microsoft SQL Server	應用程式介面
人流與熱點資訊	展廳人流與熱點資訊蒐集分析系統	二層式主從架構	MySQL DB, Mongo DB	無

（資料來源：作者整理）

　　海科館「大數據蒐集與分析平台」運作的概念類似於芝加哥藝術學院採用的方式（American Alliance of Museums, 2017）。初期階段先將前述海科館自建之系統（包含售票、環境資訊、停車場資訊、室內戶外人車數量資訊等）產出大數據資料，以及官網 Google Analytics 資訊、即時天氣資訊、大眾運輸交通即時資訊等，透由海科館「大數據蒐集與分析平台」將前述資料蒐集匯入「海科館數據倉庫」並予以分析彙整後，將可以提供遊客參考的資訊，例如環境、天氣、停車位、大眾運輸班車時刻等即時資訊，透由「海科在

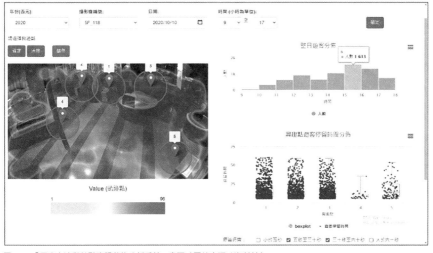

圖 8-7　「展廳人流與熱點資訊蒐集分析系統」畫面（圖片來源／海科館）

圖 8-8　正在進行人車估算之「戶外場域人流車流估算系統」畫面（圖片來源／海科館）

地通」遊客 LBS 服務平台整合加值後提供（如圖 8-8、圖 8-9 所示）。則為經分析後可以提供博物館管理階層作為決策制定參考之可視化圖形。

四、BIM 應用

海科館的 BIM 應用計畫可以追溯自 2017 年開始，從建構學員宿舍的 BIM 模型為起點，並單純以提供住宿學員查詢 3D 空間位置之基本服務開始；到分階段逐步完成主題館、教育中心、行政中心、典藏中心、區域探索館、

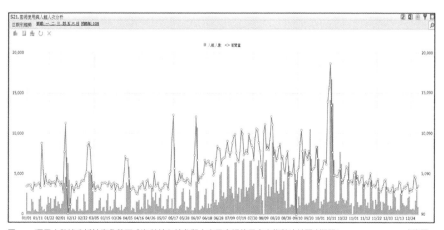

圖 8-9　運用大數據分析技術彙整而成海科館入館參觀人次及官網使用人次趨勢比較圖（期間：2019/1/1-2019/12/31）資訊。其中，圓點折線：網路人次；長條：實際入館人次（圖片來源／海科館）

海洋劇場（含地下停車場）及潮境海洋中心 BIM 模型建構，開始提供海科館 BIM 圖台設施管理服務，已歷經 4 年。圖台（Map plateform）就字面而言，可以解釋為「可供呈現、展現、調 圖資的平台」。依呈現圖資種類之不同，圖台的名稱就會不同，例如地理資訊 GIS 圖台、BIM 圖台等。海科館的 BIM 設施管理平台係以 Autodesk Revit 軟體作為 BIM 建模圖台，採用 MongoDB 作為資料庫系統；並以 WebGL 技術為基礎開發圖形伺服器環境，作為網路資料查詢或圖形瀏覽之用。使用者端只需利用個人電腦或行動裝置，無需安裝軟體或驅動程式，即可透過網際網路即可查詢 BIM 模型或設施設備資訊，並藉以完成設施設備盤點、維護及報修作業。此外，海科館並已完成 BIM 圖台與海科館 IoT 環境資訊（由「環境資訊感測蒐集與管理平台」之 API 查詢介面所提供）整合的作業，已可利用海科館 BIM 圖台介面查詢及顯示各空間之環境資訊（如圖 8-10 所示）。

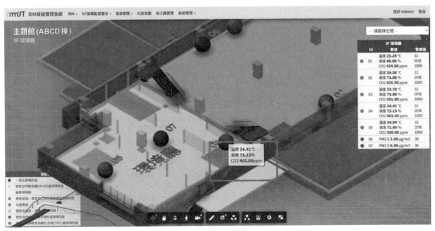

圖 8-10　在海科館 BIM 圖台整合顯示特定空間 IoT 環境資訊（圖片來源／海科館）

結論

綜上所述，是海科館因基地特性造就不同面向的博物館觀眾服務需求為出發點，師法「英」「美」發展趨勢，以資通訊新科技打造海科館及戶外場域為「智慧海洋博物館城」之規劃過程與考量，除了可提供遊客有關海科館特有之適地性服務，並可對博物館管理人員提供以營運管理大數據為基礎之管理工具。現階段之建置成果包含戶外場域服務、智慧場館導覽

服務、場域大數據蒐集管理與訊息提供、BIM 應用等四方面已分別於本文中予以描述，提供有興趣之讀者作為未來執行相關事務參考。

目前，海科館打造「智慧海洋博物館城」已獲初步成果，惟仍將運用有限資源持續致力於提升遊客參觀經驗以及滿足管理人員智能管理需求。隨著海科館新一代票務資訊系統，以及可統整氣候資訊、天氣預報資訊、戶外天氣與室內環境即時資訊等多維資訊，歸納建置展館空調自動控制策略之 Green BIM 平台即將完成建置，海科館將能以科技管理方式掌握遊客的參觀與消費行為；以節能方式運營新開幕之「潮境智能海洋館」；以智能方式維運博物館，達成館舍延壽及設施／設備正常運作之目的。

特別感謝行政院與教育部編列第一期「智慧服務 全民樂學—國立社教機構科技創新服務計畫」預算支持，讓海科館「智慧博物館城」計畫得以依藍圖委託給有經驗的廠商進行建置，並獲致階段性成果。目前亦獲行政院與教育部支持於 2021-2024 年續辦第二期計畫，期能在未來讓更多資訊科技導入博物館管理之應用。此外，各式因應 COVID-19 疫情而發展之新一代線上虛擬博物館相關技術，或是可讓訪客使用自己的 AR／MR 穿戴裝置參觀或參與活動之新型態虛實整合技術亦將為導入或發展之目標。

參考文獻

中華民國博物館學會，2019。博物館走進未來的任意門：北師美術館的傳承與創新。檢自：https://www.cam.org.tw/notice20190223/（瀏覽日期：2019 年 7 月 1 日）

江舫進，2017。溫濕度感測器之環境監測於物聯網，逢甲大學資訊電機工程碩士在職學位學程學位論文，台中市。

行政院環境保育署，2017。應符合室內空氣品質管理法之第二批公告場所。檢自：https://oaout.epa.gov.tw/law/LawContent.aspx?id=GL006828（瀏覽日期：2021 年 7 月 1 日）

呂佳紋，2017。數位時代下的博物館行銷。陳尚盈主編，博物館管理新視界 2：教育、跨域與科技（初版，頁 213-248）。華藝學術出版社。

呂威霆，2020。監控室內環境之濕度和一氧化碳感測系統。國立中興大學機械工程學系所碩士論文，台中市。

宋祚忠、張沂群，2019。以「大數據」為基礎之博物館智慧管理與服務平台初探。2019 科普論壇 · 邁向智慧世代—科學 FUN 新玩。高雄：國立科學工藝博物館。2019 年 10 月 1 日至 2 日。

宋祚忠、張沂群及梁譯，2019。以 Li-Fi 及 iBeacon 室內定位技術應用於博物館自主行動導覽系統初探。2019 科普論壇 · 邁向智慧世代—科學 FUN 新玩。高雄：國立科學工藝博物館。2019 年 10 月 1 日至 2 日。

李典倫，2019。整合 AR 與 BIM 應用於實虛共構之建物維運管理。逢甲大學建築碩士學位學程碩士論文，台中市。

周晏如，2017。大數據應用於博物館之初探研究。輔仁大學博物館學研究所碩士班碩士論文，新北市。

周慧茹 2019。從北火電所到海科館。臺灣學通訊：電力，113：26-27。

林武男，2009。使用 Wi-Fi 無線感測網路實作位置化服務之資訊服務平台。樹德科技大學資訊工程學系碩士論文，高雄市。

林芸瑄，2016。無線感測網路應用於簡易環境品質監測之研究。嘉南藥理大學應用空間資訊系碩士論文，台南市。

林益聖、張楚翎、黃仲誼及葉奕成，2019。基於行人姿態資訊的戶外擁擠出入口人流分析與計數系統。第 24 屆人工智慧與應用研討會（TAAI 2019）。高雄：國立高雄大學。2019 年 11 月 21 日至 23 日。

邱書豪，2016。文化類的輿情分析─以新北市博物館產業為例。國立臺灣大學國家發展研究所碩士論文，台北市。

施彤煒、孫寶年及林炳炎，2009。被時代遺忘的歷史建築─北部火力發電所。臺灣風物。59（2）：113-143。

倪紳煬、宋祚忠，2020。沉浸式實境遊戲（ARG）應用於博物館教育活動初探。2020 科普論壇暨國際青年海廢論壇：我的地球我來關懷。基隆：國立海洋科技博物館。2020 年 11 月 12 日至 13 日。

國立海洋科技博物館，2020。想來看海 -- 國立海洋科技博物館簡介。國立海洋科技博物館出版。

張伯青，2005。台灣無線定位系統服務業之策略分析。國立交通大學管理學院碩士在職專班科技管理組碩士論文，新竹市。

張志光，2018。數位人文研究於博物館研究現況分析與未來趨勢探討，新北市立黃金博物館學刊，6：91-102。

莊雅婷，2018。博物館網站設計分眾效益之探究 - 以國立自然科學博物館為例。國立臺中教育大學數位內容科技學系碩士在職專班碩士論文，台中市。

陳玉婕，2019。環境感測系統檢測環境改善之研究。樹德科技大學電腦與通訊系碩士班碩士論文，高雄市。

陳素芬、宋祚忠，2021。蛻變中的國立海洋科技博物館：從博物館的智慧服務、數位學習與智能管理談起。博物館簡訊：智慧博物館 (Intelligent Museum)。96：6-11。

智慧城市與物聯網，2018。智慧環境治理：環境物聯網智慧執法應用。檢自 http://smartcity.org.tw/apps_detail.php?id=62（瀏覽日期：2021 年 7 月 1 日）

黃光國著，1997。博物館行銷策略。台北市：藝術家出版社。

黃光國著，2007。博物館企業。台北市：藝術家出版社。

黃怡翔，2017。看展的另一種體驗 日本近代洋畫大展 AR 擴增實境。中時電子報。檢自 https://campus.chinatimes.com/20171013004457-262305（瀏覽日期：2019 年 7 月 1 日）

黃凱祥，2018。應用於博物館 Beacon 微定位技術：以國立臺灣歷史博物館為例。博物館與文化，15：5-29。

楊俊彥，2020。感測器控制溫室環境設計與實作。義守大學資訊工程學系碩士論文，高雄市。

楊智斌，2017。「機關辦理公共工程導入建築資訊建模 BIM 技術」委託專業服務案成果報告書（計畫編號：10501007）。行政院公共工程委員會：國立中央大學。檢自 https://www.pcc.gov.tw/DL.aspx?sitessn=297&nodeid=1345&u=LzAwMS9VcGxvYWQvb2xkL2hvbWUvcGNjYXZkXBsb2FkL2ZpbGVzL291dGGyL0QyMDA4MDAwMDAyL%2Bapn%2BmXnOi%2BpueQhuWFrOWFseW3peeoi%2BWwjuWFpeW7uueviciΖh%2BBioiuW7uuaooUJJTeaKgOihky3miJDmnpzloLHlkYoo5a6a56i%2F54mIKS0o5pys5paHK%2BBaJi%2BBWGi

ikucGRm&n=5qmf6Zec6L6m55CG5YWs5YWx5bel56iL5bCO5YWl5bu656%2BJ6LOH6KiK5bu65qihQklN5oqA6 KGTLeaIkOaenOWgseWRiijlrprnqL%2FniYgpLSjmnKzmlocr5omL5YaKKS5wZGY%3D&icon=.pdf（瀏覽日期：2021 年 7 月 1 日）

溫子馨，2019。整合點雲技術建置既有建築 BIM 模型之研究。國立臺北科技大學土木工程系土木與防災碩士班碩士論文，台北市。

漢寶德，2000。博物館管理。台北市：田園城市出版社

鄭淑文、許家瑋及林詠能，2018。數位時代下的博物館觀　經驗。博物館與文化，15：31-51。

黎冠德，2014。以建築資訊模型為基礎之設施報修系統之研究。國立雲林科技大學營建工程系碩士論文，雲林縣。

賴鼎陞，2014。博物館觀眾研究新契機—大數據。故宮文物月刊，374：94-102。

謝耿順，2020。運用物聯網架構之環境監控系統。國立暨南國際大學光電科技碩士學位學程在職專班碩士論文，南投縣。

蘇宇庭，2016。法國新創 Oledcomm：靠燈泡傳輸資料，Li-Fi 通訊更安全。數位時代。檢自 https://www.bnext.com.tw/article/39243/BN-2016-04-15-163925-196（瀏覽日期：2019 年 7 月 1 日）

蘇芳儀，2018。虛實整合：以 Beacon 技術探析博物館參觀民眾行為。博物館與文化，15：53-73。

饒文軒，2009。依使用者位置之行動社交網路服務。元智大學資訊工程學系碩士論文，桃園市。

American Alliance of Museums, 2017. The power of applied data for museums. Retrieved June 30, 2019 from https://www.aam-us.org/2017/01/17/the-power-of-applied-data-for-museums/

Brynjolfsson, E., Hitt, Lorin M. and Kim, H. H. ,2011. Strength in Numbers: How Does Data-Driven Decision making Affect Firm Performance?. Available at SSRN: https://ssrn.com/abstract=1819486

Günter, A., Böker, S., König, M., & Hoffmann, M., 2020. Privacy-preserving people detection enabled by solid state LiDAR. In 2020 16th International Conference on Intelligent Environments (IE) (pp. 1-4). IEEE.

Haas, Harald, 2011. Wireless data from every light bulb. The TED Talk. Retrieved June 24, 2019 from https://www.ted.com/talks/harald_haas_wireless_data_from_every_light_bulb

Haas, H., Yin, L., Wang, Y. and Chen, C., 2016. What is Li-Fi?. Journal of Lightwave Technology, 34(6), 1533-1544, 15 March15, 2016. doi: 10.1109/JLT.2015.2510021

Li, B., Zhang, J., Zhang, Z., & Xu, Y., 2014. A people counting method based on head detection and tracking. In 2014 International Conference on Smart Computing (pp. 136-141). IEEE.

Lohr, Steve, 2012. The Age of Big Data. The New York Times. Retrieved June 30, 2019 from http://www.nytimes.com/2012/02/12/sunday-review/big-datas-impact-in-the-world.html

Lucchi, Elena, 2018. Review of preventive conservation in museum buildings. Journal of Cultural Heritage, 29:180-193.ISSN 1296-2074, https://doi.org/10.1016/j.culher.2017.09.003.

Mayer-Schönberger, V. & Cukier, K., 2013. Big Data: A Revolution That Will Transform How We Live, Work, and Think. Boston: Houghton Mifflin Harcourt.

Microsoft reporter, 2017. The British Museum is using big data to help visitors learn more about history. Retrieved June 30, 2019 from https://news.microsoft.com/en-gb/2017/07/04/the-british-museum-is-using-big-data-to-help-visitors-learn-more-about-history/

Romero-González, C., Villena, Á., González-Medina, D., Martínez-Gómez, J., Rodríguez-Ruiz, L., & García-Varea, I., 2017. InLiDa: A 3D lidar dataset for people detection and tracking in indoor environments. In International Conference on Computer Vision Theory and Applications (Vol. 7, pp. 484-491). SCITEPRESS.

Shackleton, J., VanVoorst, B., & Hesch, J., 2010. Tracking people with a 360-degree lidar. In 2010 7th IEEE International Conference on Advanced Video and Signal Based Surveillance (pp. 420-426). IEEE.

The Cleveland Museum of Art, 2014. Cleveland Museum of Art Enhances Popular ArtLens App. Retrieved June

30, 2019 from http://www.clevelandart.org/about/press/media-kit/cleveland-museum-art-enhances-popular-artlens-app

The WordStream Blog, 2019. 5 Things You Need to Know About Beacon Technology. Retrieved July 1, 2019 from https://www.wordstream.com/blog/ws/2018/10/04/beacon-technology

Tucci, G., Betti, M., Conti, A., Corongiu, M., Fiorini, L., Matta, C., Kova evi , C., Borri, C., & Hollberg, C., 2019. BIM for museums: An integrated approach from the building to the collections. ISPRS - International Archives of the Photogrammetry, Remote Sensing and Spatial Information Sciences. XLII-2/W11. 1089-1096. https://doi.org/10.5194/isprs-archives-XLII-2-W11-1089-2019.

WalesOnline, 2014. iBeacon at the National Slate Museum is a world-first mobile link for tourists. Retrieved July 1, 2019 from https://www.walesonline.co.uk/news/wales-news/world-first-mobile-link-national-slate-6999461

Yan, Z., Duckett, T., & Bellotto, N., 2017. Online learning for human classification in 3D LiDAR-based tracking. In 2017 IEEE/RSJ International Conference on Intelligent Robots and Systems (IROS) (pp. 864-871). IEEE.

Zhao, M., Sun, D. H., & Fan, W. M., 2010. Hair-color model and adaptive contour templates based head detection. In 2010 8th World Congress on Intelligent Control and Automation (pp. 6104-6108). IEEE.

終身樂學與樂活智慧博物館的理想與實踐

徐典裕、葉鎮源、陳君銘、劉杏津

前言

　　數位科技的力量激發、加速並擴展全球博物館社群，在發展思維、經營策略與服務模式轉型與創新的機會與挑戰。過去 30 年資訊與數位科技發展不斷的創新與更迭，促使全球博物館社群面對無法抗拒的新科技浪潮，在典藏、展示、教育發展方向與經營策略及觀眾服務與體驗模式亦必須不斷隨之求新求變，以吸引觀眾重返博物館。博物館如同其他產業隨網路化、數位化、行動化與智慧化等資訊科技應用的演進，歷經館務資訊化、網路化科普傳播、多媒體互動學習、無所不在行動服務及智慧創新體驗等關鍵發展歷程。過去數 10 年博物館界面對數位科技融入博物館強不可擋的發展趨勢，已有不可迴避的體認，且致力尋求善用數位科技改變提升博物館經營管理模式及翻轉創新觀眾服務與體驗環境。近年來博物館進入智慧化科技時代，無所不在智慧運算環境中，享有環境感知、預先、主動及精準的個人化的創新博物館服務與體驗。營造吸引個人及各分眾族群不斷回流重返的良性循環博物館生產與消費經營模式，落實邁向可永續經營智慧終身樂學與樂活新世代博物館的目標與願景。

　　國立自然科學博物館（簡稱科博館）歷經資訊化、數位化、行動化與智慧化等數位博物館發展過程。近年邁入智慧博物館發展階段，以建構『虛實整合』、『智慧創新』、『終身樂學』、『全齡樂活』為發展目標，致力為全民發展跨虛實、跨場域及跨服務的智慧參觀、學習、體驗與休閒環境，進而邁向終身樂學與樂活智慧博物館。為驗證以觀眾為中心的智慧終身樂學與樂活環境可具體實現及永續發展，特別在過去近 10 年以發展連結館校的行動智慧學習為示範，建構以學習者為中心的跨服務良性循環學習模式，希望中小學生在成長過程可以不斷重返科博館，悠遊於虛實融合、科學觀

察、趣味學習與科技互動的參觀前、中、後的跨服務循環式智慧樂學環境中。另為發展吸引全民重返的智慧樂學創新體驗，科博館於智慧博物館第一期四年計畫最後一年，展出「時空探秘：滅絕、新生與未來幻境特展」。特展結合歷年智慧服務與數位學習成果，並導入虛實融合、智慧感知、沉浸互動與數位藝術等創新科技與共學、共創與共享的參與式與互動式體驗設計（Simon, 2010）。同時導入 5E 體驗設計模式：從吸引（entice）、入場（enter）、參與（engage）、出場（exit）到延伸（extend）等 5 階段的參觀前、中、後循環式探索體驗與智慧學習模式。

　　藉由全場域智慧參觀、學習及體驗創新應用服務，掌握觀眾及市場需求，融合巧用跨領域及跨科技資源，持續開創新型態參觀、學習與體驗服務過程，吸引激發觀眾不斷重返博物館，印證及示範智慧終身樂學智慧博物館目標實踐的可及性。未來將延續『虛實整合』、『智慧創新』、『終身樂學』、『全齡樂活』的願景，藉由可永續智慧整合、管理、創新與經營策略，活化創造、統整與加值知識及故事能量，發展並串聯數位與實體空間無限想像的創新與創意服務及體驗，營造以觀眾為中心，跨世代所在良性循環的終身智慧學習與休閒空間，逐步實現智慧終身樂學智慧博物館的願景。本文首先探討數位博物館發展演進歷程、迷思、挑戰及永續經營等議題。迎接智慧科技時代，提出終身樂學與樂活智慧博物館願景及永續發展的核心議題。並提出科博館近年發展智慧博物館計畫過程中，建構智慧終身樂學與樂活環境的示範架構，以及印證可永續經營模式的具體服務模式及實務推動。最後，對博物館運用資通訊及數位科技發展數位博物館及智慧博物館過程中重要議題、挑戰及發展實務作總結，並從永續經營的思維提出未來發展方向，提供博物館界、學術界及產業界參考。

數位博物館的迷思與永續發展議題

　　博物館保存並闡述自然現象及人類生活的實體物件及其蘊含的知識與故事內涵，是人類文明推進過程最具影響力的創造與傳播知識及故事生命體，是當代社會最重要的公共教育與休閒空間。博物館不僅在蒐藏、展示、教育、營運及觀眾服務等整體構面，不斷與時俱進。然而，隨著資通訊科技的創新推進，如同其他產業隨網路化、數位化、行動化與智慧化等資訊科技應用的演進，博物館歷經內部業務資訊化管理、網路化知識內容傳播、

數位多媒體互動學習、無所不在行動服務及智慧感知創新體驗等關鍵發展階段，圖 9-1。總體而言，可以廣義的視為數位博物館發展歷程（Din and Hecht, 2007; Marty and Jones, 2008）。數位科技的力量激發並加速全球博物館社群，致力於數位博物館的發展，結合新科技發展融入實體博物館的新思維與新方向，藉由新型態經營與服務模式推進博物館的轉型與創新（徐典裕等，2012；Hossaini and Blankenber, 2017）。新世代博物館如同企業經營面對全球化動態競爭環境、前瞻科技日新月異與快速發展、知識與體驗經濟時代的來臨及現代大眾生活型態與消費模式的轉變的新挑戰（Falk and Sheppard, 2006）。然而，就數位博物館發展議題，大多數博物館發展數位科技應用大部分仍是為追求新科技浪潮，與觀眾需求與期待及博物館經營目標與願景脫鉤，速食且短期煙火式發展策略及方式，往往缺乏與觀眾連結與消費市場區隔、缺乏跨域資源的活化與統整、缺乏實體與數位服務的創新與串聯，以及缺乏跨服務間的橋接與延續。因而無法開創數位科技為博物館帶來的新契機與利基，進而實現可永續發展與經營的效益與願景。

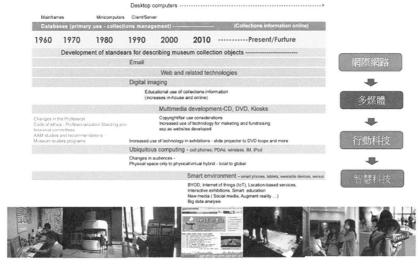

圖 9-1　博物館數位科技應用演進

科博館從過去參與科技部數位典藏與數位學習國家型計畫（90 年至 101 年）、數位文創與數位教育計畫（102 年至 104 年），以及教育部第一期智慧博物館計畫（106 年至 109 年），從數位化、行動化到智慧化整體發展過

程，是國內外博物館界數位博物館與智慧博物館，是從以觀眾為中心思維出發，具延續性與整合性的永續發展最佳實務建構與研究發展典範（Scott, 2013）。整體發展歷程將博物館視為創造與傳播知識及故事的生命體，整合跨領域知識與故事活水資產，巧用創新行動、數位與智慧科技應用，為各分眾開發以觀眾為中心，連結館內外數位與實體、線上與展場的虛實融合新形態服務、體驗與產品（徐典裕，2018；林詠能，2018）。近年邁入智慧博物館發展階段，以建構『虛實整合』、『智慧創新』、『終身樂學』、『全齡樂活』為發展目標（徐典裕，2018）。為全民發展跨虛實與跨場域無所不在的智慧參觀、學習、體驗與休閒環境，長遠以建構從學齡前到銀髮族跨世代、跨場域、跨虛實及跨服務的終身樂學與樂活智慧博物館為永續發展願景，圖 9-2。

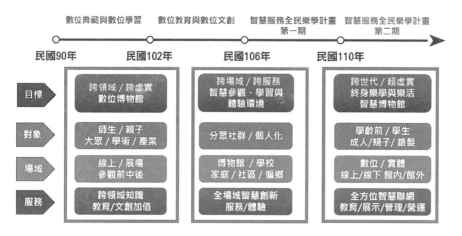

圖 9-2　科博館數位與智慧博物館發展歷程

　　因而，從科博館資訊化、網路化、數位化、行動化與智慧化過程『跨域統整』、『虛實整合』、『智慧創新』、『終身樂學』與『全齡樂活』的學術研究與實務建構經驗累積。在思考知識與體驗經濟時代，運用有限的館內外智識資產及經費資源，綜合經營特質、消費需求、產業區隔、科技趨勢、體驗經濟及生存競爭等思考議題，構築兼顧各面向統整與均衡發展的新世代數位博物館統整永續的策略、規劃與建構實務經驗，並勾勒智慧科技時代可永續發展與經營的新世代數位博物館：終身樂學與樂活智慧博物館（Fritz, 2021）。在規劃與建構實務，必須以觀眾需求與期待、消費市場優

勢與區隔與組織經營目標與願景為導向，落實活化跨領域及跨虛實智識資源、漫遊跨服務與跨科技創新體驗及穿越跨世代與跨場域終身樂園等三個最核心關鍵議題。

終身樂學與樂活智慧博物館

　　當代社會在知識與體驗經濟時代潮流中，如何掌握消費型態，善用有限資源不斷推出滿足觀眾的需求與期待的內容、服務、體驗及產品，吸引觀眾不斷重返消費，是每個產業永續努力的共同目標。智慧化科技時代來臨，博物館與其他應用場域的智慧服務特性相通，大多藉由感知辨識、物聯網、大數據及人工智慧等情境感測、即時傳輸、數據收集及智慧分析技術建立深度智慧（deep smart）服務環境，透過多重智慧感測環境感知個人、群體在各種應用情境需求，提供主動、預先與個人化服務方式及最佳參觀、學習與體驗互動內容（Leonard-Barton et al., 2015）。

　　博物館在永續發展與經營議題，從創造知識與故事的生命體、無限想像的創新與創意服務及體驗及滿足跨世代各年齡層的智慧學習與休閒生活需求。相對於其他場域來得更具永續的特質、潛力與優勢。博物館在智慧科技與體驗經濟時代，思考新世代數位博物館的可永續經營與發展議題就顯得非常關鍵且重要。因此，本文提出可永續發展與經營的智慧博物館（sustainable smart museum）的建構理念，實現『跨域統整』、『智慧創新』、『終身樂學』與『全齡樂活』的全方位智慧博物館建構模式。

　　建構方法必須實現三個永續發展議題：（一）活化統整跨領域與跨虛實資源管理與加值應用；（二）觀眾需求導向的跨服務與跨科技創新漫遊環境；（三）全齡無所不在的跨世代與超虛實終身樂學與樂活願景，以發展兼具整合、創新、智慧與永續之新世代數位博物館為目標，藉由觀眾高黏著反覆悠遊於館內與館外、雲端線上與實體展場虛實融合的跨服務之間，達成行動化、智慧化與個人化無所不在的良性循環終身學習環境及可永續經營的數位博物館，圖 9-3。

一、活化跨領域及跨虛實智識資源

　　博物館擁有豐富的蒐藏、展示及教育活水式資源，具有不斷創造生產

圖 9-3　終身樂學與樂活智慧博物館願景架構

跨領域知識與故事的特質，進而加值發展各種形式的實體與數位服務，但往往這些內容及服務資源都是分散且獨立而缺乏系統化統整與管理與計畫性加值與應用。因此，導入統整式知識與內容管理策略思維及方法，活化與統整跨部門、跨領域及跨虛實間的內容與服務資源，是建構可永續新世代數位博物館的首要關鍵議題（徐典裕，2012；Keyes, 2006；Rockley, 2012）。同時，以觀眾消費及產業市場期待與需求為導向，淬鍊、轉化及加值與需求潛力高連結的跨領域知識與故事內容，提供未來生產高經濟價值的跨虛實創新服務、體驗與產品的重要活水資產，是當代博物館永續發展的核心關鍵要務（Hooper-Greenhill, 2013; Scott, 2013）。

　　跨虛實與跨領域資源統整管理，建構創造、統整與傳播知識及故事活水能量，支援超虛實無所不在智慧學習環境所需的虛實整合資源管理（unified virtual-and-physical resource management），包括跨領域知識內容管理模組（unified knowledge content base）管理開放觀眾可使用的典藏、展示與教育多層式跨領域知識庫；跨虛實服務管理模組（unified virtual-and-physical service base）管理虛擬與實體學習空間的各種實體、虛擬與虛實融合跨虛實服務資源（Hsu et al., 2006）；跨虛實學習者情境管理模組（virtual-and-physical learner context and usage base）負責管理自實體與虛擬空間所有全世代跨虛實觀眾／學習者及其在每次參觀、學習及體驗過程累積的互動歷程與行為模式大數據。

　　對當代博物館而言，過去以發展實體展示、教育服務及體驗為主，隨著近年來數位科技時代來臨及觀眾服務場域的連結需求，線上雲端及線下展場數位服務也逐漸應運而生。為此，博物館必須考量主要及潛力使用族群需求及市場消費區隔，善用實體資源、創新資通訊及數位與智慧科技力量，整合虛實空間的特色資源與營運優勢，產出具吸引力、具創意及創新性的獨特服務、體驗及產品，才能保有既有忠實觀眾不斷重返，並擴展新消費族群，達到獨特品牌營塑並提升永續經營的競爭力（Siemer, 2020）。因此，如何擷取數位博物館及實體博物館各自不可取代的營運優勢與價值，善用長期累積的跨領域智識資源，適用、巧用及融合跨科技間特性的無限可能與想像，為來自網路線上與實體線下的分眾族群及個人，串聯與開創實體與數位空間無限想像虛實融合的新形態服務、體驗與產品，是博物館永續經營與發展的另一關鍵議題。為此，跨服務與跨科技觀眾為中心漫遊環境，永續發展無限想像的虛實融合創新與創意服務及體驗，提供跨世代觀眾，漫遊於跨場域、跨虛實、跨服務的個人化服務（visitor-centered roaming and personalization services）（劉君祺，2009），管理與聯結觀眾遊走於館內與館外及線上與實體展場各種實體、數位或虛實整合服務與體驗的整體服務流程，並藉由長期累積的全方位參觀學習歷程與行為模式，進行大數據分析與個人化推薦服務。

三、穿越跨世代與超虛實智慧終身樂園

　　近年來隨著接踵而來的新興科技，諸如延展實境（extended reality）、人工智慧（artificial intelligence）、機器人（robotics）、物聯網（Internet of things）、及大數據分析（big data analytics）等，如何善用這股數位與智慧革新力量，將為博物館社群帶來更寬廣跨域資源及跨服務整合、創新、智慧與永續的發展契機。從契合以孩子及觀眾為中心的需求與期待緊密連結出發，創造及整合跨領域知識與故事活水資產，巧用創新行動、數位與智慧科技應用發展連結館內外數位與實體、線上與展場的超虛實新型態智慧服務、體驗與產品，圖 9-4。為從學齡前到銀髮族，建構適性適齡的跨世代優質參觀、學習、體驗與休閒環境，營造吸引個人及各分眾族群不斷回流重返的良性循環博物館生產與消費經營模式（Falk and Dierking, 2018），以及以

人為中心的感知、主動、預先及個人化的跨世代與跨場域無所不在的智慧學習與生活空間，才能落實邁向可永續經營智慧終身樂學與樂活新世代博物館的目標與願景（Hsu and Liang, 2017）。跨世代與跨場域超虛實無所不在終身樂學與樂活環境（hyper virtual-and-physical ubiquitous smart learning service environment），營造以觀眾為中心跨世代無所不在良性循環的終身智慧學習與休閒空間，提供分眾及個人學習者經由悠遊於館內外及線上與實體展場的參觀前中後各階段，探索與消費跨領域參觀學習資源及虛實整合創新服務、體驗及產品，圖 9-4。

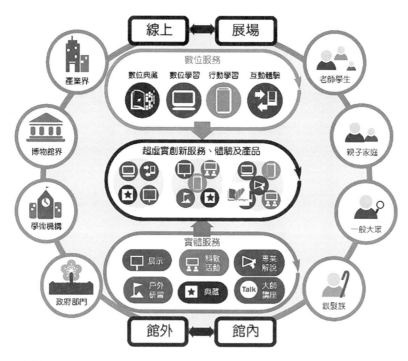

圖 9-4　超虛實無所不在樂學與樂活環境

建構智慧終身樂學與樂活示範環境

為建構以觀眾為中心的可永續經營的智慧終身樂學與樂活環境，提供跨世代分眾族群及個人化超虛實無所不在智慧學習環境，學習者經由連結館內外及線上與實體展場的參觀前、中、後各服務階段，存取跨領域參觀學習資源及虛實整合創新服務。同時提供以觀眾為中心，漫遊於跨場域、跨虛實、跨服務的個人化服務機制，控管與連結具內容及服務授權使用受

群觀眾遊走於館內與館外及線上與實體展場各種實體、數位或虛實整合服務與體驗的整體服務間，並藉由長期累積的全方位參觀學習歷程與行為模式進行大數據分析、感知觀眾情境需求、主被動提供的適性適齡精準的個人化內容與服務推薦。

科博館參與教育部第一期智慧博物館計畫致力發展以觀眾為中心的智慧參觀學習與樂活的創新服務與永續經營模式，建構參觀前（pre-visit）：行動智慧購票及預約參觀服務；參觀中（onsite-visit）：科技創新的智慧展示空間與趣味探索終身學習休閒環境，到參觀後（post-visit）：良性循環延伸智慧學習環境與產業合作永續經營模式，圖 9-5。開發從線上到展場多元虛實通路行動智慧購驗票服務、個人化行程規劃與預約服務，行動智慧導覽服務，提供民眾預先、感知、主動與個人化的智慧參觀服務，並於參與教育部第一期智慧博物館四年計畫過程，以跨域統整、虛實整合、智慧創新、終身樂學及全齡樂活為計畫五大主軸，完成可永續的智慧博物館示範架構。

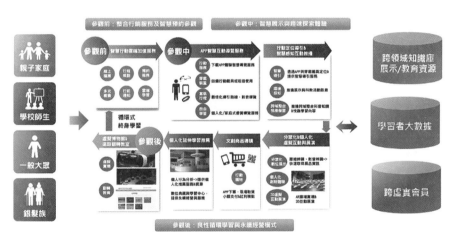

圖 9-5　以觀眾為中心的智慧參觀學習與樂活服務環境

為建構可永續經營的智慧博物館服務環境，必須以觀眾為中心，為每位孩子或觀眾從第一次接觸博物館開始，長期與博物館互動過程，建立融合個人情境（personal context）、社群文化情境（sociocultural context）、虛實混合情境（blended virtual and physical context），以及良性循環學習（virtuous cycle）之虛實整合博物館學習情境服務模式。以學習者為中心的全方位情境

感知情境學習歷程與學習行為模式，進而據以將博物館源源不斷產出的知識性、故事性與趣味性的創新內容、服務與體驗主動行銷推薦給觀眾與學習者，落實觀眾與博物館間跨越時空無所不在的行動化、智慧化與個人化全場域參觀、學習與體驗環境，圖 9-6，進而建立以觀眾為中心悠遊於館內與館外（outside-and-onsite）、線上與線下（online-and-offline）及虛擬與實體（virtual-and-physical）三度空間之超虛實良性循環終身學習環境與博物館永續經營模式。在虛實整合方面，完成全館實體卡友與網路虛擬會員整合、跨虛實／跨領域／跨服務資源整合及觀眾／學習者為中心終身學習歷程整合，其衍生智慧創新服務包括行動智慧票務、恐龍卡服務再造、iCoBo 行動智慧導覽服務、行動智慧探索學習、智慧悅趣實境解謎及超實境虛擬互動科技特展等。

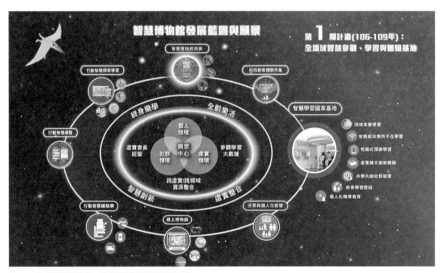

圖 9-6　全場域智慧參觀、學習與體驗環境建構示範

　　以下以兒童為中心的跨服務良性循環學習模式及吸引觀眾重返的虛實融合體驗展示，印證及示範建構智慧終身樂學與樂活環境的可及性，並勾勒未來整體發展願景。

一、兒童族群跨服務良性循環學習模式

　　為具體實現智慧終身樂學與樂活示範基地的構想，落實發展分眾族群

跨數位與實體博物館間之良性循環終身學習環境。科博館首先以兒童族群為示範，提出以兒童為中心串聯線上和展場的循環學習模式（OOCLM - online and onsite cyclical learning model）（Hsu and Liang, 2016），目的是要由線上和展場服務的高度整合，促進兒童的循環學習。OOCLM 採用博物館學習情境模式（CML, contextual model of learning）考慮影響設計數位服務的博物館情境因素。藉由數位科技融入實體場域的虛實整合環境脈絡創新應用，將 Falk 及 Dierking（2018）提出的博物館學習情境模式，擴展為個人情境、社會文化情境及虛實整合情境（blended virtual and physical context）及與博物館間長期互動所形成的良性循環學習情境脈絡（Hou et al., 2014; Hsu and Liang, 2017），圖 9-7。

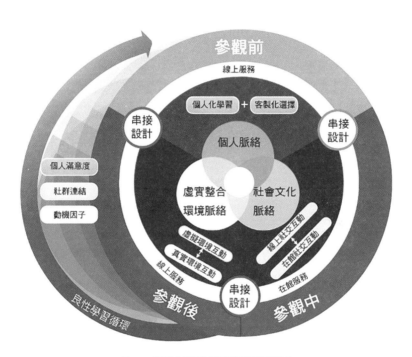

圖 9-7　虛實整合博物館良性循環學習服務模式

　　以每一位與博物館互動的學習者為中心，從提供客製化選擇的個人化無所不在的良性循環終身學習環境為核心，進而提供兒童線上與展場學習空間中虛擬與實體資源整合的深度探索環境設計、社群互動長期經營及永續發展與建構的跨領域知識與故事及多元創新加值服務。藉由良性循環終身學習模式中每個學習情境脈絡的聚合實現，將增強孩子們的學習歷程滿

意度、社群關係連結和激發不斷學習的動力。因此，虛實整合良性循環學習服務模式運用博物館的跨領域資源有助於博物館長期的資源整合、管理與創新，橋接線上和展場學習經驗設計，有效地促進了博物館參觀前中後的良性循環學習，此模式成功建立可重複參訪和使用博物館服務的博物館永續學習環境。藉由個人化和客製化實體博物館與數位博物館跨域與跨服務主題式套裝服務的結合，每個孩子從第一次博物館之間的學習經驗開始，博物館將持續延伸成為陪伴他／她成長的虛實整合終身學習環境。

為吸引孩子不斷重返博物館，具體落實發展虛實整合良性循環學習服務模式，科博館先後以融入中小學九年一貫課程、新課綱及核心素養導向，發展連結博物館學習及學校教育的行動智慧學習環境。從 102 年至 108 年先後發展國小師生行動探索學習、親子兒童行動悠遊學習、個人實境解謎與協力式實境解謎等多元行動智慧學習服務。行動智慧學習區域觸及科博館生命科學廳、人類文化廳、地球環境廳及植物園等各常設展區。109 年並進一步整合串連各服務，建構以孩子為中心之學校師生行動智慧跨服務入口網與悠遊館內外的無所不在學習環境，圖 9-8。透過學習者為中心跨服務良性循環學習模式，學習者除不斷隨著主題新增持續參與個別學習服務外，

圖 9-8　以兒童為中心之跨服務良性循環學習模式

並可漫遊於跨服務之間，其學習歷程以觀眾為中心（visitor-centered）被統整追蹤、紀錄、管理及分析，進而依其興趣推薦跨服務學習主題及跨領域知識與故事內容（Hong et al., 2013）。此模式讓中小學生能悠遊於博物館、學校、家庭、社區及偏鄉等跨虛實、跨場域與跨服務的探索學習環境，探索體驗設計融合故事情境、科學觀察、趣味學習及創新科技的參觀前、中、後的樂學服務（Hsu et al., 2018），同時為孩子於循環式探索學習過程，建立跨服務參觀與學習歷程檔案，落實建立以學習者為中心之終身樂學與樂活示範模式（King and Lord, 2016）。

二、普及大眾重返悠遊的虛實融合互動體驗特展

科博館除了建構上述跨服務良性循環學習環境，示範以兒童為中心悠遊樂學於新型態學習服務外，更進一步於第一期智慧博物館四年計畫最後一年，開創吸引跨世代觀眾重返博物館的新型態虛實融合體驗特展－「時空探秘：滅絕、新生與未來幻境特展」（109 年 7 月 22 日至 110 年 2 月 28 日），特展的策展理念希望從科學家探究 46 億年地球生命科學論證中，發掘遠古物種興迭及大滅絕的推論，印證現代氣候變遷及人為環境污染，百萬物種瀕臨滅絕威脅，地球將面臨第六次大滅絕的危機，呼籲大眾共同保護我們美麗的家園－『地球』。特展知識架構與故事脈絡布局，分為「探索遠古：恐龍大滅絕」、「省思現代：變異的福爾摩沙」及「夢想未來：奇幻異世界」三大展區展現。透過 5E 體驗設計模式具體展現以觀眾為中心芝參觀前、中、後博物館體驗探索旅程。特展整合虛實融合展示空間營造、劇場式展演沉浸體驗、個人化行動趣味探索學習及群眾參與式與對話式互動等特色設計模式。並運用群體共學與共創的集體力量，整體探索體驗過程中的每一位觀眾都是特展的貢獻者與創作者（Vermeeren et. al., 2018）。整體特展應用 Perry（2012）提出的觀眾學習模式（selinda model of visitor learning），包含：參與（engagement），如何與觀眾互動？動機（motivations）：是甚麼讓學習變有趣？結果（outcomes），觀眾孩子能帶走甚麼？等三個構面融入三大展區設計，試圖建構高參與度、互動性、趣味性與影響力的新世代數位展示體驗（Perry, 2012）。

（一）觀眾為中心的循環式 5E 體驗設計模式

整體特展體驗設計導入 Keeley（2013）的 5E 模式，包括吸引（entice）、

入場（enter）、參與（engage）、出場（exit）及延伸（extend）五階段體驗設計，落實博物館觀眾為中心的參觀前、中、後循環式探索體驗與學習模式，如圖 9-9。特展入口區為觀眾觀展前預備個人化探索之旅的數位導覽、智慧驗票、虛擬創角、情緒辨識等數位科技初體驗。進入展區以劇場式虛實融合光影展演與沉浸式多層互動體驗貫穿三大展區空間，帶領觀眾穿梭時空，親臨遠古生物大滅絕及現代地球人類自我毀滅的感官震撼，以激發觀眾省思環保和實踐永續地球的精神。三大展區探索結合智慧卡與個人行動載具，體驗多層式科普知識閱覽與趣味探索學習之旅。每位觀眾觀展過程不僅是參與者，也是特展貢獻者與創造者，觀眾可發揮數位藝術想像與創意，在夢想未來區彩繪個人獨特未來生物創作。展示出口最後將聚合群體觀眾參與共學、共創與共享的能量大數據，共同創造超時空未來虛擬夢幻星際。

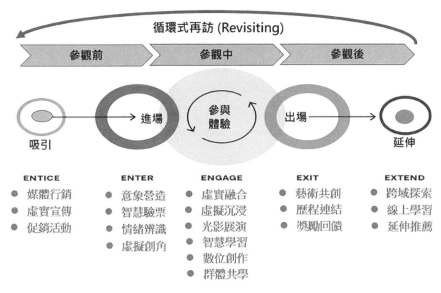

圖 9-9 參觀前中後循環式 5E 體驗設計模式

本特展的推出，實現終身樂學與樂活智慧博物館，導入 5E 體驗設計模式並激發全民再訪與終身樂學的成功示範，對科博館策展團隊與觀眾都是難忘的歷程，對國內外博物館界、學術界及產業界而言，融合數位策展、體驗設計及智慧博物館永續發展更是重要的參考指標。

（二）融入博物館數位體驗設計新思維

有別於傳統的實體展示及近幾年數位科技展示，特展融合歷年智慧服務與創新應用的成果，利用創新的虛擬互動科技體驗展示，希望能成功營造以觀眾為中心智慧終身樂學與樂活的互動體驗展示，以吸引孩子及一般觀眾再次回到博物館循環參觀與學習的智慧終身樂學創新示範。國內外博物館過去在以展演實體物件為主或純以數位沉浸式體驗特展不勝枚舉，如何巧用實體與數位展示手法的個別優勢，激出新型態的當代新創展示模式，對於博物館發展上是一個重要議題。而時空探秘特展運用當代博物館對話式與參與式數位體驗設計新思維（李來春等，2018；Decker, 2015；Vermeeren et al., 2018；Summers, 2018)，主要設計方法包括：1. 活化數位典藏、數位教育與文創、智慧服務資源再創新；2. 融合數位、智慧與虛擬科技，穿越遠古、現生與未來時空秘境；3. 體驗虛實融合感官沉浸互動，數位光影生滅故事劇場展演；4. 結合智慧卡與個人行動載具，體驗多層式趣味科普探索學習之旅；5. 發揮數位藝術想像與創意，彩繪個人獨特未來生物創作；6. 聚合群體共學、共創與共享能量，共同創造未來夢想世界。為觀眾創造融合虛實光影沉浸與展演、個人化自主探索、群體共學與共創、知性探究與感性反思的獨特參觀體驗，圖 9-10。

圖 9-10　融入參與式博物館數位體驗設計新思維

（三）參與式智慧共學與數位藝術共創

　　博物館特展有別於商業展示，除結合新科技體驗設計外，仍強調發揮大眾知識傳達、故事敘說與教育影響上功能與特性。由從博物館學習模式如何融入互動策展設計，為讓不同年齡分眾族群在學習層次上能落實達到適性適齡，時空探秘特展在學習模式引用 Anderson 與 Krathwohl 修訂之 Bloom 教育目標分類（bloom taxonomy of educational objectives），多層次學習思維設計，由記憶（remember）、理解（understand）、應用（apply）、分析（analyze）、評估（evaluate）到創造（create）等六個漸進式學習思維，引導觀眾在探索體驗過程，逐步建立參與學習、觀察思考到行動創造的自我成就樂趣與進階素養能力的建立。時空探秘特展透過智慧卡與個人化特展網頁的串聯，實現了親子共學的體驗模式。除能個人創作外，所創造出的音樂或 3D 影像還能與其他觀眾的創作整合展現，讓觀眾參與到展覽內容的呈現，成為展覽的共同創作者。同時蒐集觀眾參觀特展的各種行為加以分析後的群體大數據進行分群，轉化為「參與力」「探究力」「貢獻力」「影響力」「創造力」等五力以藝術視覺化呈現的群體共創，圖 9-11。

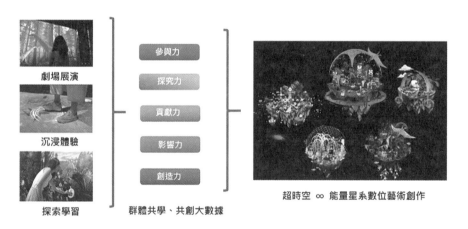

圖 9-11　觀眾群體共學數位藝術視覺共創

結論與未來發展方向

　　博物館數位科技應用發展歷經資訊化、網路化、數位化、行動化與智慧化過程，科博館活化統整數位典藏與數位學習、行動教育與數位文創、

智慧學習與聯網體驗等關鍵發展階段之學術研究與實務建構經驗成果，從契合全年齡分眾族群需求及期待出發，永續建構及再利用活水式的跨領域知識與故事大寶藏，開發獨特性教育加值內容、服務、體驗及產品，藉由虛實整合／跨服務／主題式／套裝式創新加值與服務，提供大眾無所不在／良性循環終身學習與生活空間，建立永續經營的獨特教育品牌與商業模式為願景。在整體發展過程，將整合數位博物館及實體博物館的資產與發展遠景各具擅長及優勢，善用創新資訊、通訊及數位互動科技，將虛實空間的具優勢與獨特知識資產，考量各分眾使用族群需求，發展虛實整合分眾套裝創新教育內容與服務模式，並統整、加值、串聯及包裝發展策略，產出具獨特性創意及創新內容、服務、應用、產品，以持續保有既有並擴展新的消費族群，達到獨特品牌營塑及提升永續經營的競爭力。

科博館在第一期智慧博物館計畫，致力發展以觀眾為中心的智慧參觀學習與樂活的創新服務與永續經營模式，建構參觀前：行動智慧購票及預約參觀服務；參觀中：科技創新的智慧展示空間與趣味探索終身學習休閒環境，到參觀後：良性循環延伸智慧學習環境與產業合作永續經營模式。率先發展以兒童族群跨服務良性循環學習模式及普及大眾重返悠遊虛實融合互動體驗特展為示範，實證智慧終身樂學與樂活環境的可及性。第二期智慧博物館計畫將延續第一期計畫『跨域統整』、『虛實整合』、『智慧創新』、『終身樂學』與『全齡樂活』發展目標，持續以跨世代、跨場域、跨虛實、跨服務為發展策略，兼顧智慧教育、智慧展示、智慧營運、智慧管理全面發展的全方位智慧博物館發展視野。在思考知識與體驗經濟時代，運用有限的館內外智識資產及經費資源，綜合經營特質、消費需求、產業區隔、科技趨勢、體驗經濟及生存競爭等思考議題，構築兼顧各面向統整與均衡發展的新世代數位博物館統整永續的策略。在規劃與建構實務，必須以觀眾需求與期待、消費市場優勢與區隔與組織經營目標與願景為導向，落實活化跨領域及跨虛實智識資源、漫遊跨服務與跨科技創新體驗及穿越跨世代與跨場域終身樂園等 3 個最核心關鍵議題，為建構可永續發展與經營的終身樂學與樂活智慧博物館持續邁進。

一、智慧聯網終身樂學與樂活智慧博物館

科博館於 110 年啟動第二期智慧博物館四年計畫，將延續第一期具體實

現虛實整合、智慧創新、終身樂學及全齡樂活的智慧博物館永續經營模式，並擴大發展以建構智慧教育、智慧展示、智慧營運、智慧管理為主軸之人工智慧聯網（AIoT）全方位智慧博物館。將整座活體博物館視為超虛實動態體驗大特展的策展概念，藉由人工智慧聯網全方位智慧博物館特展，展現科博館長期發展數位典藏與數位學習、數位教育與數位文創、全方位智慧博物館等智慧科技在博物館總體發展歷程及實務典範，分享與國內外博物館。智慧博物館第二期四年計畫最後一年將結合產學研跨域合作策劃人工智慧聯網智慧博物館與未來文創夢想特展，展現科博館長期發展數位典藏與數位學習、數位教育與數位文創、全方位智慧博物館及 AIoT 智慧博物館等智慧科技在博物館總體發展歷程及實務典範，分享全民、產學界與國內外博物館，並創新博物館科技策展與巡迴展示經營模式，同時導入觀眾體驗消費新思維，推廣博物館科技創新體驗經濟及終身樂學與樂活智慧博物館發展模式，圖 9-12。

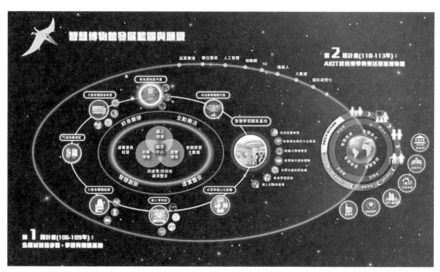

圖 9-12　終身樂學與樂活智慧博物館發展藍圖與願景圖

二、建構終身教育與全民樂學科普基地

為實現全民可永續經營與發展的智慧終身樂學與樂活環境，未來智慧教育與全民樂學發展方向將整合與時俱進之人工智慧、物聯網、感知科技、虛擬沉浸、大數據、視覺藝術及 5G 寬頻科技，發展結合以博物館為中心連

結學校、家庭、社區與偏鄉之中小學課綱導向與核心素養智慧學習國家基地，人工智慧聯網科技以開發全民 AIoT 智慧科技素養培育與創客教室為關鍵示範應用，為達到智慧學習到偏鄉的目標，將發展 5G 行動智慧博物館將智慧學習與科技體驗傳送到偏鄉，運用人工智慧聯網與沉浸式互動體驗等前瞻科技，融入科博館自然與人文典藏精華與趣味知識故事創意整體的行動智慧策展，藉由 5G 寬頻技術連結科博館 AIoT 智慧科普教室及全場域智慧學習國家基地，建構城鄉遠距協力共學與共創模式。四年計畫將善用智慧科技，落實建構以博物館為中心，陪伴孩子從親子、中小學、成年到銀髮之全世代跨場域無所不在的良性循環終身樂學與樂活基地，圖 9-13。

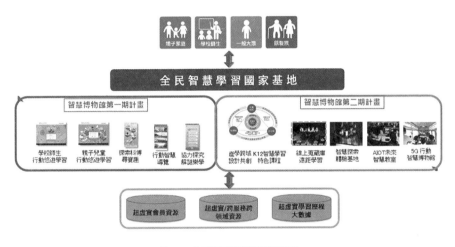

圖 9-13　全民智慧教育與科普樂學基地

三、可永續發展與經營的智慧博物館國際典範

　　科博館歷經數位典藏與數位學習、數位教育與數位文創、全方位智慧博物館等智慧科技在博物館總體發展歷程及實務典範。在此過程已建立統整式跨領域知識內容建構、情境感知行動學習、融入學校課程行動探索學習、虛實整合良性循環學習及適性適齡行動智慧遊戲式學習模式等。未來四年計畫將展現科博館長期發展數位典藏與數位學習、數位教育與數位文創、全方位智慧博物館及 AIoT 智慧博物館等智慧科技在博物館總體發展歷程及實務典範，分享全民、產學界與國內外博物館，並創新博物館科技策展與巡迴展示經營模式，同時導入觀眾體驗消費新思維，推廣博物館科技

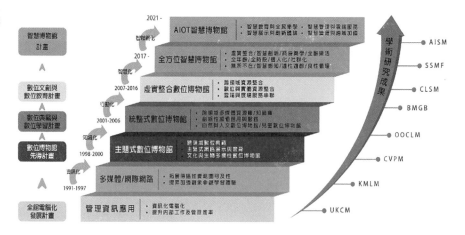

圖 9-14　可永續發展與經營的智慧博物館典範

創新體驗經濟模式，圖 9-14。此外，未來四年計畫也將連貫科博館過去全館電腦化發展、數位典藏與數位學習、全方位智慧博物館，到擴大發展為全世代民眾精實建構智慧教育、智慧展示、智慧營運、智慧管理為主軸之人工智慧聯網（AIoT）全方位智慧博物館，以落實活化跨領域及跨虛實智識資源、漫遊跨服務與跨科技創新體驗及穿越跨世代與跨場域智慧終身樂園為核心整合架構，提出可永續發展與經營及智慧聯網為核心的新世代智慧博物館發展模式。希望能以『終身樂學與樂活智慧博物館』為核心價值與理想，打造整合、創新、智慧及永續的新世代博物館。讓每一位兒童及民眾從第一次接觸科博館的創新參觀、學習與體驗服務開始，科博館將成為陪伴小孩快樂成長的探索學習夢想樂園。扮演國際博物館地球村的智慧博物館的發展先驅，將完整研發、整合、應用及推廣實務經驗，進行營塑專業化、產品化與服務化之研創與推廣基地，將發展典範分享移轉華文世界及全球博物館。

致謝：
本文感謝科博館館務電腦化、數位化、行動化與智慧化，以及數位典藏與數位學習、數位教育與數位文創及智慧博物館重要發展過程，歷任館長及長官們的指導與支持。跨領域專業同仁、學術界及產業界合作夥伴共同努力。特別感謝葉鎮源、陳君銘、劉杏津、梁心怡、陳呈容及劉穎穎等同仁辛苦奉獻、投入與協助。

李來春，曹筱玥，陳圳卿， 2018。互動設計概論－創造互動設計無線應用的可能，新北市：全華圖書股份有限公司。

林詠能，2018。博物館與科技應用：創意、需求與科技互動。博物館與文化，15：1-3。

徐典裕，2012。虛實整合跨領域知識內容管理與數位博物館建構模式：以國立自然科學博物館為例。博物館與文化，4，3-29。

徐典裕、江沛航、陳秀華、褚如君、李雯純、翁菁邑、林均霈，2012。全方位數位博物館。載於數位典藏與數位學習國家型科技計畫拓展台灣數位典藏計畫。台北市：中央研究院。

徐典裕， 2018。智慧科技時代博物館創新思維與經營模式──以國立自然科學博物館為例。主計月刊，754：30-36。

劉君祺，2009。創造個人化的參觀經驗：探討博物館融匯人文與科技的溝通方式。博物館學季刊，23（4）：89-100。

Anderson, L. W. & Krathwohl, D. R.(Eds.), 2001. A Taxonomy for Learning, Teaching and Assessing: a Revision of Bloom's Taxonomy of Educational Objectives: Complete Edition. New York: Longman.

Decker, J., 2015. Engagement and Access: Innovative Approaches for Museums. Rowman & Littlefield.

Din, H. & Hecht, P. (Eds), 2007. The Digital Museum: a Think Guide. Washington, DC: USA, American Association Museums.

Falk, H. & Sheppard, B. K., 2006. Thriving in the Knowledge Age: New Business Models for Museums and Other Cultural Institutions. AltaMira Press.

Falk, J. H. & Dierking, L. D., 2018. Learning from Museums. Rowman & Littlefield.

Fritz, A., 2021. Sustainable Enterprise Strategies for Optimizing Digital Stewardship: A Guide for Libraries, Archives, and Museums. Rowman & Littlefield.

Hooper-Greenhill, E., 2013. Museums and their Visitors, Routledge. New York, NY.

Hossaini, A. & Blankenber, N., 2017. Manual of Digital Museum Planning. Rowman & Littlefield Publishers.

Hou, H. T., Wu, S. Y., Lin, P. C., Sung, Y. T., Lin, J. W. & Chang, K. E., 2014. A Blended Mobile Learning Environment for Museum Learning. Journal of Educational Technology &Society, 17(2), 207-218.

Hsu, T. Y., Ke, H. R. & Yang, W. P., 2006. Unified Knowledge Content Management model for digital archives in museums. The Electronic Library, 24(1): 38-50.

Hsu, T. Y., Ke, H. R. & Yang, W. P., 2006. Knowledge-based Mobile Learning Framework for Museums. The Electronic Library, 24(5): 635-648.

Hsu, T. Y., Kuo, F. R., Liang, H. Y. & Lee, M. F., 2015. A Curriculum-based Virtual and Physical Mobile Learning Model for Elementary Schools in Museums. The Electronic Library, 34(6): 997-1012.

Hsu, T. Y., Kuo, F. R., Liang, H. Y. & Lee,M. F., 2016. A Curriculum-based Virtual and Physical Mobile Learning Model for Elementary Schools in Museums. The Electronic Library, 34(6): 997-1012.

Hsu, T. Y. & Liang, H. Y., 2017. A Cyclical Learning Model to Promote Children's Online and On-site Museum Learning. The Electronic Library, 35(2): 333-347.

Hsu, T. Y., Liang, H. Y., Chiou, C. K. & Tseng, J.C.R., 2018. CoboChild: a Blended Mobile Game-based Learning Service for Children in Museum Contexts. Data Technologies and Applications, 52(3): 294-312.

Keeley, L. , Walters, H., Pikkel, R., & Quinn, B., 2013. Ten Types of Innovation: The

Discipline of Building Breakthroughs. John Wiley & Sons.

Keyes, J., 2006. Knowledge Management, Business Intelligence, and Content Management. NW: Auerbach Publications.

King, B. & Lord, B., 2016. The Manual of Museum Learning (2nd Edition). Rowman & Littlefield Publishers.

Leonard-Barton, D., Swap, W. C. & Barton, G., 2015. Critical Knowledge Transfer: Tools for Managing Your Company's Deep Smarts. MA: Boston, Harvard Business Review Press.

Marty, P. F. & Jones, K. B., 2008. Museum Informatics: People, Information, and Technology in Museums. Routledge.

Perry D. L., 2012. What Makes Learning Fun?: Principles for the Design of Intrinsically Motivating Museum exhibits. AltaMira Press.

Rockley, A., 2012. Managing Enterprise Content: A Unified Content Strategy (2nd Edition). CA: Berkeley.

Scott, C., 2013. Museums and Public Value: Creating Sustainable Futures. Ashgate Publishing, Ltd.

Siemer, R., 2020. Museum Membership Innovation: Unlocking Ideas for Audience Engagement and Sustainable Revenue. Rowman & Littlefield Publishers.

Simon, N.,2010. The Participatory Museum. Museum 2.0, California.

Summers, J., 2018. Creating Exhibits That Engage: A Manual for Museums and Historical Organizations, Rowman & Littlefield.

Vermeeren, A., Calvi, L. & Sabiescu, A., 2018. Museum Experience Design, SSCC.

虛實整合參觀民眾行為系統探析——
以國立科學工藝博物館「智慧製造體驗專區」為例

蘇芳儀

前言

　　近年來隨著物聯網、大數據、人工智慧、機器人等創新科技興起，逐漸影響許多行業的生態與發展，博物館當然不例外，須在角色與功能上與時俱進，方能因應大環境變遷下的挑戰。國立科學工藝博物館（以下簡稱科工館）是臺灣最大的應用科學博物館，館內的常設展示皆與科技相關，透過精彩的內容及相關連的教育活動，具體實踐科普傳播的使命，讓社會大眾走進科工館認識及了解科技的創新與應用，是展示教育持續追求的核心價值。

　　科工館的展示因應工業 4.0，智慧科技時代的到來，積極構思引介及善用科技於展示內容之中，期許達成：記錄工業發展歷程以實踐使命；介接科技與營運以提升服務品質；啟發學習興趣以協力制式教學等三大目標，以利彰顯科工館產業博物館特色及科技博物館的本質，因此，配合教育部「智慧服務全民樂學—國立社教機構科技創新服務計畫」，簡稱「智慧博物館」專案，提出建構「物聯網」暨「智慧製造」展示教育平台一個為期四年的計畫（以下簡稱本計畫），以物聯網及相關新興技術來提升核心服務價值及整體營運績效，以期在競爭激烈且變動快速的大環境中永續發展。

　　本文以本計畫當中「智慧製造體驗專區」為設計的實作場域，嘗試建構以參觀者為中心之智慧博物館展示模式，藉以評量觀眾參觀行為。這套「虛實整合參觀民眾行為系統」（online to onsite visitor behavior system）係以 beacon 微定位感知技術為基礎，利用資訊科技、行動裝置、人機介面 App 等技術，搭配展示廳當中實體的互動單元，來追蹤出觀眾的參觀軌跡，進一步記錄其對該展示內容的認知、理解、需求與學習型態，建立參觀該展示的學習履歷。其次再就使用者的涉入程度、操作行為，整理出展場中所

陳設展示的「資訊呈現方式及內容」是否適切並加以分析，進而改善，以期藉此建立良好、有用的虛實整合展示設計模式。通過資訊回饋系統建立博物館與參觀者的雙向互動平臺，實現觀眾與博物館的即時對話。

文獻探討

本文就科工館開發的「虛實整合參觀民眾行為系統」進行案例研究，藉由個案的建置與實施，發現更多博物館可應用範圍、服務模式與效用。根據前言中所描述之源起、背景以及目的，本文相關文獻探討涵括智慧博物館、大數據分析、智慧製造及博物館觀眾行為。

一、智慧博物館

2008 年 11 月，IBM 公司提出「智慧地球」的概念。「智慧」這一個概念，開始在全球發酵，相關的資通訊技術也成為各國科技發展的戰略重點。這一概念所代表的感知、智慧、創新、融合快速運用到其他領域，促成智慧博物館的理念應運而生。2012 年 4 月，巴黎羅浮宮與 IBM 合作建設歐洲第一個智慧博物館，掀起建設智慧博物館的浪潮（李姣，2019）。智慧博物館的特徵與傳統博物館、數位博物館都有所不同，智慧博物館是在數位的基礎上，結合當前的人工智慧、物聯網、雲端計算等技術，實現以大數據進行智慧化管理、控制、推薦等服務，建置一個完整的博物館智慧生態系統「物－數據－人」之間的雙向多元資訊交換互動。

根據 2015 年最新出版的《Horizon Report》，在博物館／圖書館應用的趨勢報告中指出，諸如行動載具、智慧定位、定位導向服務、物聯網技術、遊戲式學習、線上學習、資訊視覺化、語意網與鏈結性資料、自然使用者介面等，都將是未來 5 年內博物館／圖書館資通訊科技應用的關鍵重點。整體來說，資通訊科技在博物館／圖書館的應用主要朝著「雲端應用」、「智慧環境」、「智慧服務」、「互動展演」、「3D 展示」、「個人化體驗」、「自主學習」等趨勢發展，結合博物館／圖書館實體參觀場域與網路雲端場域，提供滿足觀眾在教育、生活、育樂需求的關鍵性應用（教育部，2015）。綜整國內外發展趨勢，我國於 2015 年開始著手推動新興科技發展政策，並在教育部所屬的博物館群裡從 2017 年開始，展開為期四年的「智慧博物館計

畫」，借重臺灣的科技強項，並利用博物館豐沛的資源及創新的作為，將全球目前新科技的應用及發展進行推廣，徹底改變博物館與圖書館的傳統面貌和服務模式。

二、博物館與大數據

　　大數據的發展為博物館的資訊化和智慧化提供了技術支撐，也為博物館的創新與發展帶來啟示。使博物館「智慧化」的轉變成為趨勢（岳娜，2020）。「大數據」一詞大約出現在 1998 年間，因網際網路全球風行，各種數位資料化不斷產生，並且透過網路大量流通，資、通訊產業針對大量不易處理的資料，所給予的一個通用稱呼（賴鼎陞，2014）。而 2014 年 Ellen Gamerman 於《When the Art Is Watching You》一文中，探討關於美國博物館近年嘗試藉由在展場設置廣泛的 beacon（微定位），用來捕捉進場所有訪客的行為數據，分析每個來參訪的觀眾行為。顯見數據的擷取與收集，在資訊時代扮演舉足輕重的角色，正如 Nathan Eagle 與 Alex Sandy Pentland（2006）認為，人類的行為透露著大量的數據資訊，可以通過設置一些感應器來捕捉和測量人們平時潛藏的行為，還可以使用演算法來挖掘這種數據的價值，即通過「現實挖掘」（Reality Mining）的方式來了解人類潛在的行為邏輯。正因為數據隱藏著人們的生活方式和行為習慣，在數位化時代，「數據」被視為一種商業資本，不少企業和社會組織正在從這些數據資訊當中獲得新洞察，並不斷推出新的對策和措施（楊揚、張虹、張學騫，2020）。

　　博物館的展示及教育活動一直以來就是創新典範的代表，迎向世界的潮流，博物館當然不能置身事外，因此，從評量觀眾的行為、展場設計到行銷策略，大數據分析正在扭轉全世界博物館管理的眾多層面。從「資訊化」朝向「智慧化」演變，順勢帶起博物館諸多服務的改變。數據研究專家 Mayer-Schonberger 與 Cukier（2013）認為在過去資料不足的時代，由於技術限制，很難掌握到全體的資料，只好抽取小量樣本，例如：早期以發問卷的方式在特定一段時間研究觀眾行為，並使用各種統計技巧去推估母體的概況。但是在巨量資料時代，資通訊技術的日新月異，掌握全體的資料已不是夢，不用再畫地自限，拘泥於統計觀點，要大膽而廣泛的蒐羅所有的資料，這是各行各業都適用的原則（賴鼎陞，2014）。綜上，大數據分析技術易建構觀眾行為的整體模式，讓博物館在探究觀眾行為，可以從過去橫

斷面研究，擴展到縱斷面，互相彌補優、缺點，使博物館的各項服務可以更貼近使用者的需求。

三、智慧製造與工業 4.0

工業 4.0 一詞亦稱為智慧製造，在 2011 年的漢諾威工業博覽會被提出後，推動整個產業往智慧製造方向前進。透過智慧製造應用來實現製造能力變革，已成為諸多國家與企業因應社會、技術、環境、政策領域大趨勢的重要策略（熊治民，2019）。回顧工業革命的歷史，人類以蒸汽替代人力，走入電氣化時代，發展資訊技術帶起自動化生產，到現在的工業 4.0 被視為第四次工業革命 - 是智慧科技革命，為現今正在進行中的一場革命，以虛實整合系統（Cyber Physical System, CPS）及物聯網（Internet of Things, IoT）為核心概念，透過網際網路通訊科技、連結設備端轉換資訊端（虛擬化）科技、大數據分析科技、物聯網科技等，大幅提升生產效率，建構出一個有智能意識的產業世界（杜紫宸，2017）。智慧製造儼然是全球趨勢，包含德國 Industrie 4.0、美國先進製造夥伴（Advanced Manufacturing Partnership, AMP）、中國製造 2025、日本的日本製造業白皮書等，都是藉由政策與資金的挹注，帶動國家產業升級，提升競爭力。

因應這股浪潮，政府於 2016 年推動「五加二創新產業」，為健全創新產業生態系統，重新塑造臺灣產業的全球競爭力，推動我國製造業升級。科工館是國內最大的應用科學博物館，也是與臺灣產業最具鏈結性的博物館，參考英美的經驗 - 利用博物館的展示作為大眾及國內外媒體認識一個國家產業及科技創新的平台，應能在國家推動「智慧創新」、「智慧科技」發展計畫過程中做出貢獻。是故，藉由本次計畫，科工館分年在五個常設展示廳當中建置了六個「智慧製造體驗專區」，包括：「智慧車」、「產業機器人」、「智慧穿戴」、「智慧農業」、「智慧烹調」及「智慧醫療」，透過專區除了讓博物館成為國內產業與社會大眾間，專業知識與技術轉介之科普展示平台外，同時以新興技術建置的各專區，讓觀眾能夠更深入地參與互動來認識智慧製造，並以大數據分析為支撐，來探析觀眾的參觀行為。「智慧製造體驗專區」的願景係希望帶動產業界與科工館合作、蒐集觀眾參觀回饋予科工館、科工館優化展示經驗後再回到產業界進行技術或產品的強化，一個有機循環機制，以期共創三贏價值。

四、虛實整合博物館觀眾行為

　　博物館觀眾行為是指觀眾在博物館環境中有目的行動的連續集合。是在特定場館空間內通過「展示－參觀」的互動行為完成的系列活動。長期以來，由於雙方互動的資訊不對稱，相關活動的管理多半依賴經驗驅動，缺乏有效的量化指標。但隨著資通訊技術的發展，在博物館營運中收集觀眾全過程資料，並利用大數據分析方法進行科學的精緻化管理已成為可能（陳晴，2018）。而對於大多數民眾而言，「參觀展示」是來博物館最主要的任務，因此怎麼參觀？人（參觀者）與物（展品）發生了什麼互動？是策展人最想知道的。展示內容之設計與展示說明之呈現方式，都對觀眾的學習有很大的影響，因此，分析與探討是必須且重要的（蘇芳儀，2018）。通常參觀時，觀眾的主觀意願往往會受到現實環境、認知錯位、他人干擾、博物館疲勞等種種因素的影響而產生客觀變化。參觀行為是博物館傳播效果最直接的反映－「誠實的身體反映」是無法隱藏偽裝的。但是由於觀眾行為的不確定性，這種傳播中的動態過程很難捕捉。但如果可以利用數據的方式獲得它們，並用博物館學的手段來分析，無疑是降低溝通成本、提高溝通效率的最佳模式（陳晴，2018）。

　　因此，科工館在上述的「智慧製造體驗專區」20 個互動單元，建置一套「虛實整合參觀民眾行為系統」，圖 10-1，該系統安裝至專區當中所有互動單元中，透過 beacon 微定位及互動程式設計，來捕捉觀眾的行為，民眾只要下載隨展 APP，配對識別碼後，啟動並操作互動單元，即透過系統記錄

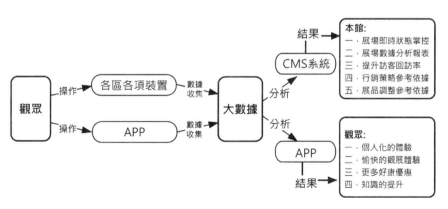

圖 10-1　觀眾行為數據收集流程及應用

觀眾在展廳各區域停留的時間,以及他們在參觀過程中的具體參觀行為,這些數據能夠真實地表現出觀眾的實際感受,方便館方對一些深層次的細節問題,做出具體的估量和分析。更能準確地評量觀眾的行為,並能結合推薦系統,根據觀眾的瀏覽、搜索、喜好等行為,為他們推薦喜歡和關注的展示或者活動(于暉、張玉翠,2015)。

五、小結

綜整上述文獻,因應智慧博物館概念的興起及政府政策支應與經費挹注下,科工館藉由此次四年計畫,強化其在產業博物館的特色,以工業 4.0 及「五加二創新產業」為發展方向,建置 6 個「智慧製造體驗專區」,除導入典範產業各項新興技術,更借助物聯網、人工智慧及大數據析等資通訊科技,透過虛實整合參觀行為系統,來實現各業務系統數據的匯總、分析和管理,並以視覺化的方式呈現,為博物館營運監測和決策提供以數據驅動的解決方案。從經驗驅動到數據驅動,從橫斷面研究轉向縱斷面研究,期望依靠大數據支撐,能把博物館觀眾人群的特點、偏好、目的、喜歡的體驗方式都抓取到,從而幫助博物館做出前瞻性的決策,例如:如何去組織活動、如何取策劃觀眾喜歡的展示、如何去精準行銷進而進行研究,以及對未來市場做出預先的判斷(李林,2016)。而這也是物聯網世界的最終目的—期望透過感測元件所收集到的資料,進行數據分析,最終做到預測進而精準行銷與決策。以下就個案規劃設計等實作經驗進行說明。

個案説明:虛實整合參觀民眾行為系統探析

要如何「虛」「實」溝通?整合現場展示單元與隨展 App,來進行資料探勘,藉此了解參觀行為及學習軌跡,「觀眾」和「展品」之間如何互動,是策展人最想知道的。因為對策展人而言,一個成功的互動式展示,必須讓觀眾方便使用、容易操作,且能有效的傳遞展示理念與訊息,在交互對等的激發與回饋中,引發觀眾的思考與學習,有助於觀眾知識的增長、觀念的釐清及態度的啟發(張崇山,2009)。因此,分析與探討是必須且重要的,如何虛實整合?紀錄?與追蹤參觀的「行為」,而不單純只是記錄「到」、「有碰展品」,以下就虛實整合參觀民眾行為系統規劃實作經驗和各位分享。

一、如何虛實整合？紀錄？與追蹤

以往在博物館各展示裝置都是各自分散並獨立運作，不僅難以掌控各裝置之運作情況，也無法掌控每個使用者對各個裝置的使用情況，本計畫科工館以物聯網的概念，將六個專區內所有互動裝置全數連網，同時展廳內佈建 beacon，並與隨展 APP、大數據平台系統進行整合，讓我們能夠更精準地掌握觀眾的行為模式，進而提高後續大數據分析結果的精準度與可靠性。參觀本專區的觀眾先下載專屬 App 後開始參觀，當靠近被記錄的單元時，beacon 會啟動使用者的 App 並對應到該單元，然後產生一個條碼或者數字（通稱為 code），參觀者就到實體的展示互動機台上掃描條碼之後，完成辨識配對（pairing code）認證後，開始進行體驗並學習。然後展示互動單元利用網路連線到伺服主機，同時實體的展示互動單元以程式判斷行為指標節點，再以佈建 beacon，偵測參觀者的位置，進行「虛」「實」（Online to Onsite）互動，達成物 - 聯 - 網的人機介面的串連與整合。

二、發展行為指標

6 個專區共有 20 個互動單元，分別設置在科工館 2 樓動力與機械廳、烹調的科學，四樓衣技織長、健康探索廳及地下 3 樓台灣農業的故事，20 個互動單元的展示內容與目標係依據策展人的展示規劃書所編寫及設計，而系統如何判斷觀眾「到底怎麼參觀」這些互動單元，怎樣是「真的有投入參觀」或者「只是走過去按一下」？我們將互動單元參考 Bitgood（1994）之行為觀察表，進行歸納分類，列出以下四項，分別為（一）閱讀程度：是否正確回答展示內容相關問題、（二）涉入程度：來到展示單元前參與的時間、（三）操作狀況：正確操作展示單元完成任務及（四）討論內容：分享參與展示的經驗於臉書或其他社群網站。而每個指標行為設定給分三等級（level），依據觀眾參觀「投入」程度高－中－低，分別給予 3 － 2 － 1 分，本系統所有互動軟體的程式正是利用行為指標定義來設計其判斷的語法，進行紀錄及給分，其定義見表 10-1。

三、視覺化資訊展示

本系統以網站形式為介面，除了可以即時提供參觀資訊基本資料外，也可以下載報表進行更詳細的參觀行為數據分析，圖 10-2。系統分為兩大部

表 10-1　轉換 Bitgood（1994）行為測量指標所設計之觀察指標

分類 ＼ 定義 ＼ 指標	閱讀程度	涉入程度	操作狀況	討論內容
人為觀察 (Stephen Bitgood)	閱讀／不閱讀	專心／不專心	謹慎／亂按	主題／無關
程式判讀語法 （本系統轉換）	回答正確／不正確 展示內容問題	秒數長短	正確完成／未完成	分享參與展示的經驗於臉書或其他社群網站

（資料來源：作者整理）

ID	性別	年齡	職業	教育	D-3-4闖關遊戲機械手	APP_基本資料填寫_AR	B-1井字棋機械手臂	C-1爺爺的秘密教練	C-2奶奶的家庭醫師	C-3寶寶的智慧保母	C-4媽媽的魔法衣櫥	C4-2-1養豬產業	C4-3-2牛媽媽的認證	C4-4-1智能雞舍	B-1居家智慧化	B-2長照智慧化	D-1智慧診間	D-3-1術前定位系統	D-3-2達文西手臂	B-1遠端遙控你的廚房	D-1智慧食譜料理機	F健康諮詢	G-2你想要哪填空飼料	進場日期	足跡
39182	-				-	-	-	-	-	-	-	-	-	-	2	-	2	3	2	-	-	-	-	2021-02-07	查詢
40543	男	45歲~55歲	工	研究所	-	1	-	3	3	3	3	-	-	-	-	3	2	3	3	-	-	-	-	2021-02-07	查詢
40572	女	13歲~16歲	學生	高中(職)	3	1	3	3	3	3	3	-	-	-	3	3	3	3	3	3	3	3	3	2021-02-07	查詢
40574	女	45歲~55歲	教	國小	-	1	-	-	-	-	-	-	-	-	-	-	-	-	-	-	-	-	-	2021-02-07	查詢
40515	女	10歲~13歲	學生	國小	3	1	-	-	-	-	-	-	-	-	3	3	3	3	3	3	3	3	3	2021-02-07	查詢
40516	-				2	-	3	-	-	-	-	-	3	3	3	3	2	3	3	3	3	3	3	2021-02-07	查詢
40547	-				2	-	3	3	3	3	-	-	-	-	-	-	-	-	-	3	3	3	3	2021-02-07	查詢
40542	-				2	2	3	3	3	3	3	-	-	-	3	3	3	3	3	-	3	3	3	2021-02-07	查詢
40568	-				3	-	-	-	-	-	-	-	-	-	-	-	-	-	-	-	-	-	-	2021-02-07	查詢
40566	-				3	-	3	-	-	-	-	-	-	-	-	-	-	-	-	-	-	-	-	2021-02-07	查詢
40567	-	10歲~13歲	學生	國小	3	-	3	3	3	3	3	-	-	-	3	3	3	3	3	-	-	3	3	2021-02-07	查詢
40546	男	13歲~16歲	學生	國中	3	1	-	-	-	-	-	-	-	-	-	-	-	-	-	-	2	3	-	2021-02-07	查詢
40564	-	10歲~13歲	學生	國小	3	-	3	-	-	-	-	-	-	-	-	-	-	-	-	-	-	-	-	2021-02-07	查詢
40563	-				3	-	3	-	-	-	-	-	-	-	-	-	-	-	-	-	-	-	-	2021-02-07	查詢
40562	-	10歲~13歲	學生	國小	-	-	3	-	-	-	-	-	-	-	-	-	-	-	-	-	-	-	-	2021-02-07	查詢
18803	女	55歲~65歲	無	大學(專)	-	-	3	3	3	3	3	3	3	3	-	-	-	-	-	-	-	-	-	2021-02-07	查詢
40526	-	10歲~13歲	學生	國小	3	3	3	3	3	3	3	3	3	3	3	3	3	3	3	3	3	3	3	2021-02-07	查詢
36460	-				-	-	-	-	-	-	-	-	-	-	3	3	3	3	3	-	-	-	-	2021-02-07	查詢
40556	-	10歲~13歲	學生	國小	-	-	-	-	-	-	-	-	-	-	-	-	-	-	-	3	3	-	-	2021-02-07	查詢
40559	-				3	-	-	-	-	-	-	-	-	-	-	-	-	-	-	3	3	-	-	2021-02-07	查詢
40545	女	35歲~45歲	自由	大學(專)	3	1	3	3	3	3	3	-	-	-	3	3	3	3	3	-	3	3	3	2021-02-07	查詢

圖 10-2　智慧製造體驗專區參觀行為紀錄報表。

分，一是主控台：包括：即時資訊、觀眾參觀足跡、行為指標設定及展示廳管理等，二是分析功能，包括：參觀行為數據顯示、報表下載、會員管理及交叉分析（視覺化資料）等功能。圖 10-3 的部分顯示本專區每月、每天的到訪人數，互動展品的觸及次數，每周的人流折線圖，App 會員下載人數，長期累積下來，用以預測博物館每年、每季、每月乃至每日的人流峰谷規律，可以適時調配引導觀眾。各專區也可透過交叉分析功能進行人數、使用次數及持續力的比較，藉此了解哪個專區受到民眾喜愛，願意停留較多的時間進行參觀，圖 10-4、圖 10-5。此外，因為六個專區分佈在科工館不同的樓層，因此也可以透過參觀足跡來了解博物館參觀民眾的跨樓層移動軌跡以及疲勞狀況。Benjamin Ives Gilman（1916）最早提出「博物館疲乏症」

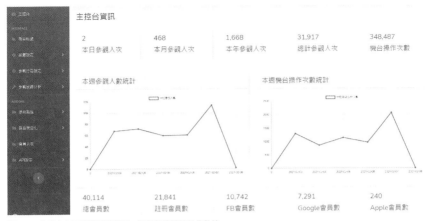

圖 10-3　主控台主要資訊呈現畫面，提供給簡潔的量化數據

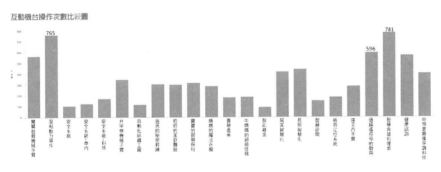

圖 10-4　智慧製造體驗專區 1-3 月互動單元操作人次比較表

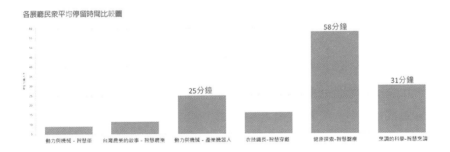

圖 10-5　智慧製造體驗專區 1-3 月平均停留時間比較表

的概念，是指，觀眾在長時間的參觀過程中，逐漸出現精力耗竭、注意力
渙散、認識活動機能衰退等一系列的疲勞現象。本系統可以了解民眾總參
觀時間長短與參觀行為表現之間的關係，藉此了解觀眾生理及心理上的改

變。綜上，觀眾在每個專區停駐的時間長短、參觀分佈的密度，人流數量以及對其他專區的關注度連結，隨機參觀路線形成的綜合趨勢—這些都體現了觀眾對展示陳設上「資訊呈現方式及內容」是否適切的「自我」回饋，能夠幫助博物館找到展示的亮點與盲點，是探索博物館展覽敘事與觀眾理解之間最佳的互動模式（陳晴，2018）。

結語

　　隨著博物館辦展理念的轉變，單純的展品陳列已經不是展示設計者所追求，服務觀眾正逐漸成為展覽的核心價值。博物館觀眾位於博物館傳播鏈的末端，其參觀體驗和參觀行為是考察傳播效益的最重要指標。透過觀眾研究，能夠檢視博物館與觀眾的溝通是否順暢、資訊傳遞的損失是否處於合理空間，促使博物館根據觀眾回饋改善傳播的形式、內容或模式，以尋求「物的表達」與「人的理解」之間的平衡。因此在博物館評估中，觀眾評估一直是最為核心的指標（陳晴，2018）。本文就科工館開發的「虛實整合參觀民眾行為系統」提出一個智慧博物館創新的展示模式，透過實際執行，建立該專區的觀眾資料庫，從數據紀錄中評量觀眾參觀行為及學習模式，是博物館學新思維與實踐的可貴結合，這套系統目前已經擴展至科工館常設展示廳當中，在此系統之基本架構下，科工館在第二期的智慧博物館計畫當中，持續串接各項「公共服務」包括：票務、餐飲、購物、旅遊規劃、活動報名、故障通報、意見反饋及藏品檢索應用等，以期建立實名制會員系統。而透過系統所回饋的大數據分析，更了解觀眾需求，打造客製化服務，建構完整的科技智慧化管理藍圖，對科工館而言掌握資訊，精準行銷，研擬策略，而對參觀民眾而言，透過資訊科技感受智慧科工館的全貌，貼近時代潮流。

　　大數據分析，以發現「相關性」為重點，所以不必強求過去的統計方法注重「因果關係」的推論；換言之，研究者不必追根究底地追查「為何如此」（know why），只要知道「正是如此」（know what），就已經足夠研究與應用所需了（賴鼎陞，2014），這類行為與社會科學的大數據研究可謂是體現一種「聽其言不如觀其行」的研究哲學（黃從仁，2020）。人類一方面在不斷地創造資料，另一方面又可以利用這些資料來創造未來。每天創

造的資料可能是個體的、局部的，而獲得的這些資料則是宏觀的、全域的，通過分析研究，將會趨近事物的本源（張嵐，2013）。隨著時代的改變，網際網路發展迅速，網路資料量也逐日增加，各領域資料也開始複雜化，如何從這些大量資料中，擷取出有用資訊，加以整理，挖掘出新的商業模式與機會，是新世紀技術發展的一項重要的課題。未來的博物館更應朝向智慧化管理，為不同年齡、不同職業的人量身訂做個性化的博物館展示活動。依靠大數據支撐，還能進一步把一家、一個地區、甚至全國的博物館觀眾之體驗方式都蒐集到，進而整合博物館群觀眾行為，提升以觀眾為中心的跨博物館參觀，從而幫助博物館做出前瞻性的決策。近年來大數據與其相關應用已經成為電子商務產業的顯學，大數據運用對於零售業而言，有著破壞性創新的效果（黃琦芮，2015）。相信博物館定能借鏡其他產業的成功模式，發展適合自己的智慧化服務。

本文感謝教育部「智慧服務 全民樂學─國立社教機構科技創新服務計畫」補助辦理。

參考文獻

Mayer-Schönberger, V., & Cukier, K. 著，林俊宏譯，2013。大數據。臺北市：天下文化。

于暉、張玉翠，2015。iBeacon 在博物館的應用研究，2015 年北京數字博物館研討會論文集，244-248，北京：北京數字科普協會。

李林，2016。成都博物館：大資料量身定制博物館之旅，2016.09.19 新浪收藏。

http://collection.sina.com.cn/cqyw/2016-09-19/doc-ifxvyqwa3446557.shtml。瀏覽日期：2017 年 9 月 29 日。

李姣，2019。智慧博物館與 AI 博物館──人工智慧時代博物館發展新機遇，博物院，4：67-74。

杜紫宸，2017。未來一直來，新時代製造業全面進化：工業 4.0，Readmoo 閱讀最前線。https://news.readmoo.com/2017/12/12/industry-4-0/。

岳娜，2020。「大數據」背景下智慧博物館發展現狀及對策，中北大學學報（社會科學版），36（2）：128-132。

陳晴，2018。大資料分析在博物館場景中的應用──以上海博物館資料中心為例，科學教育與博物館，3：188-199。

張崇山，2009。博物館互動式展示之思與辨，科技博物，13（4）：5-16。

張嵐，2013。大數據環境下博物館的機遇與挑戰。中國航海博物館第四屆國際學術研討會論文集，186-195。上海：上海中國航海博物館。

黃從仁，2020。大數據與人工智慧方法在行為與社會科學的應用趨勢，調查研究──方法與應用，45：11-42。

黃琦芮，2015。大數據價值創新之個案研究──以阿里巴巴集團為例，臺灣科技大學財務金融研究所碩士論文，未出版。

教育部，2015。智慧服務全民樂學──國立社教機構科技創新服務計畫綱要計畫，臺北市：教育部。

楊揚、張虹、張學騫，2020。數據驅動下博物館運營生態的重構──西方博物館的創新實踐，東南文化，4：183-189。

熊治民，2019。台灣智慧製造發展與應用的下一步，機械工業雜誌，437：9-15。

賴鼎陞，2014。博物館觀眾研究新契機──大數據，故宮文物月刊，374：94-102。

蘇芳儀，2018。虛實整合──以 Beacon 技術探析博物館參觀民眾行為，博物館與文化，15：53-73。

Benjamin Ives Gilman,1916. Museum Fatigue. The Scientific Monthly, 2 (1): 62-74.

Bitgood, S., 1994. Designing effective exhibits: Criteria for success, exhibit design approaches, and research strategies. Visitor Behavior, 9 (4): 4-15.

Ellen Gamerman, 2014. When the Art Is Watching You. The Wall Street Journal.

http://www.acoustiguide.com/coverage/when-the-art-is-watching-you_-the-wall-street-journal. Retrieved May 29, 2017.

Nathan Eagle, & Alex Sandy Pentland, 2006. Reality Mining: Sensing Complex Social Systems. Personal and Ubiquitous Computing, 10 (4): 255-268.

「典藏 ∞ 展示」～
以互動賦形談數位策展的混種與共生

施登騰

前言

　　本研究將透過「典藏資料鏈結」、「典藏展示內容互寄」、「線上策展趨勢」等觀點去論述在數位典藏資料中的展示與策展可能，不管是從技術解析或是議題論述，並提出更為積極主動的方式去探索「典藏∞展示」之跨界操演與特性滲透的趨勢。

　　因此會援引本體論（ontology）這種廣泛地應用於數位知識工程（knowledge engineering）且用以描述知識領域與建立知識的描述模式，去論述於博物館科技發展下數位典藏資料之本質與形式的變化，特別是在展示應用這方面的趨勢與可能性。且進一步提出數位時代新型態的典藏思維，亦即在「典藏與展示」與「典藏加展示」的概念下，因應數位科技與裝置的進展，去考量「典藏即展示」的技術合理性，並將之整合作為「典藏∞展示」的複合形式。

　　過去對於展示品相關資料與知識（也包括博物館數位典藏資料與研究）的基本態度，是視之為「被壓制的知識（subjugated knowledge）」與「主宰的知識（dominant knowledge）」的對抗，特別是過去知識傳播不普及且相對封閉的景況，專業資料與知識都透露著不同程度的主宰與權傾。因此，展望未來不論是為培養與鼓勵更多的到館參訪或數位參與，唯有採取更開放、透明、豐富且專業的資訊分享態度，才能因應數位網路與平臺勃發的趨勢，加速數位典藏技術與應用之進程，落實博物館知識民主化的目標。本研究就從更為開放的「典藏∞展示」觀點，去提出「典藏 & ＋／展示」亦即「典藏與展示」、「典藏加展示」、與「典藏即展示」的整合性論述。

一、數位策展的發現驅向型策略（DDS）觀察

因為數位技術與設備的快速變化，博物館導入科技的應用與策略都適合採用「發現驅向型策略（DDS, discovery-driven strategy）」，透過「發現」去調整與設計相關的策略與技術觀念。個人過去已累積許多篇專文討論「數位典藏策展術（curationship of digital archives）」、「數位典藏的共享權威（sharing authorities of digital archives）」、「虛擬展示設計（virtual exhibition design）」、「數位轉譯實體性（substantiality of digital interpretation）」、「AR 設計功能取向（function-oriented AR design）」等等博物館知識與觀念於相對應數位科技支援下的具體實踐[1]。基本上也是種配合數位科技進行的滾動式觀察，且構思來源會由數位科技應用去幅及各種領域，包括：博物館、商業、娛樂等等。而本研究所具體指稱的「典藏」，則是聚焦於數位典藏資料資源所形成之平台（資料庫、資料集）。

蕭惠君（2013）年在〈美術館展示空間之牆面色彩設計研究〉一文中[2]，是將 curator 譯為專業蒐藏研究人員，雖然在台灣常用「策展人」一詞（本文亦從此譯）。但若溯源 curator 原文字義，則會發現舉凡藝術的研究、展覽的規畫和實踐，相關教推的活動都是這個角色所負責涵蓋的範圍（劉婉珍，2007），而展覽設計師（exhibition designer）通常扮演轉譯的角色，將策展人對於展覽現場的抽象願景（the visionary），轉化成在觀眾前的展覽實景（Kennedy, 2010）。詮釋規劃者（interpretive planner）的工作則是確保展覽所傳達的訊息，包括有形視覺與無形氛圍感受，能順利被觀眾接收與理解。這三種專業職務，在美術館展覽的規劃設計過程中不可或缺，但確實是由策展人主導展覽主題與論述，這也是其必須具有專業研究能力的原因。

在泰德美術館也在其網站上於「art term（專有名詞解釋）單元」定義「curator」為：「博物館和美術館通常聘用策展人去取得、照顧和開發典藏

---

[1]　目前個人透過《數位轉譯職人誌三刀流》平台分享「博物館科技」、「數位轉譯」、「數位科技」等主題的專文、論文與國內外新訊。網址為：https://medium.com/artech-interpreter。

[2]　該文從展覽訴求、藝術品、空間條件、視覺感受提出展覽空間牆面色彩設計的整體研究，在其設計專業研究之外，也對於展示規劃專業分工的執行與決策方面也提出相當有力道的見解。

品 [3]。策展人亦負責安排典藏品展覽與借展品展覽，且研究詮釋典藏品，以告知、教育和啟發公眾。」且這樣的定位也是將策展人與典藏品研究緊密連結，本文亦認定這樣的定位。

　　前面曾提及的博物館科技驅向式發現策略確曾領著個人研究在博物館場域之外的商業領域也有所觀察，也就在逐步建構「典藏即展示」的論述與技術時，覺察出為商業會議所寫的概念整理，似能跳脫原本的「商業」格局，跨越到「博物館典藏數位應用」的議題上。所以將「典藏資料」與「商品資訊」合併思考，且以轉譯典藏品為主要任務的數位策展之發現驅向型策略來看，本文要借引至論述「數位策展的混種與共生」之應用概念如下（因兼參博物館與商業，所以並列展品與商品）：

（一）資料庫的展示設計

　　連動「典藏資料庫／商品後台」資訊（資料庫或列表）到「前台展示」形式（AR單品、組合展區、網站圖錄），也就是讓「數位典藏／商品資料」直接變成面對觀眾／消費者／採購者之虛擬展售的形式，或者作為館外教學應用、館內多媒體展示、商品網路銷售、遠距前置會議洽談時的「擬真展示」形式。

（二）展品／商品資訊庫的互動共享

　　採用數位典藏分享權威的觀念與形式，去賦權觀眾／消費者透過展品／商品資料庫（或表單）去進行個人化的選汰、組合、收集，此技術應用針對不同博物館／廠商的共構同台來說特別有效益，也符合目前技術與內容扁平化的趨勢。

（三）實體展品／商品的擴增資訊

　　1.「縱向連結」：以單品鏈結方式，讓展品／商品資訊（典藏後設資料；商品資料、廠商、價格）直接連結該展品／商品的印刷圖像、數位圖像、實品、標碼（QR Code）等，提供完整與深入的擴增資訊。

　　2.「橫向連結」：以組合式、推介式、AI分析式去提供展品／商品間

3　資料來源：https://www.tate.org.uk/art/art-terms/c/curator。

更多組合與選擇的可能性，並讓展品／商品資料具有「產品鏈結（linked product）／典藏資料鏈結（linked archived data）」的實際功能。

3.「數位擴增」（非僅 AR）：以虛實整合技術讓「數位展品／商品」與「實境展場／商場」有更合理與簡易的結合形式。（例：目前像 Google Arts and Culture 針對部分數位典藏資料提供 AR 瀏覽服務；Apple 等銷售平台也早已導入 3D 模型與 AR 模型等瀏覽的方式數位，使消費者能更如實的在現實環境中體驗「數位實品」）。

二、台灣數位典藏與數位內容應用

台灣的數位典藏計畫所完成的不僅是數位化有儲存價值之藏品的「檔案」，且在資料庫的檔案也都有後設資料，可提供保存、歸類、搜尋、介紹等數位資料服務。「數位典藏計畫」下所建置的「數位資料（digital data）」與「數位資產（digital property）」，也相繼透過各式的數位技術與數位服務去加值應用。

《數位典藏國家型科技計畫加值應用分享計畫》的共同主持人陳雪華教授、項潔教授、鄭惇方研究助理，在 2002 年發表的，〈數位典藏在數位內容產業之應用加值〉論文中 [4]，就曾針對數位典藏在數位內容產業之加值應用提出應用模式分為以下兩種：

（一）靈感的啟發

數位典藏資料庫的詮釋資料可輔助使用者藉由深化內容激發使用創意。

（二）素材的應用

數位典藏計畫的大量產出可以節省加值廠商的數位化成本，並專心致力於加值應用；此外也用作質優量大的素材，提供高品質圖像資料的來源。

然而注意的是 107 年起，「數位典藏產業」已開始退出經濟部所列的五大數位內容產業之列。於 107 年與 108 年的《數位內容產業年鑑》中已根據

---

[4] 陳雪華教授與項潔教授亦論文中引用施振榮董事長曾從知識經濟角度去思考「數位內容產業」的觀點，亦即「數位內容的根本是知識資本」。基本上已能為「數位典藏＋數位內容」的創意核心指引出明確的方向。

數位內容發展實況，整併五大核心產業且加入「體感科技（AR、VR）」，並移除「數位典藏」與「數位影音」兩個產業（見圖 11-1 組圖）。

第二章 產業發展概況 …… 98
第一節 數位遊戲 …… 100
第二節 電腦動畫 …… 103
第三節 數位學習與數位出版 …… 107
第四節 體感科技 …… 120

第二章 產業發展概況 …… 81
第一節 數位遊戲與體感科技 …… 82
第二節 電腦動畫 …… 88
第三節 數位學習與數位出版 …… 91

圖 11-1 經濟部《數位內容產業年鑑》107 年度（左）與 108 年度（右）之目錄截圖。

107 年《年鑑》中清楚的說明：「…亦考量到五大核心產業中的數位影音、數位出版與典藏等部分內容，與文化部討論的文化創意產業的業別有所重疊，因此，從經濟部工業局的角度，重新定義我國數位內容產業。」（頁 17）而且也特別以「文化整合科技創新數位內容」為題，介紹了中研院數位文化中心的「Creative Comic Collection（創作集漫畫人文期刊）」、文化部與科技部推動的「加速文化內容開發與科技創新應用補助」、以及 結合 AR / VR 技術的「東沙一號」水下考古研究船的創新應用等成果。但之後在 108 年《年鑑》就完全不見「數位典藏」此詞與相關內容了。

簡言之，作為「數位內容產業」（或者只是「數位出版與典藏產業」）的「靈感的啟發」與「素材的應用」的資料庫，於近年來透過文化部的文化加速科技創新政策與經濟部重新定位數位內容產業的業務分工後，就於「知識資本」的目標下，進一步以「文化＋科技」推動「文化整合科技創新數位內容」，遂使博物館、美術館、文化創作於導入數位科技下的技術與觀念落實於推動「『文化資產』化為『智財資產』」、「『研究成果』轉譯為『敘事內容』」、甚至是「『數位典藏』作為『虛擬展館』」（線上策展）上。

三、數位典藏作為數位博物館入口

於介紹《典藏與數位學習國家型科技計畫》計畫 10 年工程的紀錄片《雲端上的寶藏》中，曾任教育部長的中研院院士曾志朗博士就說：「I don't have to own it, but I have to share it.」[5]。這很清楚地說明了數位典藏工程的終極

5 截自《雲端上的寶藏》－（25 分鐘版）（數位典藏與數位學習國家型科技計畫），網址：https://www.youtube.com/watch?v=hMQEMda4LJQ#action=share。

目標，不是放在總計畫／各館的數位典藏資料庫中，而是有系統與目標地開放分享以創造效益。

圖 11-2　《雲端上的寶藏》紀錄片截圖。

　　其實，Google Arts and Culture 與「數位典藏國家型科技計畫」有些功能與應用是類似的。例如：這個「世界博物館／平台／單一入口 **6**」不僅具體實踐了歐盟「新伊拉斯莫斯計畫～部門職能聯盟（Erasmus Plus Programme ～ Sector Skills Alliance）」研究報告所建議的「Digital Collections Curator（數位典藏策展人）」職能～「虛擬／線上／數位博物館」**7**，而且該網站上的「Popular Topics」、「Themes」、「Featured Stories」等等欄目的內容都是規劃完整的「數位展覽」。因此在形式上，很類似於《數位典藏國家型科技計畫》補助完成之「研究成果網站」的專屬網站與網頁，或者是各大博物館的展覽專屬網站。於是，數位平台的訪客即能對「展覽」獲得基本知識內容，也能深入了解個別「展件」。而這些「展覽」所使用圖文也都來自數位典藏資料庫檔案資源。

　　如上所見的「博物館科技」的應用與定位，不正也是〈數位典藏在數位內容產業之應用加值〉提及，要以數位典藏資料作為數位內容產業／數

6　「The Global Museum」是 Google Arts and Culture 於官網上提出的願景規劃。網址：https://artsandculture. google.com/entity/the-global-museum/g11f3d6zxqh?hl=en。

7　參考資料：Silvaggi, A., & Pesce, F. (2018). Job profiles for museums in the digital era: research conducted in Portugal, Italy and Greece within the Mu. SA project. Journal of Cultural Management and Policy. 8, 56.

位科技應用 / 新媒體展演之「靈感的啟發」與「素材的應用」的創意來源嗎？但是，所產出的該是哪種形式呢？新媒體展、展覽網站、或創用資源公開分享？其實，其價值在於從各種形式的數位博物館去參與及認識博物館。

國內外案例剖析與論述參照

一、搜尋認識論的實踐

Gilster（1997）就曾提出「數位素養」（digital literacy）概念，他認為：「必須具有數位素養要能夠去判斷與評價網路世界中的數位資訊，『資訊』與『知識』並不等同。」然而如果「資料解碼」、「內容轉譯」、「跨媒體敘事」工作，仍必須仰賴轉譯者 / 執行者的專業知識背景與經驗的話，內容也必會流於主觀。因此徐濟世、洪庭啟（2004）就倡議透過實際操作，以建置本體論（ontology）知識模型，旨在於將特定領域知識（domain knowledge）建構出具共享性（sharable）和可再利用性（reusable）的知識結構，以使互動性資訊系統能夠作為起始機制，建立一個符合需求的數位服務模式。

本體論基本上就是援引自哲學的研究領域，不過也廣泛被應用於人工智慧（artificial intelligence）與知識工程（knowledge engineering）等領域知識（domain knowledge）上，且用以「描述知識領域」與「建立知識的描述模式」，甚至是具有可以明確描述語意與關係的電腦語言表達能力。在各項實用領域上包括有：方鄒昭聰與郭凱文（2008）語言學的語義知識本體論（semantic ontology）類、徐濟世、洪庭啟（2004）配合案例推理（case-based reasoning）技術的領域知識廖述賢等（2008）延伸到資料探勘（data mining）的市場分析應用等。可見得，建置本體論的知識模型對於結構化特定領域知識的結構是相當有幫助的，因為能予以明確的概念描述，程式也因此才能懂，目前的人工智慧、深度學習、自然語言等數位技術也才能將本體論知識庫當成資源，做出適當的人機互動，並進行「資料解碼」、「內容轉譯」、「跨媒體敘事」等核心工作，也才會有目前在博物館與網站上所見的數位應用。

挪威數位科技公司「Bengler」與數位藝術創作者 Audun M. Øygard 合作，共同為挪威國家美術館 Nasjonalmuseet, Art Museum in Oslo 以 「Deep Learning

深度學習」技術將館藏 3 萬件作品開發具成有「t－分佈隨機鄰域嵌入法」（t-SNE）資料視覺化效能的瀏覽模式，且這些透過相關性參數鏈結的 T-SNE Map 還能透過海洋、森林、蓄鬚男性…等等創作主題連結，呈現出視覺化效果與後設資料（年代、創作者…）的《Parametric t-SNE Map 參數化 t-SNE Map》[8]。此外，Google Arts and Culture 也推出類似的應用，像是《t-SNE Map》（以機器學習分類數位典藏與放置）、《Free Fall》（在虛擬 3 度空間中點選數位典藏品）、《Curator Table》（自由選件方式探索數位典藏品間的關係）等等[9]。使「描述知識領域」與「建立知識的描述模式」都能在數位視覺化的展示形式上，以數位典藏本體與使用者的知識搜尋做最直接的連動。

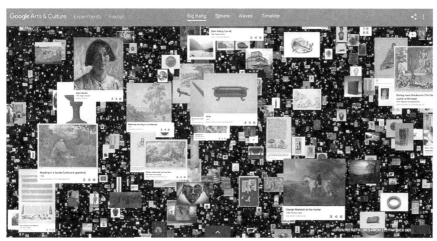

圖 11-3　《《Free Fall》操作頁面。

二、數位圖像檔的反傳統主義論

Mike Pepi 嘗於〈博物館是否為資料庫？論網路烏托邦的機構性條件〉（Is a Museum a Database?: Institutional Conditions in Net Utopia）一文中[10]，針對商業導向數位科技後不可避免的「演算法霸權地位」（algorithmic hegemony）與「壟

8　參考自 Audun M. Øygard 個人作品部落格：https://www.auduno.com/2018/10/27/visualizing-an-art-collection/。

9　Google Arts and Culture 會定期在其 Experiments 欄中分享具有實驗性與創意的數位典藏數位應用成果與原型。網址：https://experiments.withgoogle.com/collection/arts-culture。

10　台灣藝術網曾於 2020 年 12 月份推出〈數位時代下的博物館思考〉，本文作者除發表專文外，也協助導讀此篇 Mike Pepi（2016）〈博物館是否為資料庫？論網路烏托邦的機構性條件〉"Is a Museum a Database?: Institutional Conditions in Net Utopia"。網址：https://www.digiarts.org.tw/EpaperWeb/Detail?EpaperId=2032。

斷資料化」（monopolistic datafication），先是透過 Lev Manovich 觀點去提出盲目使用資料庫的「盲目受害者（blind victims）」警示，再以 Boris Groys 的「水平狀態博物館」論點，陳述藝術數位化生產非「美學等價之圖像」的哲思。特別是後者批判了大眾文化傳播（或 Mike Pepi 暗指的 Google Art Project）那種大量且快速的數位圖像生產機制。亦即將「藝術生產」變成「美學等價圖像」的複製與集合。且 Groys 提出數位圖像是既有力（獨立於任何傳統展覽形式）又虛弱（必須藉由媒介呈現），所以他認為在某種意義上，數位圖像檔案是反傳統的，它並非隨時可見的圖像，而是唯有藉助策展協助或展示才能被看見的數位檔案。

而這觀點正好符合數位典藏（數位博物館）必須面對展示技術與媒介之必要的根本問題。Greenberg, R., Ferguson, B. W., and Nairne, S. (Eds.)（1996）在所編著的《Thinking about the exhibition》中為實體展覽的空間性與敘事對話關係都理出很清楚的闡釋，寫道：「展覽將策展人和觀眾都限制於空間環境中，在其中，視覺概念化的形式就成為主要的轉譯活動。」也就是說，展覽基本上就是個非言語場域（non-verbal field），不僅對於創作品或展示品都是如此，而且文字（像是展示說明卡、展板說明）與視覺隱喻（visual metaphors，展場與展品）間更是種非線性的互動與連結，欣賞展覽就是在「文字閱讀」、「視覺賞析」、「觀念辯證」不斷跳躍交替。

但數位展覽基本上是沒有空間感的，也就是要透過身體與視點移動、位置感知、空間規模與尺寸去體驗的感覺。不管是 Google Arts and Culture 與博物館網站上的「Popular Topics」、「Themes」、「Featured Stories」等等欄目的主題式／敘事型數位典藏圖像展，或者是以 Matterport 與 Walkinto 這類 360 View 或 3D Scan 應用能連動大家熟悉的 Google Maps / Streetview 技術所建構的 3D 展覽空間影像。如：人文遠雄博物館就採用 Walkinto 技術，而更多的國內博物館與美術館則更趨選用瀏覽自由度與區域成像更為直覺的 Matterport，例如台北市立美術館、空總 C-Lab、台北當代藝術館等等。因此若延續前面的展品與展覽組合的脈絡來說，比較合理可行的數位展覽（或策展）是要正視數位圖像檔案的反傳統性與虛弱，因為是透過策展協助或展示才能被看見的數位檔案；也要跳脫空間性的不可逆限制，區隔實體展覽與數位展示的差異，強化「視覺概念化形式」（Greenberg, R., Ferguson, B. W., and Nairne, S. Eds. 1996）中的圖文與觀念間的非線性的互動與連結。

然而不論如何，即使在「典藏／展示之數位科技導入與應用」議題所提出了「技術創新研發導向」、「機制文化場域思維」、「數位轉譯新角色」等三個不同的觀點，不見得會有殊途同歸的結果，但都能是「博物館科技」的因應作為。

三、無限再生與多元作者的價值

由於目前博物館已響應開放資料（open data）政策與開放近用（open access）趨勢，而且也有數位應用與研究的需求，所以聚焦於數位典藏資料應用、數位人文研究、數位展示科技技術等項的實務應用，基本上也就是在「數位轉譯」的脈絡下對於數位內容與創作者的處理，也因之數位內容與創作者的「多元性」也應在討論之列。

陳世瑋（2015）「展覽符號（sign）──展示物件（object）──解釋義（interpretation）」提出與觀眾對話的展示技術適性是有必要的。方惠玉（2004）分析了解家庭觀眾佔了參觀對象的大宗，遂針對家庭觀眾進行的行為觀察，建議展示內容與形式應該正視年齡組成不同而形成的行為差異，且多媒體動態的互動展件設計更能吸引家庭觀眾興趣。顏上晴（2014）則認為現代博物館已由「物件導向（object-oriented）」轉為「觀眾導向（visitor-oriented）」，觀眾必須是博物館決策需考慮的重要環節。

相對關係架構下，「作者控制權（authorial control）」與「使用者自由度（user autonomy）」必然有所不同的拉扯與權傾，但這不是在過去部分所認知的「缺陷模式（deficit model）」，也就是那種上對下、懂與不懂的非對等關係[11]。目前大部分已透過數位資料民主化的機制使「作者控制權」維持必要的基礎，但讓「使用者自由度」適度放大。「協作（co-authored）」套用 Michael Frisch（1990, 2003）針對口述歷史與公眾史學所提出的定義就是～「共享權威 sharing authority」，這樣的交流模式使參與的彼此理解，且符合參與式敘事體系的結構。

---

[11] 《台灣數位藝術網》科學博物館在「公眾理解科學（public understanding of science, PUS）」需求下，在知識展示、教育、推廣上，立基在「缺陷模式（deficit model）」和「普及模式（popularization model）」假設上，認為相對於科學專家而言，一般民眾缺乏科學知識等等這類的，需要透過教育及科學傳播等方式將科學知識傳遞並教導公眾（江淑琳 & 張瑜倩，2016）。

一、典藏的數位資產性格

在體現資產性格前，就必須確立典藏資源的數位實體性，但其實那是種虛與實的「依存（dependence）」或「共存（co-exist）」，重點都在虛實整合應用的觀念與技術上，這也是目前許多數位體感科技研發的終極場域想像。且不論是「沈浸式虛擬實境（immersive virtual / mixed reality）」、或「真實實境（actual reality）」、或「擴增實境（augmented reality）」，都在追求「逼真（verisimilitude / truthlikeness）」與「擬真（simulation）」技術研發，致力讓觀眾參與或沈浸於數位虛擬形式中。讓觀者自我的「存在 / 在場（presence）」穿越了「螢幕」進入與數位內容 / 世界有互動性的空間中。其間「入戲」與「出戲」的交替（alternation）或替位（substitution）並非彼此衝突的，畢竟欣賞展覽就是在「文字閱讀」、「視覺賞析」、「觀念辯證」不斷跳躍交替，那樣的出入是正常的，數位內容也因之有了與知識及經驗的連結，並具有實體性。

而數位實體的資產價值適以網路藝術家 Aaron Koblin 的數位協作作品為例，他透過網路技術實現了大眾從線上平台共同創作或協作的機會，也使單項作品或活動，不論是繪圖、影音、聲響、動畫等形式，都能是由大眾主動參與完成部分的內容，繼之共組為合創作品。數位參與其實都有「趨異」應用之目的，但也維持數位檔案的「主體性 / 個體化」（這點也是數位典藏資料的目標）。Koblin 特別看重個體的數位介入所賦予的獨特性，他為專案提供的線上繪圖器都有創作歷程紀錄，使不論格式與形式都像是合創共組前的個人數位作品。像《The Jonny Cash Project》（2010）就集合了 17 國 25 萬人次繪圖追思 Jonny Cash，參與其名曲〈There ain't no grave〉音樂影片個別影格 / 圖禎的創作，此集群力累積的圖像檔，更可組合成無數的版本的音樂影片[12]；《The Sheep Market》（2008）則探討大量商品化製程之議題，在線上透過共創平台使能在短短 40 天即收集到多達 10,000 張以上，且來自 7,599 獨立 IP 的各具特色形貌個的「面向左邊的棉羊」，且能配組成套作為圖像商品[13]。

---

12 該藝術專案官網：http://www.thejohnnycashproject.com/。
13 同上。

而隨著數位藝術創作的論述、學術、技術演變，復以數位商品市場的長期發展，藝術品的缺稀已不再與價值、價格等同，非複製也不再是個體化的絕對條件，所以 Koblin 的 *The Jonny Cash Project* 與 *The Sheep Market* 所組合與實踐的，就是數位圖檔的資產化。不論是以個人提交的「數位個體」圖檔，或透過選擇搭配的套組，甚至是程式配選的完成品等等「數位組合」，都能創造虛擬資產化，並在市場去透過收藏與流動產生溢價。這種「個體」與「組合」的複性形式，也適合兼採其概念去思考數位典藏圖檔的主題性、研究型之策展組合，甚至在館際、國際的數位借展合作中，進一步落實與實體展品相符的「數位（圖像）檔案」借用手續與規範，甚至是特殊數位典藏圖檔的價格。

因此本文認為典藏品在實境與數位世界中都具有實體性存在（substantive presence）。

二、典藏的展示設計技術

數位策展亦採用數位敘事（digital storytelling）技術，或稱數位故事表達，意謂對多種形態（multiple modes）的識讀能力，如：視覺、資訊、媒體識讀或多元文化素養（Cordes, 2009），簡言之，就是像對觀者說故事，將想法、感受、內容以數位媒體呈現並加以傳播。且數位策展與數位敘事都是有脈絡動線的，如果具有互動設計，那就更為複雜。

ML Ryan（2001）在 *Narrative as Virtual Reality: Immersion and Interactive in Literature and Electronic Media* 一書中提出 9 種「具尋路設計之互動敘事結構」[14]，這些路線所見的空間與路徑分佈，也是具有「路徑」、「節點」等元素 [15]。而且比起其他的具有設定開始與目標機制的任務性質的動線結構來說，像是「史詩漫遊（epic wondering）架構」就是種較為開放式的空間體驗，較不具有起始點限制，可任意地在空間中遊走體驗。

本研究也就從展示科技觀點，去提出「鏈結開放資料（linked open-data）」技術之加值應用，並擴大與串連數位化典藏資源的資訊量 Impact（典

---

14 Rytan（2001: 246）所提出的互動敘事，共分有「完整圖」、「網絡」、「樹狀」、「分支」、「迷宮」、「流程圖」、「隱藏故事」、「編辮情節」、「史詩漫遊」等類型。

15 Kevin Lynch 在《The Image of the City》（1960）不僅提出利用建築所示的環境元素（environment elements）協助訪客在複雜空間中導航，也提供尋路／導視（wayfinding）可以依循的標準。

藏）與放大與沈浸數位文物的虛擬體積 Impact（展示）。因為無論是知識內容策展，或者是廣義的數位典藏策展或微策展 **16** 的概念，基本上都是透過數位展覽（虛擬展覽／線上展覽）之形式 **17**，且以策展技術讓數位典藏資源有系統、有主題地被使用者欣賞、認識、理解、與運用。這些「數位展覽」的參與者／設計者有專業的館方人員、研究學者、與參與民眾，其產出方式有館方自主、館際協力、研究產出、觀眾參與。甚至中研院的《開放博物館》與文化部的《國家文化記憶庫》更是開放給各館與民間藏家在網路上典藏、策展、展覽自己的「展覽」，這些平台提供的「時間模組」、「地圖模組」、「圖像註記」等策展工具，也確實是目前數位展覽（虛擬展覽／線上展覽）最具實用性的互動功能。像下圖由屏東縣政府文化處所策劃《流轉年華：屏東縣老照片專輯》，就是由文化處在記錄屏東縣近百年來的演變之主題下，特別徵集民間照片，透過專人研究整理，並使用《開放博物館》「時間模組」為歲月記憶留下具有時間註解內容。

圖 11-4　《流轉年華：屏東縣老照片專輯》，截自：https://openmuseum.tw/muse/exhibition/f28f5bd637dfdddab3a5841a4e508810

---

16 這部分的定義主要是根據台北故宮博物院為推動「前瞻機組建設計畫」中將建置雲端線上「故宮微策展（NPM Micro-Curation）的目標。茲將內容整理如下：

A. 因應數位技術與網路科技之快速發展，將致力推動「前瞻基礎建設計畫」，期能持續推動故宮數位資源於雲端平臺釋出。

B. 並鼓勵各界轉化應用故宮數位資源，如透過新媒體科技詮釋及呈現，進行各項開發創新，以促進多元方向發展，使全民共享豐富文化遺產。

C. 107 年度已先行辦理雲端架構、後台環、平台資安檢測等工作，以利於持續建置安全、充裕、穩固的線上網站介面。

D. 未來將彙整故宮數位資源（例如各項主題展），以雲端分享模式，將故宮豐富之數位資料於單一之雲端平台分享予大眾，分享豐富之數位教育資源。

17 像是 Google Arts and Culture 的 Themes, Stories 等專欄，歷年數典計畫補助的計畫研究成果網站，或是故宮博物院 Open Data 專區的展覽包等等。

三、典藏的知識策展趨勢

　　如果數位典藏能有展覽與研究功能，那也會就像說故事，一個段落，一個情節，就像由幾個別具興味的「節點」，而順著情節發展移動，留下的足跡就串連成「故事線」，這隱隱然的「故事線」其實既是策展者心中的「展覽動線／知識脈絡」。而且從結構分析的角度來看，「故事線」也是可以被結構化的。這裡所談的「展示」，包括：「實體」與「數位」兩種形式；也包括「學科教學知識（pedagogical content knowledge）型」[18] 與「美學體驗（aesthetic experience）型」的不同知識內容類型。且展覽就是從策展者主觀的體驗觀察（隱性知識），透過文字表述予以具體化、結構化（顯性知識）給參觀者，而藝術欣賞一如其他許多的專業，在隱／顯間似乎有著很大的鴻溝。且依學術定義，適合主觀體驗卻不易以結構性表述的為「隱性知識」，而能夠透過文件、視覺、邏輯推理去交流、提取、共用者為「顯性知識」，兩者似也彼此分立，至多是互為因果。數位轉譯工程的成果，也就像要將未成結構化核心概念的「隱性知識」，外化為具有組織性可以敘述表達的「顯性知識」，無論是線上與線下的研究、展示、推廣、互動。

　　就像個人於 2019 年 10 月 5 日在華山文創園區參與「文化科技國際論壇」演講，該場邀請主題講者是英國國家美術館（National Gallery）與倫敦國王學院（King's College London）共同合作的「National Gallery X」計畫主持人 Ali Hossaini，講題為〈遇見零時差的未來：5G 世代的博物館〉[19]。就在其以觀眾中心（audience-centric）的主調中，Ali Hossaini 特別提醒「story」的重要性，甚至特別點出新時代的 story 應是可以針對不同程度、年紀、性別之觀眾而提供的「stories」。此觀點簡單易懂，更可理解為「可調式故事（adaptable stories）」的想像，且還是藉 AI 工程去遂行的「即時性」可調式敘事，或者是賦權給觀眾詮釋的「開放性」可調式敘事。個人則再延伸其旨，訴求知識策展敘事也應有互動性，且是雙向的、參與的、協作的，因此使「使用

18　Wahid, N., Bahrum, S., Ibrahim, M. N., & Hashim, H. Z.（2017）在其藝術欣賞教學論文中特別提到，教師對於藝術欣賞的「學科教學知識（Pedagogical Content Knowledge）」的不足，是藝術欣賞教育無法好好執行的原因，但也特別提出藝術欣賞教學應該不該忽略學生可以口頭或書面形式呈現藝術欣賞心得的能力，且目標應該是培養能夠對作品進行描述、分析、詮釋和評估的學生。其研究所強調的重點就是：在展覽中，為這些藝術品／典藏品說故事的，應該是「觀眾」。

19　演講影片網址：https://www.youtube.com/watch?v=7ku_g7y7ndM&t=18563s。

者自由度」也會因科技支援的「數位參與（digital engagement）」、「開放詮釋（open interpretation）」、「觀眾賦權（audience empowerment）」等等而在知識的傳收之間導入觀眾／使用者共同參與創作／詮釋的數位策展優勢。

典藏∞展示

以目前的發展實況來說，展示科技於博物館場域確實已相當普及。但建議避用「展示科技」之名，以免於偏側特定業務面向 [20]，進而改稱「數位科技導入博物館」或「博物館科技」以求正名數位科技在博物館場域的實際功能，這些功能包括研究、推廣、服務與典藏等等業務所實踐的數位效益與效應，何況至現階段，博物館科技發展已到了另一個概念驗證的完備階段。而個人所關注的，即是原本就支援著許多數位科技導入運用以作為其核心內容的數位典藏資料，並認為所謂的數位／線上／虛擬博物館－不論是各館的官方網站、專案規劃製作的虛擬博物館、中研院數位人文中心的「開放博物館」平臺、文化部的「國家文化記憶庫」，甚至是全球博物館概念的「Google Arts and Culture」等等－都應該開始正視與正身其「典藏」及「展示」兩者的新數位複合關係之可能性。

本研究即是將「典藏即展示」視為是繼「典藏與展示」與「典藏加展示」後，因應數位科技與裝置的進展而必須去考量的數位複合形式。因此去建構「典藏∞展示」論述，以彙整此三個典藏結合展示去發揮不同數位功能與服務的形式，並探討目前以數位典藏資料為數位策展內容與技術應用的混種與共生。

一、典藏與展示

兩者角色功能分立。即數位科技尚無法支持數位典藏資料的展示形式，而以數位典藏資料作為附屬於實件展品暨典藏品的基本內容，像是在網站、多媒體機、圖錄等媒介上所見作為補充內容的藝術品描述類目（Categories

---

20 《經濟部 98 年度展示科技研究開發先期計畫－我國展示科技支援產業之綜整分析報告》將「展示科技產業」分為行銷、服務、娛樂與教育等三大需求層面所驅動之具體商業營運效益。且以展示場域類型分類，則可區分為「博物館與科學中心」、「廣告行銷活動」、「會展產業」、「商業服務空間」等。

for the Description of Works of Art, CDWA）資料。

所以不論是以數位形式去整合各館數位典藏資源（例如開放式數位典藏 API、創用 CC 開放授權），或者是數位典藏策展觀念，也就是歐盟「新伊拉斯莫斯計畫－部門職能聯盟」（Erasmus Plus Programme - Sector Skills Alliance）所提出的數位典藏策展人（digital collections curator）職能，甚至是臺北故宮博物院與新北市立鶯歌陶瓷博物館的數位策展推廣活動，都是為了經營開源檔案（open data）的多元應用，卻也因應了博物館數位展覽的趨勢 [21]。

整體而言，彙整數位資源以雲端模式分享，確實能將豐富的數位資料展示於單一平臺上，且可以透過展館／展廳／展題的形式去分享給大眾。這種典藏與策展的形式也具體化了數位典藏品的數位版權價值，就像各館針對策展需求，以巡迴展或借展方式去完備展覽內容所進行之不同機構之數位典藏品的徵集與商借洽談，都能使數位典藏品在博物館現場有了實體化存在的可能性。

二、典藏加展示

兩者功能角色互補。圖像、影像、3D 檔案等類數位典藏資料，在適當的版面視覺或成像樣式的設計後，已成為由數位科技進一步媒合且兼有展示功能的數位典藏內容。其原始內容，亦即圖像（2D 與 3D）與後設詮釋資料，透過多媒體設計後成為另一種具有知識內容加上展示功能的資料。像是在 App 中支援導覽服務之圖文或影音資料、在虛擬博物館空間中出現的立體展件檔或鏈結資料檔，以及在新媒體展示（VR／AR、投影、互動設計）呈現的數位展品等等。

因之在以數位典藏資料庫為主體的數位應用中，都會在特別是手機、電腦、投影等視窗媒介（windowing medium）的終端形式上，會有著典藏暨展示之「設計成果」，有些是確實意識到逕以典藏資料進行數位策展，有些則循主題網站／網頁形式有脈絡地編排典藏資料。無論如何，這些善用平臺內典藏資源所創建的展覽內容，也就是典藏暨展示的「搜尋＋展示＋瀏覽」

---

21 臺北故宮博物院「2020 故宮線上策展人計畫徵選活動」與新北市立鶯歌陶瓷博物館「新北市鶯歌陶瓷博物館第一屆線上策展徵件」。

概念，目的就在以展示技術去串連典藏資料的瀏覽價值。所以，類似《Cultural Japan 文化日本》的導入「IIIF International Interoperability Framework」資料的 3D 虛擬博物館或是 Google Arts and Culture 的 Pocket Gallery 的 AR 展館或展件，其實都是讓數位典藏資料成為虛擬展示內容的功能導向成果。

雖然《Cultural Japan 文化日本》3D 虛擬博物館在內容來源與規模上是偏向 Google Arts and Culture 的全球博物館資源概念，但是「IIIF」是直接採用所合作機構的數位典藏資料的 API，而非另外建置專用數位典藏資料；而且不僅維持類似 Google Arts and Culture 的全球化資源形式，也讓世界各大博物館日本文化相關的創用 CC 檔成為文化日本可用的資源，這是其成為重要案例，且值得推薦其作為「典藏加展示」之參考案例的原因。

三、典藏即展示

兩者功能角色複合。即數位典藏資料平臺因為數位技術與形式的發展，而實踐出「虛虛合」（例如 VR）或「虛實合」（例如 AR 與遠距）等樣貌，不僅數位典藏平臺即展廳，數位典藏品同時也是展件，使數位典藏知識有獨立的展示效果與形貌。例如：Google Arts and Culture 中的《Art Projector》與《Art Zoom》，透過數位成像技術，將數位典藏資料展示給使用者。且此邊所提的典藏鏈結（linked-archives）基本上是擴大了資料鏈結（linked data）的概念，並且是專指不同機構間的數位典藏資料之串連，特別是從數位資產（digital property）去具體落實數位借展（digital loan exhibits）應用的可能性，也讓數位典藏品本身的展示價值被凸顯。

Tav ar, A., Csaba, A., and Butila, E. V.（2016）曾針對虛擬博物館的虛擬助理（virtual assistant）之參訪導覽服務功能去測試一款推介系統（recommender system），此虛擬博物館服務也是以 Google Arts and Culture 為資料庫，而為提供虛擬助理的即時資訊服務而設計一館推介系統，此系統是以使用者偏好（preference）與展品關聯性（similarity），進行主動推介與查詢服務。

而既然「導覽（含後端的知識與資訊提供）」的目的應是能具體實現「欣賞動線規劃」與「展覽故事脈落」的服務，那典藏即展示應用的「導覽」也會像是敘事（narrative / storytelling）的引導式線性架構一樣，也具有「路徑」的特徵。Othman、Petrie 與 Power（2013）的研究將目前常見的導覽類型分為「隨選型（free tour）」與「引導型（guided tour）」兩類，而且透過實

驗，結果顯示「隨選型」較具有互動品質（quality of interaction）；而「引導型」則有較佳的學習性與控制性（learnability & control）。所以不僅建議要能兼擅兩種形式的優點，就必須是「隨選（顯性、精神）」＋「引導（隱性、設定）」（這也是「典藏即展示」應用設計上必須遵從的觀念）；而有豐沛資料的系統機制都會是數位導覽／諮詢的重要基礎，且使觀眾／使用者即使是在被設計過的「偽互動」數位機制中，也能體驗其「數位享受（digital enjoyment）」、「數位氣氛（digital aura）」，並仍保有其「自主性」、「主動性」。

重要的是，在這些應用與服務中，數位典藏資料被當作展件看待。

結論與展望

本研究以文獻探討、案例分析、研究論述去建構由「典藏與展示」、「典藏加展示」、「典藏即展示」所組成「典藏∞展示」概念，並視之為數位典藏資料去因應數位科技與裝置之進展，而必須去考量的數位複合形式。因此建構「典藏∞展示」論述以彙整三個能發揮不同數位功能與服務的典藏結合展示形式，並探討目前以數位典藏資料為數位策展內容與技術應用的混種與共生，且達到正視與正身「典藏」及「展示」兩者之新數位關係的目的。

承上的論述與觀點，使用者／觀眾若能透過網站／網頁或 App，以導入數位策展技術的線上展覽形式，去獲得「展件」之資訊／知識，且還是由數位典藏資料庫而來的檔案內容，那就是充分運用資料庫素材的數位典藏策展（典藏 ∞ 展示的實務技術）。此數位典藏策展的目的，無論是作為博物館人的數位時代職能、推廣數位資源民主化的分享權威、或是鏈結並展示典藏資料的數位瀏覽形式，都是發揮博物館數位角色與功能的積極作為。

且從「被壓制的知識」（subjugated knowledge）與「主宰的知識」（dominant knowledge）的對抗觀點來看，過去知識傳播不普及且相對封閉的景況，專業資料與知識都透露著不同程度的主宰與權傾。而為在未來培養與鼓勵更多的到館參訪或數位參與的機會，採取更開放、透明、豐富且專業的資訊分享態度，才能因應數位網路與平臺勃發的趨勢，加速數位典藏技術與應用之進程，實踐博物館知識民主化的目標。也應在導入數位科

技後，配合數位智慧應用之需，逐步建置關鍵樞紐的知識圖譜（knowledge graph），透過鏈結資料的知識節點（entity）與知識關聯（relation）去形成三元關係（subject、predicate、object），且有系統地去建構「典藏 ∞ 展示」的軟硬體整合與創新應用。

數位典藏資料庫不僅有資料量大、長期維護保存、資料交換互通、數位資源檢索、資料脈絡溯源等特性，且能透過整合彙整（collections）、物件實體（objects）、詮釋資料（metadata）、與計畫管理（projects）等機制賦予了數位典藏資料的多元運用可能性。只不過，目前普遍地將之定位為「數位資料庫」，所以使其相關的數位服務設計，亦均側重於檢索功能。因此，為使數位典藏資料被應用與活用，就應使博物館知識圖譜能符合數位網路世界的泛知識時代（pan knowledge era）趨勢，以及創造「更易接近藝術」（increases access to art）、「更好的參觀體驗」（better visitor experience）、「開發新訪客」（triggers new visitors）、「支援實地參觀」（complements real visits to a gallery）、「具有未來發展潛力」（has future development potential）、「文化平權」（democratization of culture）等數位博物館的效益（以上均是 Google Arts and Culture 所創造的正面效益）[22]。

雖然台灣的數位典藏資料庫在具前瞻性的文化政策與多年經營後已有完整的建置，且與資料展示形式相關的數位策展概念與技術亦正於近年有長足發展，共同創造了更具實效的教育推廣功能。但在數位科技時代也需相對應的數位思維，當典藏資料庫與平台成為數位／線上／虛擬博物館的入口，那麼在引導觀眾「入館」後，數位典藏資料該是作為館藏內容之「靈感的啟發」與「素材的應用」的知識來源？抑或是作為在實境與數位世界中的實體性存在？為鼓吹數位資料的無限再生，以及開放詮釋的多元作者，且為創造參與式敘事體系的知識結構，本研究提出「典藏 ∞ 展示」的學術論述與實務技術作為解答。

22　資料引自：https://en.wikipedia.org/wiki/Google_Arts_%26_Culture。

參考文獻

江淑琳、張瑜倩，2016。更民主的科學溝通：科學類博物館實踐公眾參與科學之角色初探，傳播研究與實踐，6（1），199-227。

李子寧，2011。數位化與數位知識的生產：「國立臺灣博物館原住民文物典藏數位化計畫」的回顧與反省，人文與社會科學簡訊，13，112-120。

吳瑩月，2006。從異質性數位資源整合探討 MODS 與 METS，圖書與資訊學刊，59，92-108。

吳蕙盈，李蔡彥，Marc Christie，2013。以敘事結構理論與使用者模型為基礎之 3D 互動敘事創作模擬系統。Proceedings of 2013 Computer Graphics Workshop。

施登騰，2020。在鑑藏脈絡下的數位跨域— New Digital Connoisseur，藝術家，542，98-101。

陳雪華、項潔、鄭惇方，2002。數位典藏在數位內容產業之應用加值。博物館典藏數位再造理論與實務研討會 館典藏數位再造理論與實務研討會—人與自然論文集，17-24。

黃齡儀，2009。數位時代之空間—時間敘事結構初探：以 Façade 網站為例，資訊社會研究，16，135-160。

曾婉琳，2011。與「他者」對話：博物館展示中的「偏見」和「和解」，歷史台灣，31-56。

廖世璋，2016。後博物館概念的都市藝術策展—以基隆黃色小鴨為例，博物館學季刊，30（4）73-95。

數位典藏與數位學習國家型科技計畫辦公室編，2013。當科技與人文相遇：數位典藏與數位學習的歷程。

蕭惠君，2013。美術館展示空間之牆面色彩設計研究，設計學報（Journal of Design），18（4），87-108。

Alexander, J., Wienke, L., & Tiongson, P., 2017. Removing the barriers of gallery one: a new approach to integrating art, interpretation, and technology. Museum and the Web.

Hooper-Greenhill, E., 2000. Changing values in the art museum: rethinking communication and learning. International journal of heritage studies, 6(1), 9-31.

Hein, G. E., 2015. A democratic theory of museum education.

Herman, D., 2004. Story logic: Problems and possibilities of narrative. U of Nebraska Press.

Silvaggi, A., & Pesce, F., 2018. Job profiles for museums in the digital era: research conducted in Portugal, Italy and Greece within the Mu. SA project. Journal of Cultural Management and Policy, 8, 56

Kennedy, S. L., 2010. Parallel Starts Outsider Art Inside Collections.

Lynch, K., 1960. The image of the city (Vol. 11). MIT press.

Lopes, F. A. S., 2018. Visita virtual ao museu: uma proposta turística digital. Revista Lusófona de Estudos Culturais, 5(2).

Mase, K., Kadobayashi, R., & Nakatsu, R., 1996. Meta-museum: a supportive augmented-reality environment for knowledge sharing. In ATR workshop on social agents: humans and machines, 107-110.

McCall, V., & Gray, C., 2014. Museums and the 'new museology': theory, practice and organisational change. Museum Management and Curatorship, 29(1), 19-35.

Ryan, M. L., 2001. Narrative as virtual reality. Immersion and Interactivity in Literature.

Simon, N., 2010. The participatory museum. Museum 2.0.

Silvaggi, A., & Pesce, F., 2018. Job profiles for museums in the digital era: research conducted in Portugal, Italy and Greece within the Mu. SA project. Journal of Cultural Management and Policy, 8, 56

Sturken, M., 2004. The aesthetics of absence: rebuilding ground zero. American Ethnologist, 31(3), 311–325.

Szilas, N., Barles, J., & Kavakli, M., 2007. An implementation of real-time 3D interactive drama. Computers in Entertainment, 5(1).

Szilas, N., Axelrad, M., & Richle, U., 2012. Propositions for innovative forms of digital interactive storytelling based on narrative theories and practices. In Transactions on Edutainment VII, Springer, Berlin, Heidelberg.

Sorkin, M., 2013. Starting from zero: reconstructing downtown New York. Routledge.

Tav ar, A., Csaba, A., & Butila, E. V., 2016. Recommender system for virtual assistant supported museum tours. Informatica, 40(3).

Wagemans, J., Elder, J. H., Kubovy, M., Palmer, S. E., Peterson, M. A., Singh, M., & von der Heydt, R., 2012. A century of Gestalt psychology in visual perception: I. perceptual grouping and figure–ground organization. Psychological bulletin, 138(6), 1172.

博物館資訊科技應用：
從藏品數位化到智慧博物館

陳思妤

前言

　　網路與數位科技的興起大大改變人們分享以及吸收訊息的方式，而博物館等過去著重於實體展示、參觀環境影響力的思維也開始受到改變。1990年代之後，免費線上資源開始大量被分享及使用，希望藉由資訊的免費分享以提升大眾的文化參與權以及享有知識的權利提供資源機構多為學術機構、大學、文化資產相關部門以及政府部門。除此之外，博物館也因網路與科技的盛行，將自身的藏品數位化，並進一步將這些數位資源放到網路上，除了得以增加的便利性與效率外，利用數位資料庫方式讓民眾可以更便利的取得及使用博物館資源。藉由科技應用，也讓博物館對於提升公眾參與以及文化近用的實踐又更進一步，不再是起初僅為菁英服務的機構，也為博物館場域的民主化、平等化帶來更多的可能性。

　　博物館從「線下」到「線上」的發展轉變也曾經引發隱憂，擔心民眾會因為可以於線上觀賞博物館藏品以及使用博物館資源而不再願意踏足於博物館建築內。然而，這樣的憂慮也因為時間的發展而消除，博物館資訊專家 Paul Marty（2007）提到，多數的民眾使用博物館線上資源或是造訪博物館網站的時候多是出於規劃參觀行程的需求，而博物館線上資源實用性最大的貢獻在於幫助第一次參觀、對博物館不熟悉的非經常性觀眾更了解展示、規劃參觀行程以提升他們的博物館參觀經驗。Marty（2007）更進一步地指出，博物館線上資源對於團體參觀的重要性更甚於單獨或三人以下的參觀民眾，由於人數較多，團隊參觀對於時間控制以及交通安排的重視程度更甚於其他的參觀民眾。博物館線上數位資源的成形除了提高民眾取用博物館資源的便利性之外，也將博物館的觀眾族群擴展至網路以及科技的「使用者」，即便在受到新冠疫情的影響下，多數博物館面臨閉館、民

眾無法如同以往自由參觀博物館，許多對博物館有興趣、會定期參觀博物館的經常性觀眾仍持續使用博物館線上資源、觀賞博物館線上藏品，多數民眾使用博物館線上資源的動機為對展示主題有興趣、以及安排博物館參觀行程（NEMO，2020；陳思妤等人，2020）。

　　因應智慧科技時代的來臨，不僅僅促使國內外博物館社群開始採用新興科技以回應觀眾學習、接受資訊以及參觀需求與行為上的改變，也同時對博物館內部的經營管理以及如何可以更進一步的提升博物館專業帶來許多改變。本文將依序討論博物館從早期的藉由藏品數位化以延續物件生命，並且藉由網路的發展得已跨越物理性距離等障礙以線上博物館的形式將博物館觀眾族群擴展至位於世界各地的使用者。接著將進一步討論博物館於智慧科技世代下的發展，包含如何利用智慧科技提升博物館的經營管理效能以及因為智慧科技的應用造成博物館與觀眾之間互動關係的改變。有鑒於科技所帶來的廣大改變，教育部也於 2017 年提出「智慧服務 全民樂學－國立社教機構科技創新服務計畫」，促使轄下館所致力於科技應用的發展，積極回應智慧科技世代的需求與改變。本文最後針對博物館於科技應用上所面臨的限制以及社會責任的落實提出反思，提出博物館在智慧科技的應用上除了以回應社會改變及觀眾需求外，更須正視機構所具有的特質與社會責任，利用智慧化發展帶來的優勢主動、積極的成為解決社會議題的先驅。

藏品數位化與線上博物館

　　除了體制內的教育機構，如中小學、技術學院等，社教機構，如博物館、文化遺址等也扮演提供專業知識的重要教育角色，然而有別於義務教育，民眾造訪社教機構多為自願、出於個人興趣，也因為沒有學校教育的強制性，社教機構必須將民眾多樣化的興趣與需求納入考量，藉由不同的方式吸引民眾。一直以來，為了加強自身館藏的影響力，許多博物館會利用特展以及巡迴展的方式與更多的觀眾的個人經驗以及知識產生連結，在 1980 年代之後，因為數位資訊科技的快速發展，博物館館藏的影響是更是拓展至線上、全球的社群。因為網路的盛行，線上教育活動也逐漸被視為是一有效與民眾和使用者互動的方式，Soren（2009）也進一步建議博物館可利用自身的網站讓來館參觀的民眾可以把參觀經驗延伸到線上社群的對話中，

不管是經常性觀眾或是偶發性觀眾都可以藉由博物館線上資源、資料庫等進一步於線上以及實體參觀時探索博物館藏品。

藏品數位化則成為博物館科技應用的重要發展之一。透過數位科技的使用，博物館得以更有效率的管理大量的實體藏品資訊，包含藏品紀錄、檔案、照片、影像甚至是聲音與音樂，透過數位化的管理藏品而節省大量人力也是多數博物館推動藏品數位化的主要原因之一。以英國大英博物館為例，於 1970 年代末因為數位資訊科技的發展所帶來的便利性即開始於藏品管理上發展藏品數位化，將過往大量仰賴人工管理的實體紀錄整合進數位資料庫，以減少人力成本並提高管理效能（黃映玲，2014）。大英博物館的數位典藏計畫始於 1979 年，起初用於記錄館內民俗藏品，至 1993 年大英博物館將線上登錄系統用於新入藏的物件，取代過往手寫的紀錄。而隨著數位系統的廣泛應用，藏品資料庫的品質與完整度也大大的提升，於 2000 年，博物館的線上資料庫開始著重於大眾服務，將館藏資源與全世界的線上使用者分享，例如博物館選出藏品中最具知名度的作品 5 千件給觀眾使用，提供藏品相關紀錄，包含過去手寫的登錄資訊、相關文獻等（Szrajber, 2008）。博物館的線上資料庫發展至今已包含約 8 百萬的藏品訊息，吸引大量線上使用者、博物館觀眾、學者等的造訪。為了與在世界各地的使用者有更好的連結，博物館致力於提高網站以及線上藏品的品質早已是英國博物館的發展必須之一，不可否認的博物館發展藏品數位化、線上資料庫等都成為博物館拓展觀眾的有效利器。

將藏品資訊數位化，除了讓博物館得以藉由提供線上資源打破民眾與博物館間的距離限制外，線上資源網站及平台如 Google Art Project（現為 Google Art & Culture）的興起也打破博物館機構之間的藩籬。2011 年 Google Art Project 與世界各地博物館合作，將各館中的藝術藏品製成高解析的數位典藏，免費供民眾觀賞。藉由 Google 的兩大優勢，科技以及社群，博物館得以將既有的觀眾群擴展到平台的使用者，比起個別博物館的數位典藏及虛擬展示，Google Art Project 更能觸及廣大的使用者。Google 發揮自身的長處，將街景技術使用於博物館場館內，讓使用者可以在家中就走進博物館館內參觀，加上高解析度的數位典藏，使用者得以更靠近展品，隨著自己的喜好調整遠近，甚至細微到畫作的筆觸都可以清楚看到。在實際場館內，為了維護展品的安全，觀眾無法隨意地靠近，然而藉由 Google Art Project，

使用者可以體驗到實際到博物館或美術館無法體驗的近距離觀賞，甚至是一般肉眼無法察覺的細微之處，都可以藉由 Google Art Project 一覽無遺。除此之外，Google Art Project 與各地博物館的合作也讓館與館之間的網絡關係得以形成，有別以往的各館獨立作業、甚至是競爭，Google Art Project 打破館際間的障礙，讓資訊得以更流通，也讓使用者可以更容易地取得分佈在不同博物館與美術館的資源。

如 Falk and Dierking（2002）在《博物館經驗》一書中指出，博物館參觀經驗有三個脈絡層次：個人的、社會的以及實體的：在個人層次上，包含民眾進館前的個人經驗以及知識背景；在社會層次上，包含於博物館參觀中與他人的互動，以及與展示相關的社會及文化脈絡；在實體層次上，包含博物館建築以及館內的物件和藏品。 Google Art Project 藉由攝影技術呈現實際博物館內燈光與參觀場景以滿足線上使用者「實體層次」。Google Art Project 與一般線上博物館最大的不同在於參觀環境的呈現，博物館的線上資源多著重於藏品本身，然而 Google Art Project 藉由街景技術將博物館燈光、實體環境重現給線上使用者。除此之外，同時也利用 Google 本身的社群優勢滿足使用者的「個人層次」與「社會層次」，使用者不僅僅是可以將個人喜好的作品按照自訂的主題收藏以及排列，也可以進一步分享至社群與他人討論、互動。與實際展場不同的是，藉由 Google Art Project 中虛擬的博物館展間不僅僅包含來自世界各地不同場館的作品，也同時包含著來自世界各地使用者間各式各樣的想像、對話與互動，進一步打破現實世界中博物館機構間的隔閡（Kennicott, 2011）。

Google Art Project 的興起也有助於藝術、博物館場域的「民主化」，比起以往由藝術家、學者、策展人等專業人士所獨有的知識話語權，一般民眾、使用者皆可以網路平台上分享自己的使用經驗、感想，如此一來也促進不同領域間的對話與學習。藝術欣賞、博物館參觀成為多方向、跨領域的互動，除了博物館從業人員分享專業知識外，參觀者與使用者之間也彼此分享。博物館線上發展的普及化以及互動性的增加都有助於博物館將網路上廣大的使用者吸引進博物館成為博物館觀眾，如同社會學家 Steve Woolgar（2003）於 Five Rules of Virtuality 中提出的第四個規則：「虛擬性」隨著普及性的提升將越來越「真實」。Woolgar 以運動轉播為例，藉由轉播比賽觸及更廣大的群眾，因而有更多的民眾希望可以實際到場參與運動賽事。此現

象也反映在博物館參觀民眾上，紐約當代藝術博物館在與 Google Art Project 合作之後，博物館網頁的造訪率也提升 7%，而網頁造訪率亦與實際造訪率呈現正向關。虛擬或數位科技的應用將超越過去取代「現實」活動的應用，而是與之相輔相成，提升人們的體驗與經驗；如弗瑞爾藝廊（Freer Gallery of Art）館長 Julian Raby 亦指出，透過高解析的數位典藏讓人們可以近距離的看到在實際藝廊參觀所看不到的細節，然而這樣的優勢並沒有對實際參觀造成任何的威脅，反而是增加人們對於真實畫作的好奇和興趣，民眾因 Google Art Project 的使用而增加造訪博物館的興趣與意願（Williams and Galyan, 2011）。

　　然而，Schaller 等人（2005）指出，比起線上教育活動，多數的使用者仍能偏好實際的導覽活動，而其中的關鍵在於互動性，有效的教育活動通常包含顯著的討論與互動活動，尤其當活動可以有效與使用者的個人經驗連結時。而個人經驗所引發的情緒也是塑造經驗的重要元素，如同學者 Dunckel 等人（2000）與 Douma（2000）皆指出，對博物館而言，成功的線上展示及教育活動必須包含的關鍵元素有好的論述主題、直覺性的瀏覽方式以及吸引人的圖像等。學者 Piacente（1996）進一步將博物館網站分成三大類：一為「電子宣傳手冊」，用以宣傳博物館為主；二為「虛擬博物館」，企圖藉由線上科技重現博物館實體環境；三為「互動式」，希望藉此增加博物館與觀眾間的互動。前兩類主要以館藏資訊為主，也因此強調網站的工具性質，如網頁的介面設計、資訊的呈現效果、資訊傳輸效率等；而最後一類則是以觀眾觀點為主，如是否可以引起觀眾共鳴、反思。從使用者的角度來看，人們使用線上博物館的最主要目的仍然為實際參觀安排或是參觀後取得與展覽有關的更近一步資訊。如同 Marty（2008）提到，線上博物館多數仰賴民眾的自主性而與博物館有更多的互動，也因此多數線上博物館使用者對於如何鑑賞藏品與參觀博物館也較有主見及熟悉。另一方面，Marty（2008）也指出，由於博物館龐大的館藏數量無法讓觀眾在一趟參觀內全部看完，線上博物館的另一個主要使用者也包含因為時間、體力關係無法在實際參觀中看完展品，仍希望可以繼續觀賞館藏的觀眾。由此可知，自博物館使用線上資源開始到今日，博物館入館觀眾與線上博物館使用者一直以來都屬同一族群，意即線上博物館使用者利用線上資訊規劃實際參觀，而實際入館參觀觀眾也利用線上博物館延續參觀經驗。Booth（1998）以倫敦的科

學博物館（Science Museum）為例，近一步針對不同觀眾族群對於線上博物館的期待，約 20% 的觀眾對於館藏相關的資訊有較多的興趣；學校參觀團體中，老師以及學生都對與課程相關的資訊有較高的興趣。而兩大族群除了使用線上博物館的資訊來增加館藏或課程的了解外，為安排實際參觀行程是使用線上博物館的主要原因之一。

線上博物館於 2020 年因為新冠肺炎（COVID-19）的影響而成為世界各地博物館當年度的致力發展而來到高峰。因為疫情的影響，世界各地多數博物館皆面臨必須閉館的困境，失去藉由實體展示、藏品或活動與觀眾連結和互動的機會。線上博物館也成為博物館社群持續抱持與觀眾、社會連結的少數選擇之一。國內國立故宮博物院更是在 2021 年 5 月底台灣進入疫情三級警戒必須暫時停止對外開放時大力推廣線上博物館，於網站上提供館內藏品資訊、3D 文物賞析、720 度 VR 走進故宮等，希望藉由數位資源持續與觀眾互動、提供民眾在家防疫期間的教育以及娛樂活動。也因應疫情期間線上會議的居家隱私的需求，將故宮建築、器物製成視訊背景圖，以不同的方式拉近故宮與民眾之間的距離。

圖 12-1　故宮肉形石器物視訊背景圖（資料來源：故宮臉書）

線上資料庫、數位資源平台以及線上博物館等皆為網路世代興起的產物，國際博物館協會（International Councils of Museums）主席 Geoffrey Lewis 曾於 1996 年指出，線上博物館僅僅是由一系列以文化、歷史為主題的數位

圖像、影音檔案及文字組成,並不具有一般博物館所含的永久性與獨特性
(Lewis, 1996)。然而,隨著時代的推移,博物館線上資源的重要性以及獨
特性於今日早已超過一系列的數位圖像與檔案。博物館藉由擴展線上藏品
期望打破空間以及距離上的限制,並觸及更多的民眾,最終落實提升博物
館可及性、文化近用以及文化平等權利。

博物館智慧化

一、展場應用:個人化服務、虛實整合之串連

　　回顧博物館應用科技的歷程可以發現,博物館於一剛開始將場館內資
源結合網路科技把服務場域與群眾擴展至線上,企圖打破物理及距離上的
限制,期望讓博物館資源的使用率得以最大化。比起初期注重將博物館服
務範圍的擴展,現今博物館利用智慧科技企圖加深與展場中個別觀眾的連
結,提供客製化服務、注重個別且多樣的需求,提高每一位觀眾、使用者
的滿意度也進而培養和提升對博物館的忠誠度。

　　個別化的轉變也可從博物館內科技裝置的使用歷程得知,自博物館
開始於場館內結合多媒體科技、提供數位化內容、增加展示內容與主題的
多樣性再加上網路的發展,博物館數位資源得以觸及更廣大的群眾。美國
Horizon Report 的博物館篇自 2012 開始強調博物館於軟體、應用程式發展的
重要性,並且從 2013 起連續 3 年指出 Bring Your Own Device(BYOD)為博物
館近期發展重要趨勢。自個人行動裝置問世以來,博物館逐漸從必需花費
大量成本購置硬體設施提供觀眾數位資源,轉而結合個人行動裝置並將發
展重點置於內容及軟體上。尤其,在個人行動裝置高度普及化的發展下,
博物館若可研發相容性高的應用程式或是便利使用者的網頁介面,即可免
去花費購置和維護硬體設備的成本,除此之外,觀眾也可省去重新適應新
裝置的時間,著重於展示內容並按照個人喜好參觀博物館。相較於以往民
眾參觀博物館多處於被動地位,由博物館從業人員主導參觀內容、動線等,
個人化服務也賦予博物館觀眾更多的自主性(autonomy)。其中美國克里夫
蘭藝術博物(The Cleveland Museum of Art)館即為結合觀眾個人行動裝置的
良好典範,開發應用程式 ArtLens App 展現博物館專注於規劃觀眾參觀活動
以提升參觀經驗和加深與觀眾之間的連結。藉由 ArtLens App 觀眾得以跟不

同的藝術作品互動、留下合影，以及根據自己的喜好創造個人化的收藏並與他人分享等。有別於以往靜態觀賞藝術作品的參觀經驗大不相同，讓博物館參觀變得更加有趣，因互動性的提升，也加強觀眾對於藝術作品的印象及對博物館參觀留下深刻的記憶。

二、博物館智慧管理：觀眾服務與需求預測

博物館除了藉由開發創新的內容及軟體可以顯著的提高與觀眾的互動性以及觀眾的參觀滿意度外，利用個人化數位服務也有助於博物館更了解觀眾。例如，博物館結合定位系統除了可以指引觀眾館內展示空間位置，減少觀眾於館內迷失的機會和時間，也可以透過系統了解觀眾於博物館內的參觀情形，包含人流、熱點、停留時間等。藉由這些資訊，博物館得以進一步檢視自身館內參觀路線規劃的適當性、館內空間分配是否符合觀眾及館所的需求和期待。過往博物館主要利用觀眾調查了解觀眾參觀行為、喜好、需求及參觀動機等，比起觀眾調查仰賴民眾是否如實填答的分享意願，博物館智慧化的發展讓館所可以藉由客觀的數據去了解民眾的參觀行為及興趣，並藉此提升博物館的管理效能。

類似於 Google Analytics 可藉由點擊率和指標游移路徑用於分析網頁使用者的行為，藉由應用程式、社群媒體的後台數據及留言，博物館不必花費大量人力、物力成本發放問卷做觀眾調查，也可瞭解到觀眾對於展示內容的喜好、服務項目的需求，並做出相對應的對策。例如，透過個人化服務，博物館亦可得知不同主題、內容、服務項目等的點擊或查詢情況，而進一步得知博物館提供的服務項目是否需要作相應的調整。除此之外，個人化服務也讓博物館看到眾多觀眾中的多樣性以及個別性，博物館經由數據分析了解不同觀眾的個別參觀歷程，提供觀眾相應的訊息外也讓觀眾得以藉此將不同時期的參觀串連起來，延伸博物館參觀的歷程，將原本個別化的參觀行程串成線型的參觀歷程也有助於博物館提升觀眾的再訪率，建立觀眾忠誠度。甚至也可透過長時間的資料累積，對觀眾需求作出預測，除滿足觀眾以外，也讓博物館自身的管理效能有更多的提升。

三、博物館智慧化與藏品再詮釋

自博物館數位典藏以來，博物館收藏不再只展示於館內展廳，民眾於

網路上即可以欣賞到世界各地博物館數量龐大藏品。也因為開放資料的政策，博物館不僅僅是落實文化近用的社會責任，也因此開發出新的商機與可能性。例如荷蘭國家博物館（Rijksmuseum）於 2011 年與 Europeana 基金會合作，將館藏數位化圖像以「公眾領域貢獻宣告」（CC0）授權釋出，提供給民眾取用。Pekel（N.D.）於 '民主化荷蘭國家博物館：為何荷蘭國家博物館不設限制的開放最高品質圖像，成果如何？' 一文中提到，荷蘭國家博物館開放館藏高品質數位圖像之後的效益包括為自身博物館的網站帶來更多的流量，例如開放前三個月博物館網站使用者就增加 34%、Rijksstudio 也有 3 萬多人註冊。除此之外，開放圖像免費提供民眾下載及使用也為博物館帶來商機和宣傳機會，荷蘭國家博物館在 2012 年光靠販售圖像就獲得 18 萬 1 千歐元。也因為開放政策的成功，荷蘭國家博物館成為博物館界的典範和先驅，受到國際媒體的注目外也受到不同領域的開發者或設計師關注，受邀參與各大重要研討會及活動。

博物館採用開放資料（open data）政策，讓民眾可以使用博物館線上資料庫或其他數位資源，並且根據各自的喜好安排參觀行程以及收藏館內藏品和資源都常見於博物館的數位服務。自訂個人化收藏，並且分享與他人也打破過去以往展示規劃只限於博物館從業人員，博物館參觀民眾也可享有策展人的體驗，與博物館一同共創。國立故宮博物院於 2020 年開始舉辦的「線上策展人計畫徵選活動」邀請民眾利用故宮的 Open Data 資料開放平臺中的文物發想，策劃展覽概念，建構自己的線上展覽，此一活動獲得許多喜愛文物、藝術的民眾共襄盛舉，跨界體驗博物館策展人的角色。在 2020 一年，全球受到疫情影響，許多民眾無法自由出門、參觀博物館的情形下，數位典藏、線上／虛擬博物館、Open Data 以及擴增實境（AR）等的博物館科技應用也更顯重要。荷蘭國家博物館當年在社交平台上受到最多人按讚的文章則是邀請民眾利用博物館數位資源，尋找喜愛的藝術作品並在家中重現。美國大都會藝術博物館（Metropolitan Museum of Art, MET）也將自身館藏重製成 AR，邀請民眾將館藏與家中裝潢擺飾結合並分享。

博物館數位科技的應用讓原本因觀眾無法進館參觀的限制而無法展示館藏的遺憾不再，轉而讓博物館館藏可以跨越實體博物館的物理限制，接觸到更廣大的使用者，也因此發揮更大的影響力。另一方面，因為科技的發展，除了增加參觀或使用博物館資源的樂趣之外，藉由民眾對於博物館

藏品的再詮釋博物館得以更親民，不需具備博物館相關學歷或職稱，人人都可以是策展者。這樣的發展也讓博物館於展示、使用及詮釋自身館藏方面多出許多可能性，讓過往由專業主導的單一訊息傳遞模式轉變為平等的雙向對話，也讓民眾與博物館得以形成共同創作的夥伴關係。

四、智慧博物館：國立社教機構科技創新服務計畫

如前文所述，科技的發展除了讓博物館可以突破距離以及物理性的限制，觸及到更廣大的觀眾之外，科技的普遍使用也造成社會的改變，如大眾吸收資訊的方式及習慣，以及學校的教學方式。為了讓博物館可以更貼近社會，提供符合博物館觀眾需求以及學習方式的服務，教育部於 2017 年配合國家科技政策提出「智慧服務 全民樂學－國立社教機構科技創新服務計畫」（下稱第一期智博計畫），將科技導入轄下 10 間社教機構，以達到智慧學習、智慧服務等目的。10 間社教機構包括：國立海洋科技博物館、國立科學教育博物館、國立臺灣圖書館、國家圖書館、國立藝術教育博物館、國立教育廣播電台、國立科學博物館、國立公共資訊圖書館、國立科學工藝博物館、國立海洋生物博物館。

第一期智博計畫中包含兩大主軸：「智慧博物館」與「智慧圖書館」，其中以「大博物館」 與「大圖書館」的核心理念共同結盟運作。在四年的計畫中，博物館以「參觀前中後服務創新」為主軸，發展出「智慧應用服務」、「雲端服務」、「跨域加值」、「產業與國際合作」等四項推動方向，規劃大博物館提供觀眾客製化服務。圖書館以「智慧圖書館到你家」為主軸，發展出「雲端寶島記憶」、「漢學知識匯流」、「行動數據閱讀」、「數位人文環境」角度建構大圖書館，提供讀者更完整的智慧型圖書館服務。計畫架構，如圖 12-2。

第一期智博計畫成果呈現國內社教機構藉由臺灣科技發展的優勢，顯著的改善以及轉變過往博物館與圖書館的單向、傳統的模式，提供更符合社會大眾需求、更與時代相符的科技服務。例如，國立自然科學博物館（科博館）開發之 iCoBo 手機應用程式，將觀眾的參觀經驗往前、往後延伸至進館前以及離館後。民眾透過 iCoBo App 即可在家中取得博物館開閉館時間、交通方式、展示與活動內容，並且購買票券，於進館參觀前詳細規劃參觀行程。除此之外，iCoBo App 也結合適地性服務（Local Business Service），提

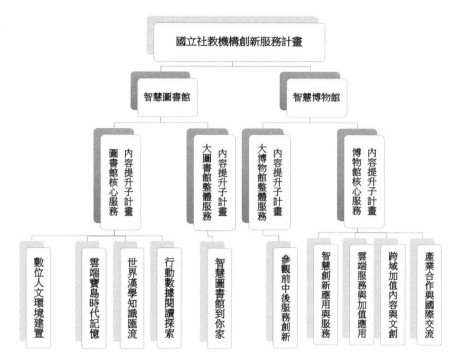

圖 12-2　計畫架構圖（圖片來源：教育部）

供博物館所在區域相關資訊，包含交通、商店、導覽、學習以及急難救助等，協助觀眾解決參觀博物館會遇到的難題，例如觀眾若是開車到科博館參觀，便可以透過 iCoBo App 獲得周邊停車位的資訊，減少民眾尋找停車位的時間。又或者，民眾若是搭乘大眾交通工具，也可以透過 App 查詢附近的公車、接駁車等相關資訊。

　　除了更便民的服務外，第一期智博計畫也著重於博物館管理效能的提升。國立海洋科技博物館（海科館）創新使用建築資訊模型（Building Information Model, BIM）於管理博物館硬體設施，以減少傳統以人力維護為主的管理模式。藉由系統的偵測與監控，館務人員可即時得知、調整館內硬體設備的使用情形。除了減少館務人員的工作量之外，BIM 的使用也可即時監控博物館內展廳的空氣品質，有效調適博物館的能源方案以及節能政策。在博物館管理的科技應用上，海科館也結合展廳人流應用，反映出展廳中訪客的人數、觀眾移動情形以及展廳熱點位置。藉由更了解觀眾是如何在博物館內分佈、移動以及停留都可以讓博物館進一步去檢視展廳物件、觀

眾參觀動線甚至是場館安全的規劃。

　　有鑑於第一期計畫的成果顯著，智博計畫於 110 年度開啟第二期延續計畫。於第二期智博計畫中，除了延續第一期促進社教機構應用科技提升服務效能之目標外，第二期計畫也將強調跨機構間的橫向連結，其中包含具科普中心館所間的連結以及博物館教育與學校教育之間的結合。第二期智博計畫（110 至 113 年）將扣合「智慧學習國家基地」政策方向與「12 年國民基本教育課程綱要」（下稱 12 年國教新課綱）結合，將教育部轄下博物館所開發之數位學習相關課程與資源依照 12 年國教新課綱集中與整合。12 年國教新課綱包含核心素養、校定必修與彈性課程以及學習歷程檔案等，因此 12 年國教新課綱的實施對於博物館之間的跨館所整合服務更顯重要。計畫中的跨館所教育資源平台將結合博物館 / 圖書館、大學、研究機構、產業界等透過多元的數位學習資源，讓學生、老師以及有興趣的民眾都可以利用此一平台取得個別博物館的教育推廣資源，包含開發與博物館展示收藏相關之課程以及教材。比起過往博物館與學校的互動主要仰賴學校團體至博物館的校外教學，透過智博計畫跨館教育平台的推動讓學校教師可利用此平台開發與課綱連結之課程教材，將博物館資源結合教育專業做更符合教師以及課程需求的使用，也因此與博物館教育推廣專業人員形成緊密的合作關係，並進一步落實博物館的教育責任。

結語

　　科技的發展大大的改變當代社會人們吸收及運用資訊的方式，為了回應社會的改變，博物館也體認到數位發展的重要性與必要性。從起初的將館藏數位化，可以延長物件的生命，尤其是針對材質脆弱或物件狀態不佳的藏品，到線上資源、虛擬博物館可以幫助博物館觸及到更廣大的群眾，開啟更多的對話和互動可能性。網路以及數位科技發展至今早已不再有人擔心線上的虛擬博物館可以取代實際的博物館參觀經驗，參觀實體博物館、被物件、藝術品等圍繞的感受、與他人的對話及互動都不是博物館線上資源、數位展示等可以取代的。博物館科技應用的發展至今，除了為參觀博物館提供更多的可能性以外，也更加證實了實際參觀博物館經驗的不可取代性。

如同本文一開始提及，博物館到館實際參觀的民眾與線上資源的使用者族群幾乎可以說是同一族群，多數使用博物館數位資源的使用者其目的多為規劃即將到來的參觀行程，或是延伸過去的參觀經驗。也因此，如同教育部的智慧博物館計畫重點，博物館應思考如何透過線上資源與實體館舍結合，透過「虛」、「實」的整合，滿足民眾實際到館參觀的需求與滿意度外，於博物館外，如家中、學校等，也都可以因為享受博物館帶來的樂趣和資訊，因而不斷的到館體驗和參觀。比起是否取代實際參觀博物館的經驗，現今發展博物館線上資源的開發與科技應用更需要思考的議題在於如何能夠與滿足民眾越來越多元的興趣以及需求、如何結合並提升民眾實際到館參觀的經驗，甚至是如何藉由科技的應用發揮博物館的影響力並實踐所背負的社會責任。

一、反思博物館智慧化

博物館於科技上的應用自發展之始即受到不同的質疑與挑戰，從起初對於經驗的真實性（authenticity）到現今因為數據的廣大應用而產生的個人資訊揭露程度的隱憂。歐盟自 2018 年開始實施的一般資料保護法（General Data Protection Regulation, GDPR）讓全世界都開始正視資料與個人隱私的安全性。因數位科技的影響力以及現代交通的便利性，即便不是位於歐洲的博物館也都開始以較為嚴謹的態度搜集或使用民眾資訊。然而，如前文所提及，博物館於數位科技的應用之所以可以大大提升觀眾的參觀經驗、提供個人化服務甚至到預測觀眾需求都源自於數據的收集與累積，因此，博物館如何在保護個人隱私的前提下能夠取得足夠的數據做為回應或預測觀眾需求的依據便成為當下博物館所面臨的挑戰之一。

另一方面，博物館在科技運用上，數位科技與博物館專業間的互動關係也是值得探討的議題之一。英國和美國針對博物館科技應用相關研究報告指出，博物館從業人員對於數位科技的不熟悉仍是博物館數位發展的主要挑戰，有近三成的博物館認為館內從業人員具備的科技素養與技能並無法實現其館方自訂的數位發展目標（Johnson et al., 2015; Freeman et al., 2016; Arts Council England, 2014）。也因此，博物館運用科技可能陷入被市場或科技主導的情境，為了跟上商業科技的發展而使用新興數位科技，並期望藉由民眾對新科技的新奇心態而吸引觀眾入館。此類以科技為主、博物館專業為

輔的應用較難為博物館帶來長期的成果，若要有效發揮博物館潛能，仍必須以博物館專業為本進一步思考科技能為實踐博物館願景所能提供的協助為何。

二、智慧博物館未來發展：數位社會創新模式（Digital Social Innovation）

博物館的科技應用從其與前述數位典藏、線上／線下連結、虛實整合到智慧博物館的發展讓博物館與社會大眾得以保持緊密的互動關係，而博物館的科技應用除了滿足觀眾需求之外，博物館所具有的特殊社會地位，如公信力、寓教於樂等，都讓博物館的科技應用可以有更多的可能與潛力。

數位社會創新模式（下稱 DSI 模式）指利用科技結合創新概念、方法和領域解決社會或環境等問題，此一模式已被許多計畫和非政府組織採用，議題涵蓋保健、教育、就業、民主參與、移民與環境等，展現數位科技改變公民社會、提升生活品質與促進平權等可能性 (Bone et al., 2018)。博物館近年來致力於提升數位科技的應用，包含館藏數位化、多媒體應用、沈浸式體驗、虛擬／線上博物館以及博物館社群平台的經營等，鑑於數位科技的應用多源自於博物館希望提升觀眾參與、博物館近用性，Haitham（2015; 2019）則指出，DSI 模式提供了博物館成為社會改變推動者地位的可能性。隨著博物館對於資訊科技運動成熟度的提升，比起以往著重於模式博物館科技運用的目的可從以往提高觀眾滿意度及參與程度擴展至博物館以外，藉由 DSI 也促使博物館從業人員與其他領域及社區共同合作為社會議題提供更好的解決方案。

隨著博物館社會角色及其專業倫理實踐也受到重視並成為社會大眾檢視的重點（Fleming, 2019），博物館的專業實踐不再局限於館內的藏品和展示。鑑於博物館的社會地位與角色，許多博物館開始思考如何結合科技可以有效打破過去博物館單一、同質性高的觀眾族群。例如西班牙馬德里的普拉多博物館（Museo Nacional del Prado）將館內數幅畫作，包含義大利文藝復興大師—科雷吉歐（Antonio da Correggio）的名畫「Noli Me Tangere」利用 3D 列印複製並佈滿浮雕讓視障觀眾得以利用觸覺欣賞並了解畫作。創新的作法重新賦予視障觀眾欣賞視覺藝術的權力，透過科技的創新運用，博物館得以在迅速的社會變遷中持續地保持與民眾的連結，甚至成為社會變革的推動者。博物館科技應用除了可以讓博物館延長藏品生命、觸及更廣大

的群眾、回應社會多元的需求外，也可進一步促使、發動社會的改變，積極的為環境與社會議題提供不同的視野，甚至是解決方案。

參考文獻

Falk, J.H. and Dierking, L.D.，林潔盈、羅欣怡、皮准音、金靜玉譯，2002。博物館經驗。台北：五官藝術管理有限公司。

Fleming, D.，2019。在博物館處理令人難以面對的記憶 (I) (II)，博物之島。https://museums.moc.gov.tw/Notice/ColumnDetail/f442c238-3277-4588-9045-13085f606795。https://museums.moc.gov.tw/Notice/ColumnDetail/c481039d-dfc1-4432-9048-473eb352b110。瀏覽日期：2021 年 1 月 3 日。

教育部，106-109 年。智慧服務 全民樂學－國立社教機構科技創新服務計畫。

教育部，110-113 年。第二期智慧服務 全民樂學－國立社教機構科技創新服務計畫。

陳思妤、許家瑋、陳諾、陳映廷、林詠能，2020。新冠肺炎疫情對臺灣民眾參觀博物館決策之影響。博物館與文化，20：3-37。

黃映玲，2014。英國博物館中國畫蒐藏在線數據庫項目之比較研究。博物館藏品近用與利用，103-131。

Arts Council England. 2014. Digital Culture 2014: How arts and cultural organisations in England use technology. Research Report. https://www.artscouncil.org.uk/publication/digital-culture-2014. Retrieved May 5, 2021.

Bone, J., Cretu, C., & Stockes, M. 2018. A Theoritical Framework for the DSI Index. Digital Social Innovation. https://digitalsocial.eu/images/upload/7-A_theoretical_framework_for_the_DSI_index.pdf. Retrieved December 2020.

Booth, B. 1998. Understanding the Information Needs of Visitors to Museums. Museum Management and Curatorship 17(22): 139-157.

Douma, M. 2000. Lessons learned from WebExhibits.org:Practical suggestions for good design [Online]. Museums and The Web 2000: Conference Papers. Minneapolis. https://www.archimuse.com/mw2000/abstracts/prg_80000178.html. Retrieved August 4, 2020)

Dunckel, B., Bruce, C., MacFadden, J., and Mercer, J. 2000. The "Gallup Poll": Using Evaluation to Develop Fossil Horses in Cyberspace, An Online Exhibition. Curator, 43(3): 211-230.

Freeman, A., Becker, S.A., Cummins, M., McKelroy, E., Giesinger, C. and Yuhnke, B. 2016. Nmc horizon report: 2016 museum edition. The New Media Consortium.

Haitham, E. 2015. The Intersection between Social Innovation, Museums and Digital. Museum Computer Network (MCN). http://mcn.edu/the-intersection-between-social-innovation-museums-and-digital/. Retrieved January 15, 2021.

Haitham, E. 2019. Digital Social Innovation and the Evolving Role of Digital in Museums. MuseWeb Conference. https://mw19.mwconf.org/paper/digital-social-innovation-and-the-evolving-role-of-digital-in-museums/. Retrieved March 16, 2019.

Johnson, L., Becker, S.A., Estrada, V. and Freeman, A. 2015. NMC horizon report: 2015 museum edition. The New Media Consortium.

Kennicott, P. February 1, 2011. National Treasures: Google Art Project unlocks riches of world's galleries. https://www.washingtonpost.com/entertainment/national-treasures-google-art-project-unlocks-riches-of-worlds-galleries/2011/02/01/ABJVe0Q_story.html. Retrieved July 24, 2021.

Lewis, G. October 17,1996. The Response of Museums to the Web. Archives of MUSEUM-L@HOME.EASE.LSOFT.

COM Museum discussion list. https://www.academia.edu/28772989/THE_RESPONSE_OF_MUSEUMS_TO_ THE_WEB. Retrieved July 17, 2021.

Marty, P. 2007. Museum Websites and Museum Visitors: Before and After the Museum Visit. Museum Management and Curatorship, 22(4): 337-360.

Marty, P. 2008. Museum websites and museum visitors: digital museum resources and their use. Museum Management and Curatorship, 23(1): 81-99.

Pekel, J. N.D. Democratising the Rijksmuseum: Why did the Rijksmuseum make available their highest quality material without restrictions, and what are the results? Europeana Foundation. https://pro.europeana.eu/files/ Europeana_Professional/Publications/Democratising%20the%20Rijksmuseum.pdf. Retrieved May 5, 2021.

Piacente, M. 1996. Surf's up: Museums and the world wide web. University of Toronto Research Paper, Master of Museum Studies Program.

Schaller, D.T., S. Allison-Bunnell and M. Borun. 2005. Learning Styles and Online Interactives. Archives & Museum Informatics. Toronto.

Soren, B. 2009. Museum experiences that change visitors. Museum Management and Curatorship, 24(3): 233-251.

Szrajber, T. 2008, September. Public access to collection databases: The British Museum Collection Online (COL): A case study. In Annual Conference of CIDOC. Athens.

The Network of European Museum Organisations, 2020. Survey on the impact of the COVID-19 situation on museums in Europe Final Report.

Williams, A., and Galyan, D. 2011. Freer and Museums Worldwide Team with Google to Creat Art Project. Smithsonian News Realease, February 1, 2011. https://www.si.edu/newsdesk/releases/freer-and-museums-worldwide-team-google-create-art-project. Retrieved July 10, 2020.

Woolgar, S. 2003. Five Rules of Virtuality. Virtual Society? Get Real!: Technology, Cyberbole, Reality, Oxford University Press.

國家圖書館出版品預行編目資料

博物館數位轉型與智慧創新 = Digital transformation and smart innovation in museums / 城菁汝, 蔡遵弘, 林靖于, 黃凱祥, 葉長庚, 劉宜婷, 汪筱薔, 謝俊科, 吳紹群, 林詠能, 宋祚忠, 徐典裕, 葉鎮源, 陳君銘, 劉杏津, 蘇芳儀, 施登騰, 陳思妤作 ; 徐典裕主編. -- 初版. -- 臺北市 : 藝術家出版社, 2022.07
240面 ; 17X24　公分. -- (博物館學系列叢書 ; 5)
ISBN 978-986-282-296-8(平裝)

1.CST: 博物館學 2.CST: 博物館 3.CST: 數位科技 4.CST: 文集

069.07　　　　　　　　　　　　111004230

博物館學系列叢書 **5**

博物館數位轉型與智慧創新
Digital Transformation and Smart Innovation in Museums

主編：徐典裕

作者： 城菁汝、蔡遵弘、林靖于、黃凱祥、葉長庚、劉宜婷
汪筱薔、謝俊科、吳紹群、林詠能、宋祚忠、徐典裕
葉鎮源、陳君銘、劉杏津、蘇芳儀、施登騰、陳思妤

總 編 輯　林詠能
執行編輯　陳諾、林思嘉
美術編輯　藝術家出版社

出 版 者　藝術家出版社
　　　　　　臺北市金山南路（藝術家路）二段 165 號 6 樓
　　　　　　TEL：（02）2388-6715 ～ 6
　　　　　　FAX：（02）2396-5707

策　　劃　中華民國博物館學會
理 監 事　蕭宗煌、洪世佑、陳國寧、王長華、吳淑英、賴瑛瑛、徐孝德、辛治寧、林詠能、李莎莉
　　　　　　陳訓祥、曾信傑、游冉琪、劉惠媛、謝佩霓、羅欣怡、陳碧琳、賴維鈞、如　常、林秋芳
　　　　　　陳春蘭、劉德祥、徐天福、蕭淑貞、岩素芬、何金樑、吳秀慈、林威城
贊助單位　富邦藝術基金會
編輯委員　林詠能、施承毅、徐典裕、陳佳利、陳尚盈、曾信傑（依筆劃）

郵政劃撥　50035145 藝術家出版社帳戶
總 經 銷　時報文化出版企業股份有限公司
　　　　　　桃園市龜山區萬壽路二段 351 號
　　　　　　TEL：（02）2306-6842

製版印刷　鴻展彩色製版印刷股份有限公司
初　　版　2022 年 7 月
定　　價　新臺幣 380 元
I S B N　978-986-282-296-8(平裝)